Wir alle sind
Kinder der Götter

ERICH VON DÄNIKEN

Wir alle sind
Kinder der Götter

WENN GRÄBER REDEN KÖNNTEN

Bechtermünz

Genehmigte Lizenzausgabe
für Weltbild Verlag GmbH, Augsburg 2000
Copyright © 1987 by C. Bertelsmann Verlag in der Verlagsgruppe
Bertelsmann GmbH, München
Bearbeitung: Wilhelm Roggersdorf
Gesamtherstellung: Druckerei Appl, Wemding
Printed in Germany
ISBN 3-8289-4867-7

INHALT

I. Es waren zwei Königskinder 7
   Erkundungen in Nord-Jemen

II. Und die Bibel hat nicht recht 91
   Die brisante Entdeckung

III. Götter, Gräber und Geneppte 127
   Sag mir, wo die Gräber sind . . .

IV. Kinder der Erde – Kinder der Götter 197
   Hat der Mensch keine Urheimat?

V. Urewige Begegnungen der dritten Art 235
   Mut zum Möglichen

Literaturverzeichnis 269
Register 281
Bildquellennachweis 288

I.

ES WAREN ZWEI KÖNIGSKINDER

ERKUNDUNGEN IM NORDJEMEN

Eine Fabel ist eine Brücke,
die zur Wahrheit führt.

Arabisches Sprichwort

Das alte Rom soll um 753 v. Chr. gegründet worden sein,
die Mayastadt Tikal noch 100 Jahre früher. Die An-
fänge Athens werden auf etwa 1500 v. Chr. datiert, und von
Jericho wird angenommen, daß es um 6000 v. Chr. erbaut
wurde. Gibt es noch ältere Städte auf unserm Planeten?
Möglich, denn alle arabischen Chronisten versichern, Sanaa
auf der 2500 Meter hohen Ebene des jemenitischen Gebirgs-
massivs wäre die älteste Stadt der Welt und gleich nach der
Sintflut gegründet worden.

Rom, Athen, Tikal und Jericho kenne ich. Sanaa mußte
ich kennenlernen. Es liegt nicht gerade an der Rennstrecke.
Umwege führten mich hin. Sie haben abenteuerlichen Charakter. Wie wir erleben werden.

Nord-Jemen, die Arabische Republik Jemen, liegt im
Süden der Arabischen Halbinsel. Seit Urzeiten ist das Ge-
biet besiedelt. Es erlebte hochstehende Kulturen wie die des
Sabäischen Reiches um 1200 v. Chr.

Es war ein reiches Land, denn es besaß – wie jedes
Nachschlagewerk mitteilt – ein eindrucksvolles Bewässerungssystem für seine Oasen; es war ein Exportland von
hohen Graden für Weihrauch, der immer noch ein gefragter
Artikel ist.

Geschehen 1951

»Wir holten alles aus unseren Lastwagen heraus, was sie nur in sich hatten, und flogen geradezu über den Hadi. Die Leute hinten im Wagen hielten sich mit Zähnen und Klauen fest und spähten über die flache Erde hinweg nach einem Anzeichen der Kamelreiter aus Harib ... als Chester, der jetzt das volle Ausmaß der Gefahr erkannte ... unvermittelt weit nach links abbog, den Jemeniten mit knapper Not entging und seinen Lastwagen gerade noch außer Schußweite hielt.« [1]

Diesen Überfall erlebte der junge amerikanische Paläontologe Wendell Phillips vor 36 Jahren, als er mit seinem Kollegen William Frank Albright 180 Kilometer östlich von Sanaa bei Ausgrabungen tätig war.

Die Erlaubnis zu diesem Unternehmen hatte König Imam Achmed von Jemen der ›American Foundation for the Study of Man‹, der Amerikanischen Stiftung für das Studium des Menschen, gegeben.

Aus Berichten der deutschen Gelehrten Carl Rathjens und Hermann von Wissmann vom Jahr 1928 wußten die Amerikaner von der Existenz einer Tempelanlage bei Marib. Es sollte sich dabei um den geheimnisvollen Tempel der Königin von Saba handeln.

Trotz der Soldaten und Beamten, die der Imam der Expedition zugedacht hatte, kam es nach Monaten guter Arbeit zu erheblichen Spannungen: Den Jemeniten mißfiel, daß Ungläubige – wer nicht an Allah glaubt, ist hierzulande ungläubig – in ihrem Land nach verborgenen Schätzen gruben.

Anordnungen der Archäologen wurden durch Befehle der königlichen Beamten konterkariert. Ein Mißgeschick führte zur ersten Revolte: Ein Arbeiter stieß versehentlich gegen einen hölzernen Stützbalken, der sechs antike Säulen mitriß; ein ägyptischer Arbeiter und ein jemenitischer Knabe wurden leicht verletzt. Sofort verlangten die Beamten des Imam die Herausgabe aller Latexabdrücke*, die bis dahin in monatelanger, mühevoller Arbeit von alten Inschriften an den Tempeln genommen wurden.

Von einem kurzen Amerikatrip zurückgekehrt – bei dem er Geld für die weitere Arbeit locker gemacht hatte –, fand Phillips vor Ort eine so emotionsgeladene Lage vor, daß die Arbeiten nicht fortzuführen waren. Auf einer geheimen nächtlichen Besprechung beschlossen die Archäologen die sofortige Flucht. Sie ließen die Nachricht verbreiten, sie würden am nächsten Tag von den Hügeln aus Filmaufnahmen des Geländes drehen. Diese Täuschung verfing um so mehr, als die Expeditionsausrüstung im Wert von weit über 200 000 US-Dollars zurückblieb, als die Archäologen mit ihren ägyptischen Helfern auf die beiden Lastwagen stiegen. Beamte und Soldaten freuten sich, denn nun konnten sie unbeobachtet tun, was sie immer getan hatten: stehlen.

---

36 Jahre später

Heute gehört der Ort, den Phillips fluchtartig verließ, zur touristischen Attraktion, denn Marib wurde 1984 durch eine asphaltierte Straße mit der Hauptstadt Sanaa verbunden. Mein Mitarbeiter Ralf Lange und ich genossen das Panorama der 175-Kilometerstrecke von den Rücksitzen eines *Land-Cruiser* aus. Auf den Vordersitzen chauffierte uns ein junger Jemenite, den obligatorischen Krummdolch *(Dschambia)* hinterm handbreiten Gürtel vor dem Bauch. Sobald ein jemenitischer Junge 14 Jahre alt wird, gilt der Krummdolch als Ausweis nunmehriger Männlichkeit. Es hängt vom Geldbeutel ab, ob der Dolch groß und breit oder

---

* Archäologen verwenden Gummilatex für Kopien von Schriftreliefs und Figuren. Das feuchte Latex wird auf das Original gedrückt, dann vom Stein abgezogen: Man hat ein exaktes Negativ.

Oben: *Wir genossen das Panorama auf der 175-Kilometerstrecke*
Unten: *Von der Paßhöhe geht der Blick hinunter auf Wadis*

ärmlicher ausfällt, ob der Griff aus Silber und verziert oder nur holzgeschnitzt oder aus minderem Metall ist, ob die Lederschleife von Silbernieten blinkt oder nur ein schlichtes Futteral ist. Hauptsache – ein Krummdolch! Neben dem Chauffeur brütete unser *guide* (Führer) in Jackett und mit Krawatte, eine Montur, die wohl einen Aufsteiger andeutet. Kenntnisse und Intelligenz zeichneten den Mann, wie wir leider erfahren mußten, nicht aus.

Den jemenitischen Chauffeur zu engagieren, hatte mir der Beamte im Tourismusbüro im Zentrum der Stadt empfohlen; dort bekommt der Ausländer die Erlaubnis zum Reisen im Landesinnern. Es war ein guter Rat. Man sollte kein Selbstfahrerauto mieten, es kann eine stille Art von Selbstmord sein. Hier im Land spielt es keine Rolle, ob einer bei einem Unfall schuldig oder unschuldig ist, denn das Verkehrsrecht ist immer noch vom Religions- und Stammesrecht beeinflußt: Körperverletzung bei Unfällen wird wie Totschlag behandelt. Wenn auch nach den westlichen Verkehrsregeln völlig unschuldig, muß nach islamischem Recht der Verursacher ein ›Blutgeld‹ an die Familie des Verletzten oder Getöteten entrichten. 1986 galten diese Kurse: Für einen bei einem Verkehrsunfall getöteten Mann waren rund 50 000 DM, für eine Frau die Hälfte zu entrichten; während des Fastenmonats Ramadan und der Pilgerzeit verdoppeln sich die ›Blutgelder‹. Es kann schlimmer kommen: Die hinterbliebene Familie kann Blutrache fordern. Für uns wäre das blanker Mord. Hier aber üben Sippe oder Stamm Justiz, und der Ausführende begeht eine ehrenhafte Tat. Ob ich nicht auch als Beifahrer zur Kasse gebeten worden wäre, habe ich gottlob nicht ermitteln müssen.

Einen zweiten guten Rat gab mir der Portier des Hotels. Er riet mir, die Reisepermits mehrmals zu fotokopieren. Wie recht er hatte! Schon bei der ersten Straßenkontrolle durch bewaffnete junge Männer wurde ich das Original los. Der Posten nahm es zu den Akten. Bei der nächsten Kontrolle wäre ich zurückgeschickt worden.

Aus der Ferne rückten die in der Sonne schimmernden

Berge wie im Zeitraffer näher, leuchteten hellbraun vor schwarzen Schatten. Die Straße windet sich zum 2315 Meter hohen Bin-Ghaylan-Paß hinauf, schlängelt sich in Kurven durch beklemmende Felsschluchten. Ab dem Al-Fardah-Paß durchfährt man eine urtümliche Felslandschaft: Rechteckige Riesenmonolithen türmen sich zu Wolkenkratzern. Das ist eine Skyline! Wie modelliert hängen Natursteinbrücken über aufgetürmten Kuben. Von der Sonne angestrahlt, leuchten in der Ferne bunte Felshörner, als wären sie von Koloristen in poppigen Farben frisch angespritzt. Von der Paßhöhe geht der Blick hinunter auf Wadis, Talformen der Wüste, die sich gelbbraun dahinter dehnt. Nach langen, in den Fels gesprengten Kurven liegt, 1000 Meter unter uns, die Ebene, auf der Marib steht. Mit jedem Meter, mit dem sich unser Wagen der Talsohle nähert – sie liegt immer noch 1300 Meter hoch – wird die Luft heißer. Nur wenige Büsche und armselige Bäume am Straßenrand, dahinter Sand, nichts als Sand, eine Wüstenei, die einem die Frage aufdrängt, wovon die Beduinen mit ihren Tieren leben, überleben. Fast übergangslos säumt pechschwarzes Vulkangestein unsere Fahrbahn – Schwärze der Hölle, eine Marslandschaft, aus der sich Berge wie gigantische Kohlenhalden erheben. Eine grandiose Naturbühne in der Mittagssonne. Flackerndes Licht. Schatten von der Schwärze des Alls. Silbern reflektierendes Anthrazit in der Sonne.

Nach zweieinhalb Stunden Fahrt ab Sanaa das alte Dorf Marib mit seinen mehrstöckigen Gebäuden. In der Nähe wird Erdöl gefördert. In der glühenden Sonne warten Tanklastzüge auf Beladung.

Von Jahrtausende alten Ruinen ist nichts, gar nichts zu sehen.

Nur die lastende Mittagshitze konnte mein Jagdfieber bremsen, auch war ein Mahl für meine Begleiter fällig. Wir gingen in ein Hotel, dessen Sauberkeit vermuten ließ, daß es von einer Erdölfirma für Gäste gebaut wurde.

Es kam zu einer grotesken Pantomime. Meinen Jemeniten war außer *money* kein englisches Wort geläufig, also lud ich

Das alte Dorf Marib mit seinen Hochhäusern

sie durch Gesten zum Mahl ein. Wir bekamen Englisch und Arabisch beschriftete Speisekarten. Ralf und ich bestellten ein Omelette mit frischen Champignons, unsere Begleiter gaben dem Kellner ihre Bestellung auf Arabisch, er kritzelte die Order auf seinen Block. Wir hatten unser ›Omelette‹ – zwei Spiegeleier mit Büchsenchampignons – gegessen, als unseren Jemeniten zwei saftige T-Bone-Steaks serviert wurden. Sie rührten sie nicht an. Ich setzte meine Gestensprache fort, etwa wie man Kleinkinder zum Essen ermuntert: Happ-happ. Nichts geschah. Wie hypnotisiert hockten sie vor ihren Fleischbatzen, vor ihren Tellern mit Messer und Gabel. Ob sie stumm in sich hinein beteten? Da durfte man nicht stören. Mich erleuchtete ein Gedankenblitz. Ich ergriff den Knochen eines T-Bone-Steaks und führte ihn animierend zum Munde. Der Bann war gebrochen: Befreit lächelnd langten sie schmatzend mit den Fingern zu. Nach einigen beachtlichen Rülpsern ließen unsere Gefährten erkennen, daß einem Aufbruch nichts mehr im Wege stand.

Geheimnisvolle Königin von Saba

Wir schickten uns an, den Staudamm von Marib zu betrachten, der sich schon vor Jahrtausenden als technisches Meisterwerk bewährte und in der Literatur als Wunder der Antike bestaunt wird. Wer veranlaßte den Bau? Er wird der legendären Königin von Saba zugeschrieben. Das Alte Testament weiß von ihrem Besuch bei König Salomon; in der archäologischen Feldarbeit jedoch konnte bisher keine Spur, kein Zeugnis ihres Erdendaseins ans Licht gehoben werden. Wer also war diese Königin? Es ist faszinierend, die Schemen ihrer Existenz bis zu den Fakten zu durchdringen. Begeben wir uns auf die Spurensuche!

Vom altarabischen Dichter Semeidá Ibn Allaf wurde überliefert [2]:

»Hadhad [ein mächtiger König] zog eines Tages auf die Jagd. Da stieß ihm ein Wolf auf, der eine Gazelle jagte und sie gegen eine Schlucht trieb, von wo ihr jedes Entkommen unmöglich war. Hadhad griff den Wolf an, verscheuchte ihn und rettete die Gazelle, deren Spur er verfolgte. So entfernte er sich nach und nach immer weiter von seinem Gefolge, bis er plötzlich eine große prachtvolle Stadt vor sich sah: herrliche Gebäude, zahlreiche Herden von Kamelen und Pferden, dichte Palmenwäldchen und üppige Saatfelder boten sich seinem Blick dar. Ein Mann kam ihm entgegen, der ihm sagte, diese Stadt heiße Ma'rib, wie seine eigene Residenz, das Volk aber, das hier wohne, werde 'Arim genannt und sei ein Geschlecht von Dschinnen*: er selbst aber sei ihr König und Gebieter Ieleb I. Sa'b mit Namen. Während sie noch so sprachen, ging ein Mädchen von wunderbarer Schönheit vorbei, und Hadhad konnte sein

---

* Im vorislamischen Arabien: Geister und Dämonen, wie sie z. B. eine Rolle in »Tausendundeine Nacht« spielen.

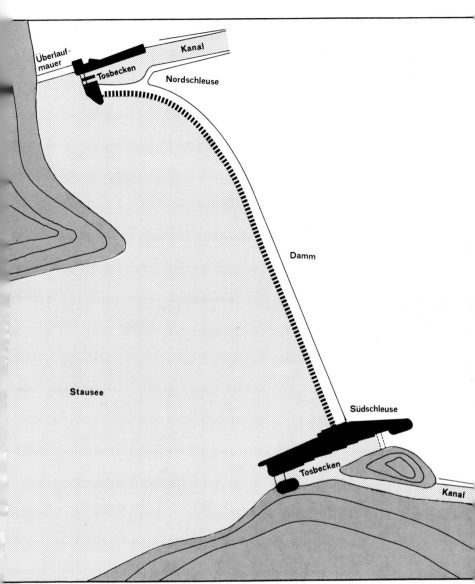

Der Staudamm von Marib ist ein Wunderwerk altarabischer Baukunst, das der Königin von Saba zugeschrieben wird

Jahrtausende alte Aufschüttungen am Staudamm von Marib

Auge nicht von ihr abwenden. Da sprach der Dschinnenkönig: Dies Mädchen ist meine Tochter, und wenn du willst, so gebe ich sie dir zur Frau, du hast ihr das Leben gerettet, denn sie war die Gazelle, die du vom Wolf befreitest, und ihr ganzes Leben lang wird sie dir dafür nicht genug danken können. Finde dich zum Hochzeitlager mit deinen Verwandten und den Fürsten deines Volkes in dreißig Tagen hier ein.

Hadhad kehrte nun zurück, und bald entschwand die Geisterstadt seinen Blicken. Nach dreißig Tagen aber zog er mit seinem Gefolge hinaus zum Beilager. Die Dschinnen hatten unterdessen Paläste mit Springbrunnen und Gärten aufgebaut. Der König Ieleb empfing sie und bewirtete sie auf das herrlichste durch drei Tage und Nächte, bis Harura, seine Tochter, in das Gemach des Hadhad geführt ward.

Dies Schloß ward nun seine Residenz. Harura aber ward Mutter der Bilkis.« [Bilkis ist der arabische Name für die Königin von Saba.]

Der Wunder Arabiens nicht genug, vermerkt der Historiker und Lexikograph Nashwan Ibn Sa'id, gestorben um 1195, die aus dem Nichts aufgetauchte Stadt wäre aus Metall gewesen, hätte auf vier mächtigen silbernen Säulen gestanden, und das Wasser wäre in Metallkanälen durch die Stadt geleitet worden. Ein Märchen aus Tausendundeine Nacht oder antike Science-fiction?

Hilfreicher ist der alte Semeidá Ibn Allaf; er weiß, daß die Königin von Saba alias Bilkis zwei Gärten besaß, die von zwei Quellen bewässert wurden, die aus einem Staudamm sprudelten. [2] Diesem Damm gilt ja meine Neugier.

Was war und blieb

Hätte es ein Guiness-Buch der Rekorde gegeben – der Staudamm von Marib hätte darin gestanden! Selbstverständlich schrieben antike Autoren darüber, schilderten das technische Wunder als erstrangige Spitzenleistung südarabischer Steinmetz- und Ingenieurskunst. Die Staumauer ist an der Basis 70 Meter breit und 615 Meter lang gewesen – durchaus heutigen Staudämmen vergleichbar. Zwischen den Bergen auf der nördlichen und der südlichen Seite* staute der Damm das alljährlich periodisch anschwellende Wasser aus dem Wadi Adana. An den nördlichen und südlichen Bergflanken errichteten die Erbauer Schleusen und Verteilerkanäle aus sorgfältig bearbeiteten Steinquadern; in ihnen liefen die kostbaren Fluten in die Nord- und Südgärten der Köni-

---

* Die Berge Dschabal Balaq al Qibli und Schabal Bal aq Awsat.

An der Südseite überdauerte die eigentliche Schleusenmauer die Jahrtausende

An der Südschleuse des Staudamms wurde eine monolithische Mauer fest mit dem Fels verankert

gin von Saba. Mich erinnerte diese Steinmetzarbeit an Bauten der Inkas im fernen Hochland von Peru: Dort wie hier läßt sich kein Taschenmesser in die Fugen zwischen den Monolithen zwängen.

Am besten blieb die Südschleuse erhalten. Die monolithische Mauer wurde im Fels verankert. Zwischen naturbelassenen Felsen und der von Menschen gebauten Mauer installierten die frühzeitlichen Ingenieure die eigentliche Schleuse: Vom Boden her wurden rechteckig zugeschnittene Monolithen über Kreuz ineinandergefügt. Diese Schleusenmauer

hat die Zeiten überdauert, ich konnte sie vermessen: Sie ist
4,63 Meter breit, die unteren schwersten Steinblöcke messen
3,54 Meter in der Länge und sind 51 Zentimeter dick. Vom
eigentlichen Schleusentor ist nichts mehr zu sehen.

Bei Hochwasser stürzten die Wassermassen zuerst in ein
Tosbecken*, in dem sie ›beruhigt‹ wurden, so daß sie im
Hauptkanal mit vielen Nebenkanälen den südlichen Feldern
zugeleitet werden konnten. Clever, wie die Baumeister waren, zogen sie auch eine zeitweilige Überflutung des Haupt-
kanals in Betracht: Sie versahen ihn mit einer Überlaufrinne,
die überquellendes Wasser aufnahm und talwärts ins Wadi
lenkte.

Vom Südbau her erstreckte sich der Staudamm über 600
Meter quer durchs Tal zum Nordbau. Auch hier ist die
Schleuse gut erhalten, und auch hier ergoß sich die Flut
zunächst in ein Tosbecken, erst dann in den Hauptkanal zu
den ›nördlichen Gärten‹. Enorme aufgeschüttete Dämme
nebst meterdicken Mauern hielten dem Wasserdruck stand,
und man baute – um jeder Situation gewachsen zu sein –
eine stufenweise ansteigende Überlaufmauer, die die Höhe
des Wasserspiegels im Staubecken regulierte.

Das Wunder von Marib

1982 legte Ulrich Brunner der Universität Zürich seine
Dissertation [3] über die alte Oase Marib vor; darin zitiert
der Doktorand eine Studie der Firma ELEKTROWATT, Zürich, die in der ganzen Welt Staudämme baut und auch für
die jemenitische Regierung einen neuen Staudamm bei Marib projektierte.

In ihren Studien gewann ELEKTROWATT die Erkenntnis, daß in sabäischer Zeit bei Marib eine Fläche von rund

---

* Ein Sturzbett, ein festes Wehr, eine beckenartige Vertiefung in der
Sohle.

Die Schleusenmauer ist 4,62 Meter breit. Die unteren Monolithen sind 3.54 Meter lang und 51 Zentimeter breit

9000 Hektar* bewässert wurde und daß die Hochwasserspitze im zweijährigen Durchschnitt 950 Kubikmeter pro Sekunde erreichte. »Durchschnittlich alle zehn Jahre ist eine Hochwasserspitze von 3750 Kubikmeter/Sekunde zu erwarten, und ein hundertjähriges Hochwasser würde eine Abflußspitze von 7250 Kubikmeter/Sekunde aufweisen.« Unter solchen Bedingungen wäre der seinerzeitige Staudamm »in etwas mehr als zwei Stunden« aufgefüllt worden; indessen konnte die Überlaufmauer die Katastrophe eines Dammbruchs abwenden. Den frischen Berechnungen nach schafften die Kanäle von Nord- und Südschleuse eine Abflußgeschwindigkeit von je 30 Kubikmeter/Sekunde und konnten damit den Bedarf von rund 60 Millionen Kubikme-

---

* Ein Hektar = 10 000 Quadratmeter

ter Wasser der ›Nord- und Südgärten‹ innerhalb von zwölf Tagen decken. Ulrich Brunner resümiert: »Das Geniale am Bewässerungssystem von Marib, das ihm eine beinahe zweitausendjährige Lebensdauer ermöglichte, war vielleicht gerade diese Einfachheit im funktionellen Aufbau der gesamten Anlage.«

Die Ungeheuerlichkeit der Marib-Technik läßt sich erahnen, wenn man sich vorstellt, die alten Römer hätten 100 Jahre v. Chr. in Oberbayern einen Staudamm gebaut, der heute noch in Betrieb wäre!

Kein Bauwerk aller Zeiten ist vor Naturgewalten tabu. Selbstverständlich hatte auch die Marib-Anlage Dammbrüche, doch sie tangierten nur die Staumauer, die Schleusen blieben unversehrt. Die Legende besagt, ein ursprünglicher Staudamm aus Erdreich und Steinen wäre schon 1700 v. Chr. entstanden, und erst die Sabäer hätten diesen ›Urdamm‹ mit den heute noch zu bewundernden Mauern und Schleusen ausgestattet. Überliefert ist ein Dammbruch um 500 n. Chr., zu dessen Reparatur 20 000 Männer aufgeboten wurden. Schließlich hat es einen katastrophalen Dammbruch gegeben. Wassermassen spülten fort, was Jahrtausende zuvor errichtet wurde. Sie begruben Äcker und Gärten. Darüber berichtet sogar die 34. Sure des Koran (Vers 17):

»Aber sie wichen vom Glauben ab, und darum schickten wir über sie die Überschwemmung der Dämme, und wir verwandelten ihre zwei Gärten in zwei Gärten, welche bittere Früchte trugen, Tamarisken und ein wenig Lotus. Dies gaben wir ihnen zum Lohne ihrer Undankbarkeit.«

Welches merkantile Spiel würfelte den antiken Staudamm ausgerechnet nach Marib in die Ebene am Wüstenrand? Überall im alten Jemen gab es Bewässerungsanlagen, auch kleine Staudämme, doch alle zusammen erreichten nicht die Wassermassen von Marib, das zur Groß- und Handelsstadt mit ertragreichen Feldern und üppigen Gärten gedieh.

Oben: *Auch das Schleusentor an der Nordseite ist gut erhalten*
Unten: *Meterdicke Mauern haben dem Wasserdruck standgehalten*

Heute Erdöl – Gestern Weihrauch

Weihrauch ist des Rätsels Lösung.

Die biblische Geschichte erzählt den rührenden Bericht vom Jesus-Baby, dem drei Könige aus dem Morgenland Weihrauch und Myrrhe in den Stall von Bethlehem trugen. Weihrauch war ein würdiges Geschenk, denn es war damals so wertvoll wie Gold. Der griechische Historiker Herodot (um 490–425 v. Chr.), Reisender im Vorderen Orient, berichtete, in Babylon wären jährlich 1000 Talente in Silber für Weihrauch zu Ehren des Gottes Baal ausgegeben worden.

Die Ägypter – die mit Weihrauch die Luft in den Tempeln verbesserten und als wohlriechende Essenz dem Asphalt bei der Mumifizierung ihrer Toten untermischten – deckten ihren Bedarf an Weihrauch auf Expeditionen am Roten Meer.

Roms Kaiser Nero veranstaltete bei der Beerdigung seiner langjährigen Geliebten und späteren Ehefrau Poppäa Sabina (65 n. Chr.) eine Weihrauchorgie: Binnen Tagen ließ er mehr Weihrauch zum Himmel steigen, als ganz Arabien in einem Jahr erntete – eine zu späte duftende Wiedergutmachung für seinen brutalen Fußtritt, an dessen Folgen Poppäa Sabina starb.

Weihrauch war aber mehr als eine balsamisch-narkotische Duftnote und kostbares Opfer für die Götter. Der griechische Arzt Hippokrates (um 460–375 v. Chr.) entdeckte dessen heilende Wirkung bei Asthma und Uterusleiden sowie als Beigabe für kosmetische Salben. Dieses Wundermittel wurde von den Hippokratikern verordnet und zum Schlager damaliger Heilkunde.

Was Hippokrates als neue Medizin entdeckte, hat Moses bereits etwa 800 Jahre früher zur Desinfektion seines Volkes vor ansteckenden Krankheiten auf dem Exodus eingesetzt:

»Und Moses sprach zu Aaron: Nimm die Räucherpfanne, tue Feuer vom Altar darein und lege Räucherwerk darauf, dann trage es eilends unter die Gemeinde und erwirke ihre Sühne; denn schon hat die Plage begonnen. Da nahm Aaron die Räucherpfanne, wie Moses befohlen hatte, und lief mitten unter die Gemeinde. Und wirklich, schon hatte die Plage unter dem Volk begonnen; da räucherte er und erwirkte Sühne für das Volk. Denn als er so zwischen die Toten und die Lebenden trat, da ward der Plage Einhalt getan.« (4. Mos., 16,46)

Man kann ohne Übertreibung festhalten: Was den Arabern in der Neuzeit das Erdöl als sichere Pfründe einträgt, brachte in früher Zeit der Weihrauch in die Paläste, und das ist kein Märchen aus »Tausendundeiner Nacht«.

Weihrauch wird aus dem aromatischen Harz des Weihrauchbaumes *(Boswellia carterii)* gewonnen; diese wildwachsenden, bis zu drei Metern hohe Bäumchen, eher Büsche, gedeihen vorzüglich an den trockenen Kalksteinküsten des Königreiches Hadramaut, am heutigen Golf von Aden bis hinauf nach Dhofar in Oman. Die Rinde ist spröde und scheckig wie etwa die unserer Birken; darunter liegt eine weichere Schicht mit – dem Gummibaum vergleichbar – klebrigem, weißmilchigem Harz. In jedem Frühsommer pulsiert dieses Harz im Baumstamm, der dann an mehreren Stellen geritzt wird, damit das Harz in Tropfen hervorquillt; an der warmen Luft trocknen die Tränen zu Klümpchen, die nach einer Woche abgeschabt und weggeworfen werden. Nach einem Monat wird die Prozedur wiederholt. Das Harz, das nunmehr aus den Baumwunden fließt und bald trocknet, wird als Weihrauch minderer Qualität verkauft. Erst das dritte Anzapfen in den heißen Sommermonaten liefert den Weihrauch erster Güte. Er wurde von Sklaven in Klumpen geballt, gereinigt und in Körbchen zu den Sammel- und Verteilerplätzen geschleppt.

Oh ja, die Natur meinte es allezeit gut mit den Arabern – ob sie Weihrauch gedeihen oder Öl sprudeln ließ. Mit gutem Grund apostrophierten römische Geographen die arabische Halbinsel stets als *Arabia felix,* als glückliches Arabien.

Durch Dienstleistungen für den Transport mit riesigen

Kamelkarawanen über tausende Kilometer bis in die Zielorte kam die Ware zu Kursen, die mit Silber, sogar mit Gold, aufgewogen werden mußten. Nutznießer des Weihrauchhandels war immer Marib.

Die Finanzierung der Marib-Bauten ist somit geklärt... doch auch der Niedergang der wohlhabenden Stadt und des Sabäischen Reiches: Mit dem letzten Dammbruch, der nicht behoben wurde, versiegten die Pfründe. Der Weihrauchtransport erfolgte fürderhin auf dem Seeweg. Während in Zentralamerika der Dschungel Tempel und Paläste der Maya überwucherte, deckten Sanddünen Marib und die Weihrauchplantagen zu. Bald wußten nur noch Historiker der Antike wie Herodot, Strabon (63 v. Chr.-26 n. Chr.) und Plinius (24-79 n. Chr.) vom glücklichen Reich der Königin von Saba zu berichten. Ständen über die geheimnisumwobene Herrscherin und ihr reiches Reich im Alten Testament und im Koran keine konkreten Angaben, wäre diese Epoche wohl übersehen und vergessen worden, und niemand hätte sich auf die Spurensuche begeben.

Überraschung und Verwunderung sind der Anfang des Begreifens
Ortega y Gasset 1883–1955

Auf seinem Weg von Hadramaut nach Sanaa kam 1589 der Jesuitenpater Pero Pais an Marib vorbei; er betrachtete es mit Ehrfurcht und schrieb von wuchtigen Steinblöcken und unbekannten Schriften, die niemand entziffern könne.

Fast 200 Jahre später, 1762, bereiste eine dänische Expedition unter Leitung des deutschen Forschungsreisenden Carsten Niebuhr (1733–1815) den Jemen. Niebuhr kehrte als einziger Teilnehmer nach Europa zurück; in mehreren Büchern konfrontierte er die Wissenschaft erstmals mit südarabischen Schätzen: Denkmälern und unentzifferbaren Schriften.

Das Jahr 1843 machte Europa intensiver mit der unbekannten Region vertraut: Der Franzose Thomas Joseph Arnaud führte 56 Kopien sabäischer Inschriften im Gepäck nach Paris. Der deutsche Baron Adolph von Wrede (1807–1863) berichtete nach seiner Jemen-Reise über Gräber, Bauten und Schriften, doch für sein Buch ›Reise in Hadramaut‹ fand er keinen Verleger, weil ihn u. a. Alexander von Humboldt der Übertreibung bezichtigte; Wredes Werk erschien erst 13 Jahre nach seinem Tode, und längst weiß alle Welt, daß der Autor nur Fakten beschrieben hat. 1870 schmuggelte sich der Franzose Joseph Halévy (1827–1917) in eine jemenitische Expedition und kopierte, oft unter Lebensgefahr, über 600 antike Inschriften.

So richtig hellhörig wurden die Europäer erst nach Rückkehr des Österreichers Eduard Glaser (1855–1908), der den Jemen von 1882 bis 1884 durchstreifte; als Araber getarnt, konnte er sich sechs Wochen lang in Marib bei einem Scheich einquartieren. Vor gut 100 Jahren also sah und beschrieb Glaser [4]:

»Die Tempelruinen haben die Form einer Ellipse. Längsachse genau von Nordwest nach Südost ... Vom Mittelpunkt des Gebäudes genau nach Nordosten stehen vier Säulen ...«

In dem von Glaser so skizzierten Tempel witterten europäische Gelehrte eine astronomisch ausgerichtete Religion. 1904 brachte Ditlef Nielsen seine Vision einer altarabischen Mondreligion [4] ins Gespräch:

»Die astronomische Einrichtung nach bestimmten Himmelsgegenden ... und die ganze Anlage scheint astronomischen Zwecken gedient zu haben ... Der ganze Gottesdienst war ja auf das innigste mit astronomischen Observatorien verknüpft, weil der Gang der Gestirne am Himmel zugleich die Bahn der göttlichen Wesen war ...«

Folgende Doppelseite: Im Hintergrund ist die große, ellipsenförmige Aufschüttung noch zu erkennen. Unter dem Sand liegen Reste des Mondtempels der Königin von Saba

Bei dieser Einschätzung blieb es bis heute. Es stellen sich seitdem Fragen wie diese: Gab es um die Königin von Saba einen kosmischen Kult? Weist ihre undefinierbare märchenhafte Herkunft auf einen Zusammenhang mit dem Universum, mit den Göttern hin? Jedenfalls war der Jemen zu einem Zentrum der Neugier geworden. Forschungsreisende, Archäologen und Abenteurer brachen dorthin auf. 1928 legten die Deutschen Hermann von Wissmann und Carl Rathjens außerhalb von Sanaa Tempel frei. 1936 beschrieb der Brite Harry St. John B. Philby [5] geheimnisvolle Bauten und unentzifferbare Inschriften aus dem Hochland von Asir im heutigen Grenzgebiet des Jemen, und 1948/49 verblüffte die Ryckmans-Philby-Lippens-Expedition [6] im südarabischen Raum mit astronomisch ausgerichteten, monolithischen Steinkreisen, wie sie auch bei uns, im alten Europa (Stonehenge), bekannt sind. Es folgten 1952 die großangelegten Marib-Ausgrabungen durch William Frank Albright und Wendell Phillips.

Seitdem fanden keine Ausgrabungen mehr statt. Zwar hat das Deutsche Archäologische Institut eine Filiale in Sanaa und auch eine kleine Außenstelle in Marib, die sich mit der Sicherung und Katalogisierung des Vorhandenen befaßt – doch sind großflächige Ausgrabungen erst dann wieder möglich, wenn der junge jemenitische Staat stark genug ist, seine Gesetze auch bei Stämmen, Sippen und immer noch mächtigen Scheichs durchzusetzen, die jeden auf ihrem Gebiet gefundenen Gegenstand als persönliches Eigentum betrachten.

Ortstermin

Enttäuscht und verwirrt stand ich an den Plätzen, von denen Archäologen Erstaunliches berichtet hatten. Was war vom *Mahram Bilqis,* dem Tempel der Königin von Saba, übriggeblieben? Eine große, ellipsenförmige Aufschüttung,

Acht Pfeiler ragen noch aus dem Sand, wie ausgerichtet nach drei Säulen, die davor stehen

aus deren Sand einige kleine Säulen ragten. Hinter unwichtigen Mauerresten acht aufgereihte Pfeiler. Ein paar Gesteinsbrocken. Das war alles. Wenige Säulen ließen etwas von der genauen Ingenieurskunst der Erbauer ahnen: Um den steinernen Querträgern, die ehemals auf den Säulen lagen, möglichst große Stabilität zu sichern, wurden oben an den Säulen zapfenartige Halterungen herausgemeißelt; die quer darauf ruhenden Gegenstücke hatten Löcher, die paßgenau in die Zapfenverschlüsse einrasteten; dadurch wurde die ›Decke‹ wortwörtlich felsenfest mit den Stützpfeilern verbunden. Nicht anders entstehen heute vorfabrizierte Betonbrücken.

Einige Kilometer vom Ort des einstigen Tempels der Königin entfernt, vergammeln Reste des Mondgott-Tempels. Fünf 15 Meter hohe Monolithen recken sich – anklagend wie die fünf Finger einer Riesenhand – gegen den blauen Himmel: Götter, wo ist eure Pracht, wo eure Herrlichkeit geblieben? Die Seitenflächen sind wie poliert, die Kanten eckig geschliffen. Am Boden Kalksandsteinblöcke, auf denen man mit ein bißchen Sucherglück sabäische Inschriften entdecken kann. Aus welcher Richtung auch immer die Sonne scheint – die fünf gen Himmel ragenden Säulen zeichnen riesige, tiefschwarz nebeneinander liegende Schatten auf den Wüstenboden. Wie gigantische Zeiger einer Sonnenuhr wandern die Schatten einmal im Laufe des Tages um das steinerne Quintett herum. Zeit kommt – Zeit geht.

Wir waren an diesem Tag die einzigen Besucher ... bis auf einen Burschen von sieben, acht Jahren, der von irgendwoher heranlief. Er postierte sich zwischen zwei Säulen, preßte Rücken und Füße dagegen und begann, ohne die Hände zu benutzen, einen akrobatischen Aufstieg: Ein Ruck mit Knien und Füßen, ein Ruck mit Gesäß und Rücken, und der schmächtige Junge stieg 15 Zentimeter aufwärts, mit den Armen balancierte er sein Körpergewicht; es gab keinen Absatz, keine Vertiefung, in die er die nackten Zehen hätte krallen können. Mit war bange zumute: Hätte ich mir bei einem Unfall allein durch meine Anwesenheit

32

*Ein Bursche
von sieben, acht Jahren
bot an den Säulen
eine artistische
Zirkusnummer dar*

die Blutrache der Sippe zugezogen? Ach was! sagte ich mir, als ich ihn in 15 Meter Höhe von einem Monolithen zum andern hüpfen sah, wo er sich zu uns herab verbeugte und die Arme schwenkte: Der macht das – wie vermutlich schon sein Vater –, sobald er einen Touristen entdeckt. Nach seiner Darbietung – er wuselte wie ein Eichhörnchen herunter – verschwand er mit reichlichem Bakhschisch so schnell, wie er aufgetaucht war. Irgendwohin.

Der TV-Journalist Volker Panzer [7], der mit Dr. Gottfried Kirchner die Dokumentation TERRA X produzierte, schreibt: »Neuere Forschungen des Deutschen Archäologischen Instituts haben ergeben, daß Marib mit Sicherheit schon um 1500 v. Chr., wenn nicht schon früher, besiedelt war.«

Von heute aus sind das 3500 Jahre Vergangenheit, und die Spuren davon lagen nur 15 Meter unter meinen Stiefeln. Als leidenschaftlicher Tramp zwischen den Wissenschaften geriet ich in Versuchung, hier mit bloßen Händen zu buddeln. Es war mir ein unerträglicher Gedanke, zu sehen, wie die Erträge der Albright-Phillips-Expedition versandeten, Schätze, fast der Vergangenheit entrungen, wieder im Nichts verschwinden.

Vexierspiel mit der Königin von Saba

Wo archäologisch derzeit nichts zu enträtseln ist, muß man sich an alte Schriften halten, ein Vexierspiel aus Legenden, obskuren Überlieferungen betreiben, um diese Urvergangenheit auf Wegen wiederzufinden, die Historiker nicht gehen mögen.

Da man das Alte Testament wird beiziehen dürfen, wollen wir diese Legende im 1. Buch der Könige, Kap. 10,1 zuerst lesen:

»Als die Königin von Saba von dem Ruhme Salomos hörte, kam sie, ihn mit Rätseln zu erproben. Sie kam nach

34

Jerusalem mit sehr großem Gefolge, mit Kamelen, die Spezerei, Gold in Menge und Edelsteine trugen. Und als sie zu Salomon kam, fragte sie ihn alles, was sie sich vorgenommen hatte, und Salomo gab ihr auf alle ihre Fragen Bescheid; es war dem König nichts verborgen, daß er ihr nicht hatte Bescheid geben können. Als aber die Königin von Saba all die Weisheit Salomons sah und den Palast, den er gebaut hatte, und die Speisen auf seinem Tische, die Tafelordnung für seine Beamten, die Aufwartung seiner Diener und ihre Gewänder, seine Trinkeinrichtung und auch sein Brandopfer, das er im Tempel des Herrn darzubieten pflegte, geriet sie vor Staunen außer sich und sprach zum König: Volle Wahrheit ist es gewesen, was ich in meinem Lande über dich und deine Weisheit gehört habe. Ich habe es nicht glauben wollen, bis ich hergekommen bin und es mit eigenen Augen gesehen habe. Wahrlich, nicht die Hälfte ist mir berichtet worden: Du hast mehr Weisheit und Reichtum, als das Gerücht sagt, das ich gehört habe ... Und sie gab dem König 120 Talente Gold und Spezerei in großer Menge und Edelsteine; nie wieder kam soviel Spezerei ins Land, wie die Königin von Saba dem König Salomo gab ... König Salomo aber gab der Königin von Saba alles, was sie begehrte ... darnach kehrte sie um und zog in ihr Land samt ihrem Gefolge.«

Wann soll dieser Königsgipfel stattgefunden haben? König Salomo soll etwa 965-926 v. Chr. gelebt haben. Theoretisch ließe sich ein Treffen um diese Zeit denken, denn diese Epoche deckt sich mit Maribs Blütezeit. Die Aktenlage allerdings ist widersprüchlich.

Zum Alten Testament gehört für die Juden der *Midrasch*; er enthält Deutungen und Auslegungen, seine Lesung schloß sich an die Verkündung der Schrift und war Teil des

Folgende Doppelseite: *Beispiel typisch jemenitischer Bauweise: Dieser fünfstöckige Palast ›thront‹ auf 60 Meter hohem Felskegel; er war die Sommerresidenz des Imam Yahyah (1904-1948)*

Gottesdienstes. Weil der Midrasch die gesammelte rabbinische Literatur enthält, nimmt es nicht wunder, daß er eine Fundgrube jüdischer Religionsgeschichte ist.

Aus dieser Sammlung stammt auch das zweite chaldäische *Targum* (Übersetzung) zum Buch Esther. Wann das ›zweite Targum‹, eine historische Novelle, entstand, ist unbestimmbar. Spezialisten datieren es ins 7. Jahrhundert v. Chr., doch die Verfasser – wer immer sie waren – berufen sich auf ältere, nicht mehr existente Quellen. Im ›zweiten Targum‹ stehen auch Beschreibungen von Salomons Irrfahrten, Berichte von der Exilierung der Juden (um 597 v. Chr.) unter Nebukadnezar II., Statements über Salomons Thron wie den Besuch der Königin von Saba an seinem Hof. Man entdeckt auch mehr Details als im Alten Testament. Im ›zweiten Targum‹ schickt König Salomon der Königin von Saba die drohende Botschaft, er erwarte ihre unverzügliche Aufwartung.

Die Königin las die Kunde und war derart erschrocken, daß sie ihre kostbaren Kleider zerriß und zeternd ihre Berater herbeizitierte. Diese klugen Männer sagten: Wir kennen den König Salomo nicht, und wir kümmern uns nicht um seine Regierung [8]. Die Königin hielt sich nicht an diesen Rat.

»Sie aber ließ alle Schiffe des Meeres ausrüsten mit Perlen und Edelsteinen als Gaben für Salomo und sandte ihm dazu 6000 Knaben und Mädchen, die in derselben Stunde desselben Tages, Monats und Jahres geboren waren, alle von gleichem Wuchs und gleichem Aussehen, alle mit Purpurgewändern bekleidet. Denen gab sie einen Brief an Salomo mit, worin sie sich erbot, obgleich man sonst von ihrem Land in das seine volle sieben Jahre zu reisen habe, in dreien vor ihm zu erscheinen. Als sie nach Ablauf dieser Frist ankam, setzte sich Salomo in ein gläsernes Gemach; sie aber glaubte, er sitze mitten im Wasser, und hob ihre Kleider auf, um hindurchzuwaten. Da sah er, daß ihre Füße mit Haaren bedeckt waren, und sprach: Deine Schönheit ist Schönheit der Frauen; dein Haar aber ist Haar der Männer. Das Haar ist dem Manne Zierde, dem Weibe aber Verunzierung.«

6000 Knaben und Mädchen – die wie ein Ei dem andern glichen – waren bestimmt ein Produkt der Phantasie arabischer Geschichtenerzähler. Husein ibn Muhammed ibn al Hasan, ein Biograph Mohammeds, reduziert die Zahl auf 500, behauptet aber wie der persische Chronist Mansur – Autor einer arabischen Weltchronik –, der nur von 100 Knaben und Mädchen spricht, daß alle gleich aussahen. Erstaunlich.

Egal, wieviele Girls und Boys der Expedition angehörten, ist es interessant zu erfahren, was sie beim König Salomon zu tun hatten. Husein ibn Muhammed ibn al Hasan wußte es [8]:

»Auf die Botschaft ... kleidet sie 500 Jünglinge als Jungfrauen und 500 Jungfrauen als Jünglinge und befiehlt jenen, sich wie Mädchen, diesen, sich wie Knaben zu benehmen. Mit ihnen sendet sie an Salomo ein verschlossenes Kästchen mit einer undurchbohrten Perle und einem krummdurchbohrten Diamanten, endlich einen Becher, den er mit Wasser füllen soll, das weder vom Himmel gefallen, noch aus der Erde gequollen sei. «

Ungemein tricky, wollte die Königin von Saba Salomo, der im Ruf großer Klugheit stand, hereinlegen, aber das mißlang ihr: Salomon durchbohrte die Perle mit einem Wunderstein, ließ den Diamanten durch einen Seidenwurm einfädeln, und den Becher mit Pferdeschweiß füllen. Er enttarnte auch die 500 Buben und Mädchen, indem er beobachtete, wie sie sich wuschen. Die Knaben krempelten die Ärmel hoch, die Mädchen nicht.

Mysteriös ist auch die Botschaft der Königin von Saba an ihren königlichen Kollegen, sie benötige für die Reise in sein Land volle sieben Jahre! Marib – Jerusalem war und ist eine Strecke von rund 2500 Kilometern. Nehmen wir eine Kamelkarawane – denn damit reiste man seinerzeit – mit einer Tagesleistung von 30 Kilometern an, dann hätte die Reise drei Monate gedauert; hätte die Königin aber –

wie es im ›zweiten Targum‹ steht – ›Schiffe des Meeres‹ benutzt, sich also in einem Hafen des Roten Meeres eingeschifft und im heutigen Akaba wieder an Land begeben, wäre die Strecke in erheblich weniger als drei Monaten zurückgelegt worden.

Derselben Überlieferung ist zu entnehmen, daß die königlichen Partner sich schließlich vermählten und daß Salomo von da an »jeden Monat drei Tage bei ihr in der Hauptstadt Marib« verbrachte. Bei *der* Distanz und Reisezeit? Salomon hatte wohl etwas im Busch, denn das Faktum des monatlichen Besuchs in Marib wird selbst von Intellektuellen der islamischen Welt als Selbstverständlichkeit akzeptiert. Sie verlassen sich u. a. auf die im 11. Jahrhundert verfaßten Kommentare zum Koran des Gelehrten al-Kisa'i und ath-Tha'lab. Diesen Kommentaren zufolge hielt Salomo sich in Mekka – in vorislamischer Zeit ein Abraham-Heiligtum – auf. Davon steht zwar kein Wort im Alten Testament, aber das bedeutet nichts, weil die Juden in ihren heiligen Schriften alle Bezüge zu altarabischen Heiligtümern vermieden.

In Mekka also beschloß der König, nach Jemen zu reisen, um sich dort die blühenden Gärten der Königin von Saba anzuschaun. Wäre die Reise nach normalem Fahrplan verlaufen, hätte der Minneausflug einen Monat in Anspruch genommen: »Aber mit Hilfe der Winde, die er befahl, legte Salomo und seine Armee die Strecke zwischen dem Aufgang und dem Niedergang von Canopus [ein Stern] zurück«. [9]

Den Überlieferungen nach gelang dem König dieser Strekkenrekord mit Hilfe von Dämonen, Winden … und mit einer »übernatürlichen Art des Transports«. – Ohne Flugzeuge, Helikopter oder mindestens steuerbaren Heißluftballonen wären die monatlichen Weekends in der Liebeslaube zu Marib nicht zu schaffen gewesen … »Eine übernatürliche Art des Transports?«

Salomon hatte erhebliche Probleme mit der Dame seines Herzens! Arabische Chronisten schwörten bei allem, was ihnen heilig war, die Königin hätte behaarte Beine gehabt, und sie nahmen diesen animalischen Schönheitsfehler als

40

Beweis für ihre nichtirdische, dämonische Abkunft. Liebe machte immer schon erfinderisch: Der König ließ durch seine Hofzauberer das erste Enthaarungsmittel aller Zeiten mischen!

Der vollmechanisierte verrückte Königsthron

Die Bibelautoren versahen König Salomon mit dem schmükkenden Beiwort ›der Weise‹. Die ›salomonischen Urteile‹ wurden von einem Thron herunter verkündet, der seinesgleichen auf der Welt nicht hatte. Er war ein mechanisches Wunderwerk, von dem eine eindrückliche Beschreibung im ›Targum Scheni zum Buch Esther‹ überliefert ist. [10] Den endlosen Passagen entnehme ich lediglich die auf die Throntechnik bezogenen Angaben. Sie sind verblüffend:

»Noch wurde für keinen König ein gleiches Werk angefertigt ... Und so war der Thron beschaffen:

Neben dem Thron standen zwölf goldene Löwen und zwölf goldene Adler einander gegenüber, so daß der rechte Fuß eines Löwen dem linken Fuß eines Adlers gegenüberstand. Im ganzen waren es 72 goldene Löwen und 72 goldene Adler. Oben an der Rücklehne des Thrones befand sich eine runde Kuppel. Sechs goldene Stufen führten zu ihr hinan ... Auf der ersten Stufe lag ein Stier und diesem gegenüber ein Löwe, auf der zweiten ein Bär und diesem gegenüber ein Lamm, auf der dritten ein Adler und diesem gegenüber eine Anka, auf der vierten ein Adler und gegenüber ein Pfau, auf der fünften eine Katze und gegenüber ein Hahn, auf der sechsten ein Habicht und gegenüber eine Taube, alle diese Tiere aus reinem Gold gearbeitet ... Über dem Throne waren einundzwanzig goldene Flügel angebracht, Salomon Schatten zu spenden.

Von welcher Stelle aus Salomon den Thron besteigen wollte, dorthin konnte er ihn durch einen Mechanismus bewegen; setzte er nun seinen Fuß auf die unterste Stufe, so hob ihn der goldene Löwe auf die zweite, der Löwe der zweiten Stufe auf die dritte, und so weiter auf die vierte, auf die fünfte und endlich auf die sechste. Dann flogen die Adler herbei, ergriffen den König und hoben ihn zur Höhe des Thrones. In diesem Mechanismus war auch ein silberner Drache angebracht ...

Hatte der König Salomon sich nun auf seinem Throne niedergelassen, nahm ein großer Adler die Krone und setzte sich ihm aufs Haupt. Dann löste der Drache den Mechanismus, und nun erhoben sich die Löwen und die Adler und beschatteten das Haupt des Königs Salomon ...

Traten nun die Zeugen vor den König hin, dann setzte sich das Räderwerk des Mechanismus in Gang: der Stier schrie, die Löwen brüllten, der Bär brummte, das Schaf blökte, der Panther heulte, die Anka weinte, die Katze miaute, der Pfau kreischte, der Hahn krähte, der Habicht schnappte, Vögel zwitscherten ...

Als Israels Sündenmaß voll war, wurde Nebukadnezar, der frevelhafte König von Babel, mächtig ... Auch den Thron des Königs Salomon ließ er fortführen, und als er, der seinen Mechanismus nicht kannte, ihn besteigen wollte, renkte ihm der Löwe, da er seinen Fuß auf die erste Stufe setzte, seine rechte Hüfte aus und schlug ihm auf die linke, was ihn für sein ganzes Leben hinken machte. Nach Nebukadnezar erbeutete Alexander von Mazedonien den Thron des Königs Salomo und brachte ihn nach Ägypten. Als aber Sisak, der König von Ägypten, diesen prächtigen Thron sah, den schönsten aller Königsthrone, wollte er ihn besteigen und sich auf ihn setzen, wußte aber nicht, daß sein Mechanismus ihn hinaufhebe, und als er den Fuß auf die erste Stufe setzte, renkte der Löwe seine rechte Hüfte aus und schlug ihn auf die linke, darum wurde er sein Leben lang der hinkende Pharao genannt ...«

»Erst das Auge schafft die Welt«, sagte Christian Morgenstern (1871-1914). Was die alten Chronisten sahen, war ein unbegreifliches Wunder. Wer hatte es ersonnen? Wer hatte die Idee in die Tat umsetzen lassen? Wer hatte diesen einzigartigen Roboter konstruiert? Zum Antrieb dieses Panoptikums von hilfreichen Tieren war zweifellos Energie nötig. Welche Energie? Der weise König muß sie im Griff gehabt haben. Dieser erstaunliche Typ war ›Beherrscher der Winde‹ und besaß ›übernatürliche Transportmittel‹. Alles zusammen ein bißchen viel für diese Zeit. Was war das für eine Welt?

Salomons Geschenk: Ein Luftfahrzeug

Die älteste äthiopische Überlieferung ist das Epos *Kebra Negest*, was soviel wie ›Herrlichkeit des Königs‹ oder ›Ruhm der Könige‹ bedeutet; die Urfassung wird nach etwa 800 v. Chr. datiert, eine Markierung, die Salomons Zeiten sehr nahe liegt.

Die Übersetzung ins Deutsche nahm der Assyriologe Carl Bezold (1859-1922) im Auftrag der Königlich-Bayerischen Akademie der Wissenschaften vor. Diese Übersetzung basiert auf Texten der Äthiopier Isaak und Jemharana-Ab vom Jahre 409 v. Chr., sie beziehen sich aber auf noch ältere Schriften. Wiederum schildert das Kebra Negest den Besuch der Königin von Saba bei König Salomon. Sie heißt hier – in der äthiopischen Variante der sabäischen Bilqis – *Makeda*. Wieder werden die Leser mit schier buchhalterischen Zahlen über die Menge des verzehrten Brotes, der auf der Reise mitgeführten Mastochsen, Schafe usw. gefüttert, wieder kommt es zu einer stürmischen Amour zwischen Makeda und Salomon, dessen viele anderen Geliebten die Chronik nicht verschweigt. Für Makeda aber wendet der königliche Schwerenöter all seine Verführungskünste auf, er will sie nicht nur vernaschen, er bietet ihr die Ehe und sogar die Königswürde an. Makeda macht Liebe mit ihm, will aber, man kann's verstehen, in ihr schönes grünes Land zurück.

Der König läßt sie ziehen, beschenkt sie aber in fürstlicher Manier – sogar mit einem Luftfahrzeug, wie die Chronisten festhalten: [11]

»Er gab ihr alle wünschenswerten Herrlichkeiten und Reichtümer, augenfesselnde schöne Kleider und alle dem Lande Äthiopien erwünschten Herrlichkeiten, Kamele und Wagen an 6000, die mit kostbaren, wünschenswerten Geräten beladen waren. Gefährte, in denen man auf dem Lande fuhr, *und einen Wagen, der durch die Lüfte fuhr, den er gemäß der ihm von Gott verliehenen Weisheit angefertigt hatte.*« (Kebra Negest, Kap. 30) Beachtlich! Der alte Chronist macht klare Unterschiede zwischen Fahrzeugen, die auf dem Lande fuhren, und dem Wagen, der durch die Lüfte fuhr.

Des Königssohns himmlische Reise

Neun Monate nach der Rückkehr – an der Dauer von Schwangerschaften hat sich zwischenzeitlich nichts geändert – bringt Königin Makeda die Frucht der Liebe zur Welt. Als dieser Sohn halberwachsen ist, besucht er Papa in Jerusalem. Dort stiehlt das mit allen Wassern Arabiens gewaschene Bürschchen seinem Vater Salomon die heilige Bundeslade, die Moses nach Angaben Jahwes, dem Gott Israels, hatte bauen lassen: Eine geheimnisvolle Kiste aus Akazienholz – 1,75 Meter lang und einen Meter hoch und breit, in- und auswendig mit Gold überzogen. Außer diesem, Salomons gehegtem Besitz, vereinnahmte der Sohnemann seinem Expeditionskorps überdies einen – oder mehrere – fliegende Wagen aus dem Fuhrpark Salomons. Im »Kebra Negest« ist der Fall rekonstruiert. Die *Hin*reise von Äthiopien nach Jerusalem führt die reiche Karawane, im Sonnenglast dahintrottend, en gros und en détail vor – während die *Rück*reise den äthiopischen Königssohn an Bord eines Himmelswagens dahinrasen sieht:

44

»Und alles eilte auf dem Wagen dahin wie ein Schiff auf dem Meere, wenn es der Wind hebt, und wie ein Adler, wenn er auf dem Winde leicht dahinfliegt... [Kebra Negest, Kap. 52]... und die Bewohner des Landes Ägypten erzählten ihnen [den Verfolgern von König Salomon]: Vor langer Zeit sind die Leute von Äthiopien hier vorbeigekommen, in dem sie auf einem Wagen fuhren wie die Engel, und sie waren schneller denn der Adler am Himmel... [Kebra Negest, Kap. 58]... Dies ist der dritte Tag, daß er [der äthiopische Königssohn] fortzog und als sie ihren Wagen beladen hatten, da ging es nicht auf der Erde hin, sondern sie schwebten im Wagen auf dem Winde; sie waren schneller als der Adler am Himmel, und alle ihre Gerätschaften kamen mit ihnen auf dem Winde in den Wagen... [Kebra Negest, Kap. 58] Der König und alle, die seinem Gebot gehorchten, sie flogen auf dem Wagen ohne Krankheiten und Leiden, ohne Hunger und Durst, ohne Schweiß und Ermüdung, in dem sie *an einem Tag eine Wegstrecke von drei Monaten zurücklegten.*«

Damit wäre dann auch der mysteriöse monatliche Besuch des Königs bei der Königin erklärbar: Mit Salomons Himmelswagen schnurrte die Wegstrecke von drei Monaten auf einen Tag zusammen!

Kann eine Burg verschwinden?

Wären Bibel und Koran doch nur orientalische Märchenbücher, über die man mit einem Augenzwinkern hinweggehen könnte! De facto sind es die großen Bücher der Menschheitsgeschichte. – 1,6 Milliarden Christen akzeptieren die Inhalte der Bibel, 850 Millionen Moslems die des Koran. Woher immer die ungewöhnlichen Mitteilungen stammen, aus alten Überlieferungen oder göttlicher Inspiration – der Koran (34/15) weiß, daß Allah dem König Salomon dienstbare Geister attachiert hat:

»Salomon machten wir den Wind untertänig... Auch mußten nach dem Willen Allahs Geister in seiner Gegenwart für ihn arbeiten ... Sie machten für ihn, was er nur wollte, Paläste, Bildsäulen und Schüsseln, so groß wie Fischteiche ...«

Alle altarabischen Chronisten waren sich eins darin, daß Salomon mit Hilfe von ›Dämonen‹ und ›Genien‹ der Königin drei gewaltige Burgen errichten ließ, eine davon soll die Ruinenstadt Baalbek gewesen sein. Was Baalbek im heutigen Libanon mit dem Reich der Königin im Jemen zu tun gehabt haben soll, ist unerfindlich. Salin und Gumdan, zweite und dritte Burg, sollen – so wurde hervorgehoben – nicht von Arbeitern Salomons erbaut worden sein, vielmehr wären dort ›gespenstische Wesen‹ tätig gewesen. Die Burg Gumdan, erstes Bauwerk nach der Sintflut [13], wird von allen Jemenarchäologen als einst existent akzeptiert, obgleich handfeste Beweise bis heute fehlen. Man müßte nach der Burg im Osten des heutigen Sanaa suchen, dort, wo jetzt die Zitadelle steht. Es wäre schön, wenn das Deutsche Archäologische Institut eine Genehmigung für Grabungen bekäme; man könnte direkt vor der Haustüre buddeln.

Der arabische Historiker Al-Hamdani hinterließ mehrere Werke; in seinem 8. Buch versichert er, mächtige Ruinen der Burg Gumdan mit eigenen Augen gesehen zu haben. Diese Besichtigung muß etwa 930-940 n. Chr. stattgefunden haben. Seine Aussage ist deckungsgleich mit der des afghanischen Kollegen Biruni, der zur etwa gleichen Zeit lebte und neben Sanaa die riesige Ruinenstätte Gumdan beschrieben hat. Auch der schon erwähnte Deutsche Carsten Niebuhr brachte von seiner Expedition eine Beschreibung Gumdans mit [14]:

»Die Stadt Sana liegt unter der Polhöhe 15 Grad 21 Minuten am Fuß eines Berges namens Nikkum oder Lokkum, auf welchem man noch die Ruinen eines sehr alten Kastels sieht, das von Sem, dem ältesten Sohn Noahs, gebaut worden sein soll.«

Wie eh und je werden auf dem Markt von Sana Krummdolche in allen Güten und Preislagen angeboten

Aus den 70er Jahren unseres Jahrhunderts stammen Angaben [15] des italienischen Archäologen und Orientalisten Gabriel Mandel. Er sichtete im Jemen viele Quellen, denen er entnahm, daß der Gumdan-Palast um die 200 Meter hoch und damit das höchste Gebäude der Welt nach dem Turmbau zu Babel gewesen sein soll. Al-Hamdani charakterisierte Marib als »Stadt mit himmlischen Türmen« [16]. Jeder Tourist bewundert heute noch in Sanaa die mehrstöckigen, alten Gebäude. Warum eigentlich baute man im Jemen in die Höhe, da an Bodenfläche wahrhaftig kein Mangel war? Baute man nach den Vorgaben von Marib und Gumdan?

Mögen arabische Chronisten in einigen Details nicht übereinstimmen – diese Versicherung geben sie unisono: Sanaa war die älteste Stadt der Welt, gleich nach der Sintflut von Sem, Noahs ältestem Sohn, gegründet. Es ist uns Westlern nicht allgemein geläufig, daß Araber wie Juden

Semiten sind, weil sie ihre Abstammung von Sem ableiten [17]. Generationen nach Sem teilten sich die Araber in zwei Hauptstämme: Eine Linie bezog sich auf *Ismael*, einen Sohn Abrahams – eine auf *Qahtan*, der im Alten Testament als *Joktan* erwähnt wird. Ein direkter Abkömmling Qahtans war *Abd-Shams*, von Arabern *sheba* – zu Deutsch: *Saba* – genannt. Abd-Shams bedeutet ›Anbeter der Gestirne‹, und damit sind wir wieder bei den Sabäern, die dem Sternenkult huldigten.

Arabische Historiker hinterließen genaue Genealogien, aus denen zu erkennen ist, wer von wem abstammte. Ob diese Genealogien korrekt waren, läßt sich ebensowenig prüfen wie die Exaktheit alttestamentarischer Abstammungslisten. In Einzelfällen sind arabische Stammbäume direkt von den Gestirnen abgeleitet, die ihre jweiligen Herrscher verehrten: [18]

»Himyar betete die Sonne an.

Kinanah verehrte besonders den Mond.

Misam betete die fünf Sterne in Taurus an.

Lakhm und Jadham verehrten den Planeten Jupiter.

Tayy betete die Sternkonstellation Canopus an.

Qays verehrte den Hundsstern Sirius.

Asad verehrte den Planeten Merkur ...«

Substantiell sind die endlosen Namenslisten nicht zu checken, unbestritten ist, daß es sie seit altersher gegeben hat. Im 9. Jahrhundert n. Chr. bemühte sich der arabische Historiker Ibn Wadih al-Ya'qubi [19], alte Abstammungslisten ins Reine zu bringen: Allein die südarabische Linie, die von Qahtan / Joktan abstammt, führt 31 Dynastien auf, die rund 3500 Jahre regiert haben sollen. Nach diesen Listen soll König Salomon volle 350 Jahre den Thron von Saba okkupiert haben. Heller Wahnsinn! Das Alte Testament billigt Salomon eine solide Regierungszeit von 960-932 v. Chr. zu. Danach, entnehmen wir der Bibel, sei Salomons Reich in zwei Herrschaftsgebiete gesplittet worden: Salomons Sohn Rehabeam habe das Königreich Juda regiert, während Jerobeam I. – ein Beamter Salomons, das Königreich Israel übernahm. Die Araber wissen es anders: Nach Salomons Tod habe Rehabeam auch die Regentschaft im Königreich Saba übernommen, gefolgt von einem Neffen der Königin von Saba, womit nach Salomons Interregnum die alte Linie wieder hergestellt war.

Legenden lieben das Wunder

Während meiner nun 30jährigen Beschäftigung mit Volkslegenden wurde mir klar, daß die Legende in Übertreibungen und Wundern schwelgt, aber – sozusagen als belletristische Begleitung der echten Geschichte – Wahrheiten enthält. Obschon die Legende im Gegensatz zur Geschichte steht, vermag sie die Geschichtsschreibung zu ergänzen. Daß in der Legende Daten und Namen von Persönlichkeiten selten stimmen, belegen zwei ›klassische‹ Beispiele:

Der Beschreibung der Sintflut in der Bibel zufolge baute Noah ein Schiff, auf dem er mit seinem Gesinde und Tieren die Flut überlebte. Vom gleichen Ereignis berichtet das viel ältere sumerische Gilgamesch-Epos, 2000 Jahre v. Chr. verfaßt; dort heißt der Noah der Bibel Utnapischtim, und der erzählt seine Story in der Ichform mit den gleichen Essentials. Der Vorgänger von Utnapischtim war der noch ältere Ziusudra. Alle alten Völker überlieferten Sintflutlegenden, und alle hatten einen so oder so überlebenden Helden.

Jedermann kennt die rührende Geschichte vom Knäblein Moses, das – in einem Binsenkörbchen ausgesetzt – auf dem Nil schwamm und von einer barmherzigen Pharaonentochter gerettet wurde. Im indischen Epos Mahabharata – schon im 4. Jahrhundert v. Chr. ein Bestseller – erwartet die Jungfrau Kunti ein Kind vom Sonnengott. Die Schande fürchtend, bettet sie ihr Baby in ein Binsenkörbchen, verdichtet es mit Pech und setzt es auf einem Fluß aus. Der brave Mann Adhirata fischt das Kind aus dem Wasser und zieht es auf. – Auf Tontafeln überliefert ist die Legende vom babylonischen König Sargon: Er selbst erzählt, seine Mutter habe ihn in ein pechversiegeltes Schilfköbchen gelegt, der Fluß habe ihn zum Manne Akki geschwemmt, der ihn aufgezogen habe.

Moses, Kunti und Sargon lebten räumlich und zeitlich auseinander. Irgendwann aber hat irgendwo irgendwer ein Frischgeborenes in einem Körbchen ausgesetzt ... und allerorts wuchs der Findling zu einem bewunderten Herrscher heran. Das ist die übereinstimmende Essenz.

Vor 70 Jahren schrieb Dr. J. Bergmann [20], Rabbiner der jüdischen Gemeinde zu Berlin:

»Die Legende stimmt mit den historischen Quellen nicht überein, sie liebt das Wunder, und sie wandert ruhelos durch die Jahrhunderte und Länder und wird von mehreren Ereignissen und Personen gleichförmig erzählt. Nicht alles zwar, was die Legende erzählt, ist erdichtet; die Volksphantasie schafft nicht aus dem Nichts, sondern knüpft an wirkliche Geschehnisse und lebende Personen an.«

Warum die Götter ausradiert wurden

Salomon und die Königin von Saba agieren in einem durch und durch legendären Stoff, der mit »wirklichen Geschehnissen und lebenden Personen« verbandelt ist. Arabische und jüdische Überlieferungen basieren auf älterem Material, dem die ›neuen‹ Erzähler eigene Helden hinzufügten. Falls dieser Behauptung mit der These widersprochen werden sollte, die Bibel sei keine Legende, enthalte vielmehr nur das Wort Gottes, sei nachfolgend ein Wort Gottes zitiert, das im Buch Esther (6,1) bestätigt, daß ältere Quellen beigezogen wurden:

»In jener Nacht floh den König der Schlaf. Da befahl er, das Buch der Denkwürdigkeiten, die Chronik, zu bringen, und es wurde dem König daraus vorgelesen.«

»Es ist besser, ein kleines Licht anzuzünden, als über eine große Dunkelheit zu fluchen«, meinte der Philosoph Konfuzius (551-479 v. Chr.). Zünden wir also ein kleines Licht an, um zu erkennen, daß ›das Buch der Denkwürdigkeiten‹ nichts anderes enthielt als Überlieferungen!

Mit dem Übergang zum jüdischen Monotheismus, dem Glauben an einen Gott, wurde aus Überlieferungen ausradiert, was Bezüge zu irgendwelchen frühen Göttern und Götzen hatte. Klug, wie die Bibelredakteure waren, setzten sie – um dem Volk nicht seine Verbindung zu den Ahnen zu rauben – neue semitische Namen an die Stelle der überlieferten, schrieben ganz und gar unbegreifliche Ereignisse der Götterwelt dem neuen, einzigen Gott zu.

Eine gleiche kosmetische Operation erfolgte im Islam der arabischen Welt: Mohammed verdammte die Götterverehrung des Altertums aus vorislamischer Zeit mit derart erschreckenden Drohungen, daß frühe Überlieferungen selten und – wo sie erhalten blieben – mit Namen und Daten nur hauchdünn zur Realität in Verbindung zu bringen sind. Da Allah unbarmherzig strafte, verwundert es nicht, daß islamische Gelehrte in der Gründungszeit des Islam kaum den Mut fanden, alte Überlieferungen zu erwähnen.

Gleiches passierte später, als christliche Botschafter in Zentralamerika missionierten: Sie merzten alle alten heidnischen Kulte aus, das Neue hatte gültig und richtig, das Alte ungültig und falsch zu sein.

Es ist wie ein Wunder zu nehmen, daß es in all diesen geographischen Räumen Chronisten gegeben hat, die alte Legenden im Geheimen niederkritzelten und so der Nachwelt überlieferten. Ein solches Werk schuf Ibn al-Kalbi, es heißt *Kitab Al-Asnam*, zu deutsch: Das Götzenbuch [21].

Mit einer Sequenz von Namen und Daten bemühte sich al-Kalbi, der Überlieferung ein Flair von Korrektheit zu verleihen:

»Im Namen Allahs, des Allerbarmers.
    Der Schaich Abû ’l-Husain al-Mubârak b. ’Abd al-Gabbar b. Ahmad as-Sairafi berichtete uns ... während ich

51

zuhörte ... daß, als Ismâ'il, der Sohn Ibrahîms (Gott segne beide), in Mekka wohnte, und ihm dort viele Kinder geboren wurden, so daß sie Mekka füllten und die Amalekiter daraus vertrieben, ihnen Mekka zu eng wurde. Es ereigneten sich Kämpfe und Feindschaften zwischen ihnen, und ein Teil von ihnen vertrieb den andern; ...

Dies führte sie dazu, daß sie anbeteten, was ihnen gefiel ... Und so beteten sie die Götzenbilder an und wandten sich zu dem religiösen Verhalten der Völker vor ihnen und holten die Götzen hervor, die das Volk Noahs (Heil sei ihm) anzubeten pflegte, auf Grund der ererbten Erinnerung an sie, die unter ihnen geblieben war.«

Das ›Götzenbuch‹ erzählt auch eine Geschichte, die auf die ersten Menschen zurückgeht: Die Kinder von Seth, einem Sohn Adams, hätten fünf Götterstatuen angefertigt, die noch zu Zeiten Noahs verehrt worden seien; schließlich habe die Sintflut die Standbilder bis zum Meeresstrand von Gidda fortgeschwemmt; die Bewohner des Tieflandes fanden und verehrten fortan die Götterfiguren, die Wadd, Sowa, Jaghut, Ja'uk und Nasr hießen; sie wurden genau beschrieben und den Stämmen zugeordnet, die sie anbeteten. – Über Wadd wird berichtet:

»Wadd war die Statue eines Mannes, groß, wie das größte, was an Männern existiert. Zwei Gewänder waren auf ihn gemeißelt ... Er hatte ein Schwert umgürtet und trug einen Bogen auf der Schulter. Vor sich hatte er eine Lanze mit einer Fahne und einen ledernen Köcher mit Pfeilen darin.«

Das können nicht durch die Bank Hirngespinste orientalischer Märchenerzähler gewesen sein. Im ›Götzenbuch‹ steht – beispielsweise – Nasr wäre »an einem Ort des Landes Saba, genannt Balha, aufgestellt worden, wo die *Himjar*[*] und ihre Nachbarn ihm dienten.« Tatsächlich wurden auf

---

[*] Himjar = Südarabische Völkerschaft aus vorislamischer Zeit. Alte südarabische Inschriften werden als ›himjarisch‹ bezeichnet.

dem Gebiet des sabäischen Reiches himjarische Inschriften mit dem Namen ›Nasr‹ gefunden. Legende hin, Legende her – die Angabe, in welchem Raum ›Nasr‹ verehrt wurde, stimmt.

Peinlich für jene Gelehrtengilde, die in Legenden eine Art von Science-fiction des Altertums vermuten möchte. So meint denn auch Werner Daum, hervorragender Kenner des Jemen, zur Analyse südarabischer Gottheiten [22]:

»Gerade hier ist freilich der Spekulation Tür und Tor geöffnet, und es gibt deshalb wohl auch keine Wissenschaft, deren Vertreter seit jeher so innig miteinander verfeindet sind wie die der Altsüdarabistik.«

Raumfähre Columbia bestätigt Legende

»Erfahrung ist die Brille des Verstandes«, lautet ein arabisches Sprichwort. Durch welche Brille soll die Vergangenheit betrachtet werden? Ich kenne Gelehrte, die am liebsten alle Legenden in einem pseudowissenschaftlichen Autodafé den Flammen übergeben und sich ausschließlich an authentische, geschichtliche Tatsachen halten möchten. Diese Art von ›Wissen‹ behauptet sich indessen nur bis zu dem Moment, da Inschriften, Statuen oder Bauwerke ans Licht kommen, für die es bis dahin keine historisch gesicherten Spuren gegeben hat. Was man so ›historisch gesichert‹ nennt... im Augenblick der totalen Überraschung müssen die vermaledeiten Legenden zur Spurensuche beigezogen werden. Will ein Antilegendärer bestreiten, daß Legenden die Initialzündung für archäologische Grabungen gegeben haben? (Schliemann!) O ja, es gibt ›legendäre‹ Wahrheiten, die wie ein Blitz aus heiterem Himmel die gepflegte wissenschaftliche Landschaft verändern. So gab es immer schon die Legende ägyptischer Volkserzähler von *Bahr-Bela-Ma*, von großen Flüssen in der Sahara, die breiter wären als der Nil, und an deren Ufern es dermaleinst eine hochstehende

53

Kultur gegeben habe. Unsinn, Fata Morgana, Volksge-
schwätz, lauteten die Abqualifizierungen.

Im November 1982 bestätigte die amerikanische Raumfähre COLUMBIA – mittels einer Radarspezialausrüstung an
Bord – die Richtigkeit der Legende. Unter dem Sand der
Sahara gab es Flußtäler bis zu 15 Kilometern Breite. Probe-
bohrungen förderten schon wenige Meter unter dem Saha-
rasand Flußkies zutage. Der amerikanische Archäologe
Vance Haynes hält es für möglich, daß nach Auswertung
aller Radardaten sogar »eine Art Straßenkarte zu Siedlungen
prähistorischer Volksgruppen« herauskommen könne [23].
– Legenden sind zäher als Leder, sie überdauern sogar die
Mumien, aus deren lebendigen Mündern einst Überlieferungen weitergegeben wurden.

Der geheimnisvolle Herr D. des Koran

Koran wie Altes Testament sind Fundgruben geheimnisvol-
ler Mitteilungen. Die ›Wahrheit‹, die es zu finden gilt, findet
sich nicht im Rankenwerk der Erzählungen, sondern in
deren Kern. Für die Spurensuche ist der Kompaß mit Fragen
einzustellen wie: Was will der Legendenerzähler eigentlich
mitteilen? Was kennt er selbst nur vom Hörensagen, und
was hat er erlebt? Es ist der Kern der Überlieferungen, der
immer wieder für Überraschungen sorgt.

Im Koran (Sure 18,84 ff) wird die Geschichte von dem
mächtigen Dhulkarnain erzählt, der ins Land der Araber
kam. Wer dieser fremde Herr D. war, wußte niemand. Eine
Schule von Koranexegeten vermutete in ihm gar Alexander
den Großen (336-323 v. Chr.), eine andere meinte, sein
Name wäre mit ›der Zweigehörnte‹ zu übersetzen. Ein
Fabelwesen? Der fremde Herr D., so im Koran, »verfolgte
seinen Weg weiter, bis er zwischen zwei Berge kam, wo er
ein Volk fand, das kaum eine Sprache verstehen konnte.«
Irgendwie machte es sich verständlich, beklagte sich beim

54

Herrn D. über Krieger, die das Land verwüsteten, und fragte ihn, ob er nicht eine Mauer zwischen dem friedlichen Volk und den kriegerischen Stämmen errichten könnte. Der mysteriöse Herr D. antwortete: »Steht mir nur kräftig bei, so will ich einen festen Wall zwischen euch und ihnen aufrichten. Bringt mir große Stücke Eisen, um den Raum zwischen beiden Bergwällen auszufüllen.« Soweit der Koran, der nichts Genaues über Herrn D. weiß, auch nicht, wo die Sicherheitsmauer gebaut werden sollte.

Science-fiction?

Adolph von Wrede notierte in seinem Buch ›Reise in Hadramaut‹ [24] unter dem 16. Juli 1843:

»Die Ruinen von 'Obne sind nicht die einer Stadt, wie ich mir vorgestellt hatte, sondern die einer Mauer, welche quer durchs Tal gezogen ist und dann über einen nicht sehr steilen Berg geht ... Die Bestimmung dieser Mauer spricht sich schon in der Art ihrer Anlage aus; sie diente augenscheinlich zu nichts anderem, als den Zugang zum Wadi Hadschar und dem Hadramaut zu versperren ... Die Zeit der Erbauung dieser Mauer zu bestimmen, überlasse ich den Gelehrten ...«

Der Forschungsreisende Adolph von Wrede bestätigte den *Kern* der Koranlegende.

Auf der Suche nach dem Tunnel von Bainun

Überlieferungen beim Wort nehmend, sollen Salomons ›Dämonen‹ außer drei Burgen für die Königin von Saba beim Dörfchen Bainun im Jemen auch einen Tunnel durch eine Bergkuppe getrieben haben. Diese zeitlich undatierbare Feststellung bestätigte der jemenitische Gelehrte Al-Hamdani*, der im Jahre 945 n. Chr. im Gefängnis von Sanaa

---

* Der komplette Name: Abu Muhammed al-Hasan ibn Ahmed ibn Ja'qub ibn Jusuf ibn da'ud al Hamdani.

starb, in seinem Buch ›Beschreibung der arabischen Halbinsel‹ [25]:

»Durchbohrt wurde auch Bainun, ein Berg; einer der himjarischen Könige durchbohrte ihn, damit ein Wasserlauf aus dem hinter ihm liegenden Lande nach dem Gebiete von Bainun geleitet werden könne.«

Al-Hamdani schrieb den Tunnelbau einem ›der himjaritischen Könige‹ zu, vergaß aber leider, dessen Namen zu erwähnen. Der Ort Bainun war in himjaritischer Zeit eines der Machtzentren des Königreiches.

Teile der alten Königsburg kann man heute noch sehen, und auch vom Tunnel sollen Reste zu besichtigen sein. Las ich. Ich suchte ein Bild vom Tunnel, fand zwar in DuMonts Kunstreiseführer [26] ein Schwarzweißfoto von einem Bewässerungskanal aus himjaritischer Zeit, keines vom Tunnel. Ich witterte die Chance, den Wahrheitsgehalt einer Legende an Ort und Stelle abklopfen zu können. Ich wollte Bainun sehen!

Katzeit

Sanaa. Ich fuhr zum Touristenbüro, das die Reisegenehmigung erteilt. Der Taxifahrer hatte eine geschwollene Backe, er tat mir leid, und ich dachte, der Mann gehörte auf einen Zahnarztstuhl, dem müsse einer seiner braunen Zähne gezogen werden. Ich beobachtete sein Gesicht, ob es nicht unter Schmerzen verkrampfte. Das genaue Gegenteil war der Fall: gelöste, fast heitere Mienen. Von Zeit zu Zeit schob er etwas Grünes in den Mund, verstaute es in einer Backentasche. Um 14 Uhr stoppten wir vor dem Touristenbüro, ich eilte darauf zu, doch an der Tür verkündete ein Schild: CLOSED. Geschlossen. Ich schlenderte durch die Stadt, über den Markt. Überall hockten die Leute, die Männer, am Boden, hatten alle dicke Backen. In einer Gasse, vor einem offenen Laden, starrte mich ein Jüngling mit zwei dicken Backen

*Zur Katzeit
werden
in Saanas engen Gassen
Büschel der Nationaldroge
angeboten*

aus glasigen Augen an, hielt mir ein Bündel Grünzeug hin. Waren das Kokablätter, wie sie die Indios in Peru und Bolivien kauen? Ich blätterte im Polyglott-Reiseführer und las:»Täglich von 13 bis 17 Uhr kommt das öffentliche und behördliche Leben zum Erliegen. Klima und Höhenlage verlangen eine Ruhepause, in der sich die Bevölkerung dem Katgenuß hingibt.«

Was sich hier tut, liegt nicht im Trend unserer rauschgiftsüchtigen Zeit. Schon vor 50 Jahren schrieb der Forschungsreisende Hans Helfritz [27], der in Sanaa ins Gefängnis geriet:

»Gegen fünf Uhr war meist alles versammelt, denn das war die Stunde des Kat, die dort ebenso heilig gehalten wird wie etwa in westlichen Ländern die Stunde des Nachmittagstees. Kat ist ebenso unentbehrlich für das Dasein des Südarabers wie der Koran. Es ist ein Rauschgift, aber der Jemenite nennt es sein Lebenselexier. Der Katgenuß ist im ganzen Volk verbreitet; Männer, Frauen und Kinder huldigen ihm fast ohne Ausnahme ...«

Kat ist *die* Droge: Sie macht den Jemeniten friedvoll, seine Augen glasig, und sie soll ihn im Rauschzustand klarer denken lassen. 90 Prozent der Bevölkerung – also wohl alle, bis auf die Säuglinge – entspannen sich während der allmittäglichen Katstunden. Das Grünzeug wird im Mund zermalmt und mit erheblicher Kau- und Zungenfertigkeit zu einem Kloß von Eigröße geformt, von einer Backentasche in die andere gerollt, mit Speichel getränkt, ausgesaugt und fortlaufend mit frischen Katblättern ergänzt. Einheimische nennen ihre Droge scherzhaft ›jemenitischen Whisky‹. Nach meinen Erfahrungen braucht man beim Whiskygenuß nicht so viele Stunden, um ›high‹ zu werden, ich muß aber erwähnen, daß Kat keinen Kater hinterläßt – sagt man –, auch die Sinne nicht trübt: Kein gutes Geschäft würde ohne

Rechte Seite: *Vom anmutigen Katstrauch zum Katblatt: Die Pflanze mit der betörenden Wirkung*

Irgendwo in einem solchem Straßenwinkel kauften wir Katbündel zur Probe

Kat abgeschlossen werden. »Sogar die Kinder fürchten, in der Schule nichts leisten zu können, wenn sie nicht vorher vom Zauberkraut genossen haben«. [27]

Highnoon in den Dörfern. Männer hocken, krummdolchbewaffnet, vor ihren Hütten, schlürfen Tee, rauchen Zigaretten und kauen Kat, ein Bild des Friedens. Ich habe mir sagen lassen, daß Kat *(Catha edulis)* überall in Jemen angebaut wird, aber am besten in Höhen von ein- bis zweitausend Metern gedeiht. Die Triebe des zwei, drei Meter hohen Busches, der keine Blüten trägt, sind hellgrün. Nach 15 Monaten treibt eine Katpflanze erste Blätter, dann aber kann sie dreimal im Jahr gepflückt werden. Die Ernte erfolgt behutsam: Die Blätter werden nicht abgerissen, sondern mit den Zweigen abgeknickt und zu handlichen Bündeln zusammengebunden. Kat soll frisch genossen werden; er ist deshalb am Tag der Ernte, spätestens einen Tag danach, beim Konsumenten. Ein Bündel kostet umgerechnet etwa 40 Schweizer Franken, es ist eine teure Droge. Nach Schätzungen von Landwirtschaftsexperten lassen die Jemeniten sich ihr tägliches Vergnügen eine runde Milliarde Schweizer Franken im Jahr kosten.

Für den Jemen ist das seligmachende Kraut Segen und Katastrophe. Kat wird nur in geringen Mengen zur Herstellung von Medikamenten exportiert. In allen Nachbarländern gibt es Einfuhrverbote, in Saudi-Arabien steht Katgenuß unter hoher Strafe. Wertvolle Nutzflächen sind mit Kat bebaut, obwohl sie dringender für Nahrungsmittel oder Kaffee – der in Jemen ausgezeichnet gedeiht – genutzt werden könnten.

Die Reisebewilligung für Bainun verschwand für heute im Katnebel. Ich kaufte ein Bündel und ging mit meinem Mitarbeiter Ralf, der von Beruf Chemiker ist, ins Hotel zu einer Katrunde. Wir wuschen die Blätter ab, was vermutlich schon falsch war, denn sie ließen gelbliche Streifen auf dem Handtuch zurück, auf dem sie abtropften. Eine Flasche Mineralwasser in Griffnähe setzten wir uns und begannen tapfer zu kauen. Es schmeckte scheußlich, wie ein Sud aus rohem Spinat und Lorbeerblättern, aber das ist nur eine wohlwollende Beschreibung des wirklichen Geschmacks. Die Blätter zerfielen rasch, lösten sich auf und sorgten für einen ölig-bitteren Geschmack. Wie wir es beobachtet hatten, trudelten wir den ekligen Klumpen durch den Mund, schoben frische Blätter nach. Irgendwann fragte Ralf: »Spürst Du was?« – »Nichts!« – Auf die Wirkung hoffend, kauten wir vor uns hin. Zur Stunde des Nachtessens waren wir satt. Ich spürte einen erhöhten Puls und ein wohliges Gefühl ins Gehirn krabbeln, doch die gepriesene Erleuchtung blieb aus. Möglich, daß das eine Katbündel nicht ausreichte, in lichte Gefilde vorzudringen, mindestens sorgte der Trip für tiefen Schlaf, aus dem wir ohne Kopfweh oder anderes Mißbehagen aufwachten.

Wir kauften vor der Abreise noch ein Kat-Bündel mit schönen Blättern. Ralf versiegelte es in einem Plastikbehäl-

ter, um die Wunderdroge daheim zu analysieren. Für phar-
mazeutisch Interessierte hier das Ergebnis:
Cathin [(+)-amino-2-phenil-1-propanol] C9H13NO,
Cathinon (α-Aminopropiophenon),
40 weitere Alkaloide sowie diverse Sterine

»Was wollen Sie in Bainun?« fragte anderntags der Beamte
im Büro der *Tourist Corporation.*
»Ich möchte den Tunnel sehen, den himjaritische Könige
oder Salomons Dämonen bauten.«
»Wissen Sie, wo Bainun liegt?« erkundigte sich der
freundliche Beamte.
»Die Karte kaufte ich im Nationalmuseum«, sagte ich
und deutete auf Bainun, das deutlich eingedruckt ist.
»Damit können Sie nichts anfangen. Sie brauchen einen
Geländewagen, einen Chauffeur und einen Führer!«
In Erinnerung an den ›Führer‹, der uns nach Marib begleitet und kein Wort Englisch verstanden hatte, beschwor ich
den Beamten, mir einen *guide* mitzugeben, der Englisch
spräche, meinetwegen auch Deutsch, Französisch, Italie-
nisch, Spanisch oder Holländisch. Der Beamte zeigte Verständnis für meinen Wunsch und versprach, am nächsten
Tag ständen Fahrzeug, Chauffeur und Führer um sechs Uhr
früh vor meinem Hotel, sofern ich heute noch einen Vertrag
mit dem Autobesitzer abschlösse, und der würde mich im
Hotel abholen.
Gegen 19 Uhr meldete sich mein Beamter im Hotel, um
mit mir zum Eigner des Fahrzeugs zu fahren. Man bot mir
einen Stuhl und schwarzen heißen Tee an, Prozedur für eine
längere Verhandlung. Der Jemenit hatte ›Good evening‹
gesagt und hörte mir dann, katkauend, zu, sagte nichts,
weswegen ich in schier orientalische Beredsamkeit geriet
und mit immer neuen Argumenten für einen absolut siche-
ren Wagen und einen unbedingt Englisch sprechenden Fahrer plädierte. Der Mann kaute und betrachtete mich stumm,
auch der Beamte schwieg wohlwollend. Der stolze Wagen-
besitzer wandte sich in einer arabischen Suada dem Beamten

zu. Der antwortete in nicht minder halsbrecherischen Satz-
ungetümen, um mir nach längerem Duett mitzuteilen, daß
der Autobesitzer, des Englischen in keiner Weise mächtig,
bereit sei, einen Vertrag mit mir abzuschließen. In einem
Frage- und Antwortspiel, vom Beamten verdolmetscht, war
des endlosen Geredes simpler Schluß, daß ich – in Englisch
– den Vertrag aufsetzte: Morgen früh um sechs Uhr Gelän-
defahrzeug in technisch tadellosem Zustand vorm Hotel,
besetzt mit einem Fahrer und Englisch sprechendem Führer.
Vertragssumme für Auto, zwei Männer, Versicherungen,
Sprit und Bakhschisch: 200 US-Dollars pro Tag.
    7.30 Uhr. Mit arabischer Verspätung taucht die Crew vor
dem Hotel auf, der Fahrer mit Krummdolch, der Führer
mit Krawatte. Nach einem Dreisatztest war mir klar, daß
der stolze *guide* kein Wort Englisch, aber auch keines einer
anderen Sprache, außer Arabisch, begriff. Er hielt einen
Karton in der Hand mit englischen Fragen: Wie geht es
Ihnen? – Wo möchten Sie hin? – Haben Sie Hunger? – Es
war sinnlos, das Unternehmen abzusagen. Wir fuhren los.
    Die Sonne war aufgegangen. Sanaa glühte in diffus-rötli-
chem Licht, die farbigen Häuser mit ihren weißumrandeten
Fenstern leuchteten, als wären sie über Nacht frisch gemalt
oder abgespritzt worden.

Fahrt auf einer seltsamen Straße

Wir fuhren auf der erstklassig gebauten und asphaltierten
Straße von Sanaa in Richtung Süden. 240 Kilometer ist sie
lang. Mir fiel die Story dieser Straße ein. Mein Landsmann
Dr. Heinz Rudolf von Rohr hat sie in seinem hervorragen-
den Bildband [28] festgehalten:
    1958, im ›Jahr des großen Sprungs‹ in China, setzten die
Chinesen auch im Jemen zum großen Sprung an: Als Ent-
wicklungshilfeprojekt bauten sie eine Straße von der Hafenstadt Al Hudaydan am Roten Meer bis nach Sanaa. Im

eigenen Land mit Problemen belastet, führten die Chinesen das gigantische Projekt – durch glühende Wüste und über Hochgebirge – mit Sturheit und Gründlichkeit durch. Beachtliches wurde von chinesischen Ingenieuren geleistet, indem sie Höhenunterschiede bis zu 3000 Metern überwanden. Mit Erstaunen vermerkt Rudolf von Rohr, daß die Chinesen »während der gesamten vierjährigen Bauzeit nie versuchten, direkten Einfluß auf die politischen Geschicke des Landes zu nehmen.«

Wo Chinesen werkeln, mögen Russen nicht untätig zuschauen: Sie schlugen dem Imam ein Straßenprojekt zur Verbindung von Al Hudaydan nach Taiz vor. Verwirklicht wurde es von 1966 bis 1969. Die Russen sollen sich weniger diplomatisch als die Chinesen benommen haben. Rudolf von Rohr: »Man sagt, daß sie gerne als Herren auftraten, viel tranken, womit jemenitischer Tee wohl nicht gemeint ist, und sich allenthalben einmischten.«

Nun gut. Bei so vielen ›roten‹ Straßenkilometern mochten sich die Amerikaner nicht lumpen lassen. Sie unterbreiteten das Projekt einer Straße von Sanaa nach Dhamar und Taiz.

Links: *Auf einsamer Straße unterwegs nach Bainun – vorbei an Bergen und Felsennestern*

Rast inmitten von Sand, Wüste und Geröll

Irgendwann kam es zu politischen Rempeleien. Die Amerikaner – sie hatten das Straßenbett schon weitgehend fertiggestellt – verließen den Jemen. Nun kamen die Deutschen. Anfang der 70er Jahre vollendeten sie das von den Amerikanern begonnene Werk.

Auf dieser Straße fuhren wir.

Bainun liegt irgendwo

Bald außerhalb von Sanaa erinnert mich die Landschaft mit ihren Bergen und Felsennestern an die Strecke von Lima nach Ica in Peru. Würden Hochspannungsleitungen nicht die Fahrt begleiten, würde man jegliche Zivilisation vergessen und sich in einem unberührten Stück Erde wähnen. Felder und Brachland, Wüste und Katplantagen und – wie im Jemen üblich – bewaffnete Straßenkontrollen. Nach 60 Kilometern die Stadt Mabar, dann wieder Brache und Wüste.

Im Hirn unseres *guide* hatte sich ein Gedanke zusammen-

Wo finden wir den Tunnel von Bainun?
Auch Eingeborene wußten keine Antwort

geballt, den er in eine Frage aus arabischem Englisch oder englischem Arabisch quetschte: Von uns wollte er wissen, wo denn Bainun läge! Ich atmete tief durch, um nicht zu explodieren; so ruhig wie möglich sagte ich langsam und eindringlich, daß *er* uns dorthin führen solle, also wissen müßte, wo Bainun zu finden sei; ich präsentierte ihm die Straßenkarte und wies auf das vermerkte Bainun hin. Der würdige Cicerone in schwarzem Sakko mit schicker grüngelber Krawatte begriff nichts, gar nichts, sein leerer Blick ließ ahnen, daß er eine Karte überhaupt nicht lesen konnte. Er quatschte mit dem Chauffeur, der zu meinem Leidwesen stets nur eine Hand am Lenkrad hielt, derweil er mit der anderen unablässig seinen Krummdolch liebkoste. Daß wir auf der richtigen Route fuhren, war wohl nur mir klar, deshalb bedeutete ich mit Handzeichen, geradeaus zu fahren. Kurz vor Dhamar tuckerte der Motor. Panne? Nein, der Sprit ging aus. Der sture Wagenlenker hatte den Tank nicht vollgetankt, nach nur 80 Kilometern konnten wir gerade noch eine Tankstelle erreichen. Insch-Allah.

Ausgestattet mit einigen Ablichtungen aus DuMonts Reiseführer, konnte ich klarmachen, daß wir 30 Kilometer östlich von Dhamar eine Straße Richtung Norden finden müßten; ohne jedwede Straßenschilder wären wir ohne diese Kilometerangabe hoffnungslos in die Irre kutschiert. Ich schaute aufs Tachometer, tippte dem Chauffeur auf die Schulter und reduzierte mit sanftem Tauchen der Hände – wie Dirigenten ihre Orchester zum Pianissimo stimulieren – nach 29 Kilometern die Fahrgeschwindigkeit, fixierte Norden auf dem Kompaß. Wie DuMonts Reiseführer verspricht, biegt nach genau 30 Kilometern eine Piste – genauer: zwei Fahrspuren im Sand – links, Richtung Norden, ab in die pure Wüste. Von nun an half auch die Karte nicht mehr, Wüstenpisten sind logischerweise nicht markiert. Letzte Angabe: Bainun erreicht man nach etwa einer Fahrstunde zwischen den Bergen Dschebel Isbil und Dschebel Dhu Rakam. Das wäre ein potenter Hinweis, wenn die Berge Leuchtschriften auf dem First trügen. Wir konnten nur noch raten und dem Glück zusprechen.

In der Ferne Silhouetten zweier Berge. Vielleicht waren es die, die der Reiseführer erwähnte. Auf einem Feld arbeiteten Frauen und Männer; ich bedeutete unserem Führer, er möge sie nach Bainun fragen; er streichelte seine Krawatte und erhob sich mit unübersehbarer Unlust. Den Gesichtern der Leute war abzulesen, daß Bainun für sie kein Begriff war.

Der Fahrer hatte eine Intuition: Er steuerte ein von einem Katgarten umgebenes zweistöckiges Haus an und ermunterte den *guide*, mit ihm zu kommen; beide verschwanden, kamen nach einer Viertelstunde mit einem beachtenswerten Landsmann zurück. Er trug den größten und schönsten Krummdolch, den ich im Jemen sah. Der Griff aus Horn war mit Edelsteinen – oder war es nur farbiges Glas? – besetzt, die Scheide aus Silberblech, der breite Gürtel mit Silber- und Goldfäden verziert, um die Hüften baumelte ein Patronengurt, unter den Arm geklemmt trug er einen Karabiner aus dem Zweiten Weltkrieg; aus dem bärtigen Gesicht lugten schwarze Augen, um den Kopf war ein weißes Tuch gewunden, dessen Spitzen über die Schultern auf ein hellblaues, langes Hemd fielen, das eine Palette von kräftigen Fettflecken aufwies, ein eindrucksvoller Mann, der in Schuhen von Rekordgröße stand. Das arabische Männertrio setzte sich in den Wagen, ohne uns mit einem Blick zur Kenntnis zu nehmen.

Der Wagen ächzte den Berg hinan auf ein schier endloses Hochplateau, gespickt, bestückt mit pechschwarzem Vulkangestein, mit Mäuerchen gleichen Materials. Die Zeit verrann. Eine Stunde bis Bainun hatte der Reiseführer versprochen. Anderthalb Stunden rumpelten wir nun schon zwischen Felsbrocken und Dünen. Ich mischte mich in die angeregte Unterhaltung der Männer ein: »He! Bainun?!«

Der Bewaffnete bleckte seine gelben Zähne, redete auf seine Landsleute ein. Man fuhr weiter. Die Sonne hatte nach einer weiteren Stunde den Zenit überschritten, als mir Zweifel kamen, ob die Drei wenigstens ungefähr begriffen hatten, wohin wir strebten. Energisch legte ich dem Chauffeur meine Hand auf die Schulter und befahl: »Stop!« Ob Zufall oder ob er das kürzeste aller internationalen Signale begriffen hatte, ließ sich nicht ermitteln, jedenfalls ließ er den Wagen ausrollen. Wir stiegen aus. Ralf zeichnete eine Burgruine auf ein Blatt des Notizblocks, skizzierte einen Berg mit einem Tunneleingang. »Bainun! Bainun?« wiederholte ich. Sie starrten uns verständnislos an. Ich häufelte Sand, bohrte ein Loch hinein. Kinder würden die Bildersprache verstehen, unsere Begleiter nicht. Der Krawattenmann war – um es unhöflich, aber klar zu sagen – dumm, und dem Fahrer war es egal, wo und wohin er fuhr, der Bewaffnete blieb munter, redete und gestikulierte. *Cui bono?* Wem nützt es? fragte der weise Cicero. Wir stiegen ein und fuhren weiter. Sobald wir am Ende einer Hochebene ankamen, ging es in felsigen Kurven hinunter und eine weitere, optisch kaum unterscheidbare Strecke hinan. Wo befanden wir uns?

Rechts: *In der Ferne eine Felskuppe mit einem Bauwerk*

Unten:
Bald standen wir vor den Ruinen der Burg von Bainun

Aus der menschenleeren Sand- und Steinwüste erhoben sich in einem Tal mit grünen Äckern braune Lehmhütten. Der Bewaffnete grunzte: »Bainun!« und wies mit dem Lauf seines Karabiners auf Ruinen einer Burg, die im Gegenlicht der Sonne auf einem Felsvorsprung balancierten. Das Trio verschwand stumm, aber zielstrebig in einer Lehmhütte. Mit einem Bündel Grünzeug kehrte es zurück. Katzeit!

Endlich am Ziel: Die Burg von Bainun

Zur Ehre unserer Begleiter sei gesagt, daß sie die Katklöße im Mund rotieren ließen, uns aber doch eine steile Natursteinrampe zur Burg von Bainun hinauffuhren; dort hatten sie Zeit, kauend ihre Glückseligkeit zu finden.

Die wuchtige Burg soll »zu den Festungswerken der Genien, die zur Zeit des Königs Salomon erbaut worden sind« [29], gehört haben. Der österreichische Orientalist David Heinrich Müller (1846-1912) brachte altarabische Gedichte mit, die zur Verherrlichung der Burg verfaßt wurden [30]. Der Dichter Alqama schrieb:

»Und Bainûn und Salhin liegen in Trümmern jetzt, während ihr Herrscher einst die ganze Welt verheerte.«

Oder die Drohung:

»Weh' dem, der Bainûn in Trümmern liegen sieht, leer und öde seine Quaderbauten.

Füchse sind jetzt die Bewohner der Paläste, deren Schutze einst sich anvertrauten Untertanen, die selbst Machtinhaber waren, und Beherrscher, die in Macht ergrauten.«

Was wir sahen, waren Trümmer der Paläste, die ›Dämonen‹ König Salomons für die Königin von Saba erbauten. Diese Dämonen oder Genien waren Zauberer! Noch die

Rechts: *Der Bergeinschnitt im Tunnel von Bainun: Unten grobes Gestein, oben polierte Platten*

Links: *Über dem Tunneleingang: ein Riesenmonolith*
Rechts: *Unser Schützenkönig von Bainun*

Ruinen bezeugen es mit tonnenschweren, geschliffenen, ineinander passenden Bauelementen. Man erinnert sich von ferne an unsere mittelalterlichen Burgen in Europa, die wie Adlerhorste trutzig auf schroffen Bergen ruhten. Was dort entstand, mutete geradezu rührend an gegen diese Anlagen: kleinklein gegen riesengroß. Monolithen wurden aufgetürmt! Einige Erfahrung aus anderen Teilen der Welt, besonders aus dem Hochland von Peru und Bolivien, erlaubt mir eine Schätzung dieser Steinquader: Die unteren Monolithen werden es auf mindestens 20 Tonnen bringen! Welche Technik ermöglichte den Bau? Mit welchen Hebevorrichtungen, Kränen, Seilzügen wurden diese Lasten hier oben hingehievt? Von der Talsohle bis zur Felskuppe war eine Höhendifferenz von 200 Metern zu überwinden.

Doch die Burg war nicht Zielpunkt meiner Suche, das war der Tunnel, von dem die Legenden berichten.

Das enervierende Gestenspiel mit unseren Begleitern wurde fortgesetzt. Wieder baute ich aus kleinen Steinen ein Berglein auf, schob einen Reisig hinein, deutete gegen den

Berg drüben. Der Bewaffnete peilte mit dem Karabiner eben diesen Berg an und zielte ein Stück weiter hinauf und nickte dazu. Also! Mit dem Wagen war das nicht zu machen, Ralf und ich schulterten die Kameras und erklommen den Trampelpfad bis zur Kuppe. Kein Tunnel. Kein Tunneleingang. Wieder abgestiegen, zeigte ich dem Bewaffneten eine Fotokopie, die ich daheim ins Gepäck genommen hatte. Sie zeigte zwar nicht den Tunnel, wohl aber einen ›Kanal‹, der zu ihm führte.

In die katglänzenden Augen des Bewaffneten sprang ein Leuchten. Er nickte und verschwand in einem Verließ der Burgruine. Nach einer Weile kehrte er mit einem Greis, den er aufmerksam stützte, zurück. Der Alte begriff sofort, sprach ruhig zu seinen Landsleuten, während er mit knochiger Hand ins Tal hinunterwies, und auf einem nicht sichtbaren Punkt, den er offenbar beschrieb, ruhen ließ.

Wenn wir nicht inzwischen gehört hätten, daß Kat klarsichtig und ruhig macht, hätten uns tausend Ängste beunruhigt, als der Fahrer mit seinen stieren Augen die Abfahrt ins Visier nahm: Ein Tierpfad höchstens am Rande der Steilwand, so breit nur, daß die Räder der linken Seite auf der Kante spurten. Was soll ich es spannend machen? Es ist nichts passiert, sonst säße ich nicht am Schreibtisch.

Der Wagen war um den Berg gekurvt, als in der Ferne eine senkrechte Felswand mit einem unnatürlichen Einschnitt unseren Blick fesselte. Der Wagen hielt bald genau dort an. Wir staunten. Vor uns das obere Drittel eines Berges, den ein ›Dämon‹ durchschnitten hatte. Auch wenn man, wie ich, nicht an ›Dämone‹ oder ›Genien‹ glaubt, muß man zugeben, daß hier Genies tätig waren. Der obere Einschnitt – rechts und links von der Felswand – war glatt, die untere Hälfte von grobem Gestein vermittelte den Eindruck, als hätten sich glatte Platten – wie oben – im Laufe der Zeit abgelöst. Am Ende der Schlucht der Tunnel, ein dunkles Loch, über dem Eingang ein polierter Riesenmonolith mit sauberen Rändern. Geradeso, als sei er nicht aus der Felsmasse herausgemeißelt, sondern eingesetzt worden.

Wir legten unsere Meßbänder aus: Am östlichen Eingang maßen wir die Breite mit 3,37, die Höhe mit 3,48 Meter.

Wir waren mit Messen und Fotografieren beschäftigt, als uns eine enorme Detonation in die Glieder fuhr, Schwaden von Pulverdampf stiegen auf. Wir duckten uns und stellten fest, daß das Geballere nicht uns galt. Dem Bewaffneten war wohl der Kat zu Kopf gestiegen, er ballerte in den dunklen Tunnel. Weil Querschläger vom harten Fels so unangenehm sein können wie ein Volltreffer, lehnten wir uns an die Wand, dann schritt ich – mutig wie ein Eidgenosse – auf den Schützen zu und erbat lachend seinen Karabiner. Ich zielte auf ein Türmchen aus drei Steinen, der obere – Allah sei Dank! – zersplitterte. Der jemenitische Tell staunte und schoß fortan in die andere Richtung, unterbrach uns aber dauernd bei der Arbeit, weil er stolz zeigen wollte, was für ein trefflicher Schütze er war. Am Ende des Schützenfestes stellte er sich für ein Foto.

Wir tasteten uns in den Tunnel. Man sah kein Licht vom andern Ende, weil er eine leichte Rechtswendung hat. In Schritten gemessen ist er etwa 160 Meter lang. Am westlichen Ausgang hat er eine Höhe von 5,92 und eine Breite von 3,03 Meter. Der Tunnel verläßt die Felswand auf der westlichen Seite einige Meter über dem Boden.

Von einem Kanal oder Tosbecken auf dieser Seite keine Spur. Weit links unten im Tal grüßten die Ruinen von Bainun, aus dem Tunnel donnerten die Salven unseres Begleiters. Eindrucksvoll.

Der sogenannte Kanal beginnt auf östlicher Seite dort, wo der Felseinschnitt verläuft – am Berghang vorbei in südlicher Richtung, zieht sich sachte höher und höher. An einer breiten Stelle mißt er 2,94, an einer schmalen 2,46 Meter. Fachleute vom Deutschen Archäologischen Institut vertreten die Meinung, durch diesen Kanal wäre »das am Berghang ablaufende Regenwasser aufgefangen und durch den Tunnel auf die westlich des Bergausläufers im Wadi al-Galahim gelegenen Felder geleitet« worden [31]. Weil das im westlichen Tal gesammelte Wasser nicht zur genügenden

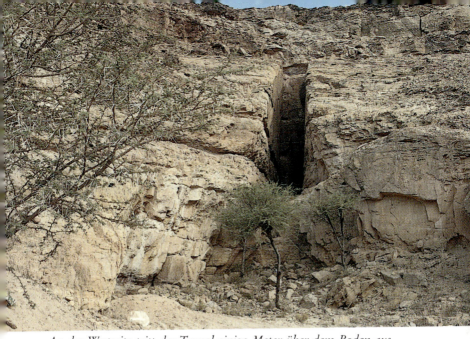

An der Westseite tritt der Tunnel einige Meter über dem Boden aus dem Bergeinschnitt. Von Wasserrinnen ist nichts zu sehen...

Bewässerung des Ackerbodens ausgereicht habe, wäre zusätzliches Wasser aus dem Nachbartal nötig gewesen. Darum: Kanal und Tunnel.

Diese Interpretation allein löst das Rätsel nicht. Fraglos floß von interimistischen Wolkenbrüchen und während der Regenzeiten Wasser durch Tunnel und Kanal. Trotzdem vermag ich mir nicht vorzustellen, daß die ganze Anlage von Anfang an als überdimensionierte Wasserleitung gebaut wurde.

Wenn Archäologen davon ausgehen, daß das Wasser des östlichen Berghanges im Kanal aufgefangen werden sollte, möchte ich dagegen halten, daß der östliche Hang kaum wesentliche Mengen in den Kanal liefern konnte, weil der Tunneleingang sich bereits sehr weit oben am Berg befindet. Wir haben es ja nicht mit einer dichten Kuppel zu tun, an der das Wasser einfach seitlich abläuft; der Berg ist porös, das Wasser versickert, sucht sich in kleinen Rinnsalen Wege ins Tal. Ein weiterer Widerspruch gegen die ›offizielle‹ Mei-

 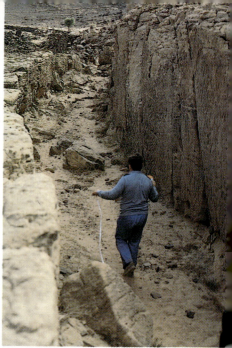

Der sogenannte Kanal mißt an der breitesten Stelle 2.94 Meter, an der schmalsten 2.46 Meter

nung ergibt sich aus der Tatsache, daß die Kanalwände just auf der Bergseite höher sind als zur Talseite hin! Mit der Maßgabe, daß herabrieselnde Wasser auf der Talseite aufgefangen werden sollten, hätte doch ein schlichtes Mäuerchen auf der Bergseite genügt. Warum also der gigantische Aufwand?

Auch von der Gegenwart her ergeben sich Widersprüche: Nach wie vor wird im Tal von Bainun Ackerbau betrieben, Wasser vom benachbarten Tal wäre heute so willkommen wie früher. Kanal und Tunnel sind intakt. Müßte sich nicht bei kräftigen Regengüssen ein tosender Bach in den Kanal ergießen, durch den Tunnel brausen, um auf der westlichen Seite als mächtiger Wasserfall aus der Felswand herabzustürzen? Nichts davon ist erkennbar. Wasser läßt Spuren zurück, gräbt sich ein, besonders, wenn es sich aus zehn Metern Höhe ergießt! Irgend etwas, scheint mir, ist den Archäologen bei ihrem Statement entgangen. Irgend etwas.

Bilokation mit Spuren

›Bilokation‹ wird das Phänomen gleichzeitiger körperlicher Gegenwart an zwei verschiedenen Orten genannt. Es taucht aber nur in Heiligenlegenden auf, und die mehrfach erscheinenden Figuren verschwinden und hinterlassen keine Spuren. König Salomon war, weiß Gott, kein Heiliger, aber er muß so oder so allgegenwärtig gewesen sein, und er hinterließ erhebliche Spuren.

Überlegungen vor Ort: Die in ihren ›Überbleibseln‹ heute noch staunenswerten Leistungen wurden in einer Zeit erbracht, die historisch nicht einmal faßbar ist. Unbekannt sind die Namen der Bauherren – unerklärt sind die technischen Hilfsmittel, die hier zweifellos notwendig waren. Ist es verwunderlich, daß die gigantischen Bauten in den Legenden Salomons ›Dämonen‹ oder ›Genien‹ zugeschrieben wurden? Wie denn sollte erklärt werden, was unerklärlich war? Immerhin hielten Legenden den Tunnel von Bainun ›lebendig‹. Die Historie weiß nichts davon.

Kann eine andere Deutung von Kanal und Tunnel als Teile einer Wasserleitung mehr Sinn machen? Nähme man beide als strategische Investition, dann wären Truppenverlegungen von einem Tal ins andere verhältnismäßig schnell möglich gewesen; die Marschstrecke um den Bergausläufer herum hätte sich um reichliche acht Stunden verkürzt. Könnte nicht auch eine Planung als Fluchtweg dem Felsbauwerk einen Sinn geben?

Die dominante Frage: Was hatte König Salomon, was die Königin von Saba mit dem Bauwerk zu tun? Die Königin taucht – im Gegensatz zu Salomon, der auch aktenkundig ist – nur in Legenden auf, dort aber mit unübersehbaren Signalen. Erstmals erscheint ihre Mutter in Marib im Kontext mit einem Palast aus Glas und Metall, der ebenso plötzlich ›da‹ war, wie er – Simsalabim! – wieder verschwand, um bei der Vermählung mit König Hadhad (Bilqis' Vater) an Ort und Stelle wieder präsent zu sein.

Salomon gab den Legendenverfassern vertrackte Rätsel auf: Immer wieder befindet er sich unversehens an Orten, an denen er den geographischen Distanzen nach nicht hätte sein können; allmonatlich besuchte er seine geliebte Königin, obzwar die Ausflugstrecke Jerusalem / Marib in diesem Turnus nicht zu bewältigen war. Als Beherrscher der Winde beschenkte er seine Königin mit einem Wagen, der durch die Lüfte flog. Das schon wäre der unbegreiflichen Wunder zur Legendenbildung übergenug gewesen, aber es war ja noch toller. Nicht genug, daß Salomon mit seinen Hilfstruppen in Jerusalem, Marib und Bainun – zum Beispiel – für Zeiten überdauernde Bauwerke sorgte, er baute auch Tempel und Residenzen im heutigen Iran, im heutigen Pakistan, im heutigen Kaschmir. Salomon war allgegenwärtig, und hinterließ Spuren.

Nach eingehenden Recherchen [32] vor Ort konnte ich berichten, daß es nahe der Stadt Srinagar in Kaschmir einen Berg gibt, der *Takht-i-Suleiman*, Thron des Salomon, genannt wird; unter der heutigen Burg auf dem Bergkegel liegen monolithische Ruinen einer Festung, die Salomon erbaut haben soll. Srinagar liegt am Ausgang des Wular-Sees im Kaschmirtal; die lokale Legende meldet, Salomon sei mit seinem fliegenden Thron hierher gekommen, habe die wild fließenden Wasser eingedämmt und die Sümpfe trocknen lassen [33]. Deshalb wird Kaschmir auch ›Salomons Garten‹ genannt.

Westlich der pakistanischen Stadt Dera Ismail Khan erhebt sich ein zweiter, 3441 Meter hoch gelegener ›Thron des Salomon‹, und im nordwestlichen Iran, in 2400 Metern Höhe, ein dritter. In allen ›Takht-i-Suleimans‹ wurden Wasser und Feuer verehrt.

Was mich beunruhigt, läßt jene, die Legenden nicht auf ihren Kern hin zu untersuchen gewillt sind, kalt. Spukte in so weit voneinander entfernten Völkern die gleiche Vision? Die Äthiopier wissen von Salomons Wagen, »der durch die Lüfte fuhr« – die Kaschmiris überlieferten Salomons »fliegenden Thron«. Zwischen diesen beiden Völkern liegen

5000 Kilometer Luftlinie, der Landweg über Berge und durch Wüsten braucht mindestens 20 000 Kilometer. Weshalb – verdammt noch mal und Verzeihung! – hielten die Legenden dieser Völker (die wahrscheinlich sonst so gut wie nichts voneinander wußten!) die gleichen Fakten fest? Gab es eine gemeinsame Urquelle, aus der die Verfasser ihren Honig saugten? Visionen und imaginäre Dämonen können nicht einen einzigen Stein bewegen, geschweige denn monströse Bauten errichten.

Liebesbad in lichter Höhe

All die Berge mit dem Namen *Takht-i-Suleiman* haben einen gemeinsamen Nenner: Sie waren ›Feuer-und-Wasser‹-Heiligtümer. Da der Takht-i-Suleiman im nordwestlichen Iran ziemlich genau im geographischen Zentrum von Salomons Aktivitäten liegt, soll er hier, stellvertretend für seine namensgleichen Berge, unter die Lupe genommen werden.

Taufpate dieses Berges ist eine Legende. Salomon hatte zu Beginn seiner Amour Schwierigkeiten, die kühle Königin von Saba zu erweichen. In der Wahl seiner Mittel nicht eben fein, betäubte er die Geliebte mit einem Zaubertrank und entführte sie »durch die Luft« [34] ins persische Hochland. Für Komfort war gesorgt: Auf dem Berg gab es einen warmen See mit mineralhaltigem Wasser. Von der Luftreise erschöpft, nahm die Königin ein ausgiebiges Bad und fand sich in der Stimmung, die Gefühle Salomons zu erwidern. Seitdem trägt der Bergkegel mit dem ovalen See den Namen Takht-i-Suleiman. Sagt die Legende. Zu dem Lufttransport weiß die ›Enzyklopädie des Islam‹ [35], Salomons ›Genien‹ hätten einen grünseidenen Zauberteppich »für Reisen durch die Luft gewoben‹. Auf diesem Teppich konnte der König morgens mit seiner ganzen Ausrüstung Syrien verlassen und am Abend Afghanistan erreichen.

Heute noch ist der Takht-i-Suleiman mit dem Helikopter

am besten zu erreichen. Schon der Blick auf die wilde Landschaft mußte die Königin becircen. Das Bergplateau liegt in einer entlegenen, waldlosen Gegend inmitten von Aserbaidschan, südwestlich von Maragheh im Iran. In 2400 Metern Höhe entdeckten Archäologen einen Hügel mit Resten einer kreisrunden, zyklopischen Mauer, die einstmals eine Länge von 1100 Metern gehabt hat. Hier oben gab es ein Wasser- und Feuerheiligtum mit Wohnanlagen für Priester, Unterkünfte für hochmögende Gäste, alles umgeben von einer Befestigungsanlage, die ein Areal von zehn Hektar Land mit zwei Haupttoren nach Norden und Südosten umschlossen hat. Ins Bauwerk waren 38 Türme integriert. So viele Beobachtungstürme muten seltsam an, weil die Anlage, weithin sichtbar, auf dem Hochplateau des Berges lag.

Mitten im Trümmerfeld, das heute zu besichtigen ist, liegt der tiefblaue, schwefelhaltige Bergsee, dessen Wasser die Königin von Saba erfrischte. Der See, 67 Meter tief, wird aus unterirdischen Quellen gespeist, die bewirken, daß der See übers Jahr seinen Wasserstand konstant hält. Von informierter Seite wird behauptet, es gäbe ein unterirdisches Röhrensystem, das diesen See mit benachbarten Bergseen verbinde.

Einst gruppierten sich um das blanke Wasser Tempel und Wohnquartiere der Priester. Vor 150 Jahren gab es an der Nordseite noch eine Tempelkuppel, die inzwischen einstürzte [36]; sie hatte einen quadratischen Bau mit 25 Metern Seitenlänge gekrönt. Verblieben ist eine fünf Meter dicke, runde Säule, die den Archäologen Rätsel aufgibt: Die Säule hat nämlich nicht zur Stütze der Kuppel gedient – das taten vier massive Eckpfeiler –, sie sperrte vielmehr den Raum.

Rätsel geben auch die anderen Heiligtümer – was man so Heiligtümer nennt! – auf. Da gab es quadratische Räume mit bis zu 2,40 Metern dicken Mauern; die Fußböden bestanden aus sechs Schichten von Ziegeln, »die keinen Mörtel enthalten, sondern mit einer dünnen, harten Sinterschicht* überzogen sind« [37]; zwischen den Ziegeln fand man eine »schwarze, rußähnliche Masse«, wie sie auch in den Kanälen beim Nordtor nachgewiesen werden konnte. – In die Räume führte ein enger, mit Ziegeln ummantelter Tunnel, der heutzutage mit Schwemmsand verstopft ist. Rätsel über Rätsel. Offenbar wurde einst Wasser in die Räume gepumpt – aber es gab keinen Abfluß! Ich riskiere deshalb die naheliegende Frage: Was ergeben Wasser und Feuer? Dampf natürlich, und da höre ich auch schon die Archäologen zustimmen: Freilich, es sind Dampfbäder gewesen! Doch, meine verehrten Damen und Herren, zur Installation von Dampfbädern bedarf es keiner 2,4 Meter dicken Mauer, und was sollten – ohne Massentourismus – so viele Dampfbäder an einem schwer erreichbaren Bergsee?

Die moderne Archäologie klassifizierte auf diesem Takht-i-Suleiman mehrere Schichten und Bauepochen. In diesem Zusammenhang interessiert mich lediglich die älteste Periode, jene, die König Salomon zu attachieren ist. Es ist hier nicht anders operiert worden wie an anderen heiligen Orten der Welt: Nach dem ursprünglichen Beginn kamen neue Generationen und be- oder überbauten die Werke der Vorfahren. Die allgemeine Crux: Auch auf diesem Takht-i-Suleiman weiß man wenig bis gar nichts über die ältesten Bauwerke, doch die Monolithbauweise der Befestigungsmauer und des noch vorhandenen ›Turm Nr. 11‹ deuten auf ein weit, weit in die Vergangenheit reichendes Alter der allerersten Anlage hin. Ich habe die Erfahrung gemacht: Je monolithischer gebaut wurde, um so älter ist jede Anlage. Die kaum der Steinzeit entkommenen Menschen quälten sich mit riesigen Bausteinen ab – ob in der französischen Bretagne, auf Malta, im alten Ägypten, in England, im Hochland von Peru oder anderswo. Ursprünglich wurde geklotzt – später geklötzelt.

Wozu mag die Anlage auf diesem Takht-i-Suleiman gedient haben?

* Sinter (Kalktuff), Ausscheidungen aus Quellaustritten.

Ungefähr zehn Kilometer vom ›Thron des Salomon‹ entfernt gibt es den Vulkankrater des *Zindan-i-Suleiman,* Salomons Gefängnis, und in Nachbarschaft auch den *Takht-i-Bilqis,* den Thron der Bilqis, und – um das Ensemble zu komplettieren – in der Ebene von Isfaryin noch das rechtekkige Ruinenfeld *Shar-i-Bilqis,* die Residenz der Königin von Saba [38]!

Ambulantes Liebespaar

Unsere Königskinder scheinen außer im Jemen auch in Jerusalem und Kaschmir aktiv gewesen zu sein, sie hinterließen unübersehbare Spuren auch im Iran. Wie war das bei den enormen Entfernungen möglich?

Auf dem Takht-i-Suleiman wurden von Archäologen gelb lasierte Keramikteile von sechsstrahligen Sternen gefunden. Bemerkenswert, denn – der ›Enzyklopädie des Islam‹ [35] zufolge – der sechsstrahlige Stern war ›Salomons Siegel‹, sein Wappenzeichen.

Der raffinierte Salomon besaß auch einen Zauberspiegel, der ihm »alle Orte der Welt enthüllte«! Es muß ein Spiegel gewesen sein, der unseren so oft falsch prognostizierenden Wetterpropheten fehlt, denn dieses geheimnisvolle Ding, »zusammengesetzt aus verschiedenen Substanzen«, ermöglichte es Salomon, »in alle sieben Klimas zu sehen« [39], eine Fähigkeit, die für das Flugwetter auf allen Routen wichtig war.

Al-Mas'udi (895-956), Arabiens bedeutendster Geograph und Enzyklopädist, auch »der Herodot Arabiens« [40] genannt, schrieb in seinen ›Historien‹, es hätte in Salomons Tempelanlagen auf dem Takht-i-Suleiman wunderbar bemalte Wände gegeben, die »die Himmelskörper zeigten, die Sterne, die Erde mit ihren Kontinenten und Meeren, die bewohnten Landstriche, ihre Pflanzen und Tiere und viele andere erstaunliche Dinge.« [41]

Erstaunlich ist das richtige Wort! Aus den Überlieferungen kompiliert sich dieses unerhörte Arsenal:

- ›Genien‹ und ›Dämonen‹ arbeiten für Salomon,
- Er war ›Beherrscher der Winde‹.
- Er besaß einen roboterisierten Thron.
- Er verfügte über ›fliegende Wagen‹.
- Er überwand große Entfernungen in kürzester Zeit.
- Er besaß einen ›Zauberspiegel‹ (Ein Allwetterradar).
- Er verfügte über eine detaillierte Erdkarte.

»Alles, was wir wissen, bezieht sich auf etwas, was wir nicht wissen.«   *Rahel Varnhagen von Ense 1771-1833*

Gut fragen ...

»Gut fragen, heißt, viel zu wissen«, sagt ein arabisches Sprichwort. Ob man mag oder nicht, bei dieser Anhäufung von Erstaunlichkeiten kann man sich nicht vor der Frage nach einer vorzeitlichen Flugtechnik drücken. Ob es sie gegeben hat? Prof. Dr. Dileep Kumar Kanjilal, renommierter Sanskritgelehrter an der Universität Kalkutta, hat diese Frage uneingeschränkt mit Ja beantwortet [42]; Kanjilal dokumentierte seine wissenschaftliche Antwort aus existenten, alten indischen Sanskritüberlieferungen. Das Statement des Gelehrten: Altindische Quellen bestätigen klipp und klar vorzeitliche Fluggeräte, die mit ›Honig‹ oder wahrscheinlicher ›Öl‹ betrieben wurden.

Öl wäre ein idealer Treibstoff gewesen: Es erhitzte sowohl die Luft zum Auftrieb des Luftschiffes, wie es die nötige Wärme zur Dampferzeugung lieferte. Mit Kanjilals Entdeckungen antiker Luftschiffe finden die zahllosen Legenden und Darstellungen von ›fliegenden Schlangen‹ – von den Ägyptern bis zu den Maya in Zentralamerika – eine plausible Erklärung: Das mit Dampf angetriebene Luftschiff zog Kondensstreifen hinter sich her – wie fliegende Schlangen.

83

So postuliere ich, daß Salomon über steuerbare Fluggeräte verfügt hat, vielleicht über zeppelinartige Heißluftballone, die mit Wasserdampf betrieben wurden und auf den diversen Takht-i-Suleimans Tankstellen, pardon!, Tempel, in denen Wasser und Feuer verehrt wurde, benötigten.

Welche Rolle spielte die Königin von Saba? Wie ist ihr gespenstisches Auftauchen aus dem Nichts erklärbar? Hatte die arabische Legende nicht von einer ›Stadt aus Glas und Metall‹ gesprochen, die ›plötzlich‹ in Marib auftauchte und ebenso geheimnisvoll wieder verschwand?

Die Antwort liegt dort, wo es niemand erwartet: Auf der Mittelmeerinsel Kreta. Auf der kleinen Insel bewundern nicht nur Archäologen die Zeugnisse der von den Kretern um etwa 2000 v. Chr. geschaffenen minoischen Kultur. Sie geht – wie könnte es anders sein? – auf den legendären König Minos zurück, der einer der drei Söhne des – legendären – Göttervaters Zeus und dessen – legendärer – Gemahlin Europa war. Im ›Lexikon der antiken Mythologie‹ [43] wird er »zum angesehensten Monarchen der zivilisierten Welt« ernannt und: »Die Gesetze, die er in Kreta einführte, sollen ihm von seinem Vater Zeus gegeben worden sein.« Trotz göttlicher Abstammung hatte Minos Rivalen, einer davon war der Meeresgott Poseidon, der dem Königssproß einen besonders schönen Stier – der, nebenbei, aus dem Meer stieg! – zum Opfer für die Götter schickte. Minos verweigerte das Geschenk. Poseidon sann auf Rache. Er bewirkte, daß sich Pasiphae, Gattin des Minos, in den Stier verliebte, mit ihm paarte und den Minotaurus gebar: Ein Ungeheuer mit Menschenleib und Stierkopf. Dem Monstrum nicht gewachsen, engagierte Minos den wegen Mordes aus Athen flüchtigen Dädalus zum Bau eines Gefängnisses. Dädalus erfand das Labyrinth, jenen Irrgarten, aus dem es kein Entrinnen gab. Tücke: Minos verbannte Erfinder Dädalus in seinen eigenen Irrgarten, doch Dädalus war ein überaus begabter Mann: Für sich selbst und seinen Sohn Ikarus erfand er Flügel, die Vater und Sohn nach Sizilien trugen. Man war halt auf Kreta technisch begabt.

Weder die Hauptstadt Knossos noch der Palast des Minos waren durch Verteidigungsanlagen geschützt. Das war auch nicht nötig. Dreimal am Tag umkreiste der ›eherne‹* Riese Talos die Insel und beschoß unangemeldete Fremdlinge mit Feuer und Steinen. Den Körper des Talos zeichnete eine Blutader vom Kopf bis zu den Fersen, wo sie mit einem Nagel verschlossen wurde; wen Talos mit seinem zur Glut erhitzten Körper umarmte, den tötete er auf der Stelle. Die zauberkundige Königstochter Medea – mit den Argonauten unterwegs auf der Suche nach dem Goldenen Vlies – machte dem Unhold ein Ende: Sie riß den Nagel aus dem Fuß, das Öl – das Blut natürlich! – spritzte aus dem ›ehernen‹ Riesen Talos, der elendiglich verrostete.

Alle Legenden um Minos und Minotaurus, um Talos und Dädalus, um das Labyrinth ›schmecken‹ nach verlorener Technologie. König Minos ist bis heute ein Phantom. Homer erwähnte ihn erstmals in seiner »Ilias«, doch seine Dichtung entstand erst 700 Jahre nach dem völligen Verschwinden der minoischen Kultur. Klar aber ist, daß sich um 1450 v. Chr. auf Kreta etwas Rätselhaftes ereignete. Auch die Archäologie hat bis heute keine Erklärung dafür. Die Minoer haben sich quasi in Luft aufgelöst, ihre Bauten wurden Opfer einer Katastrophe, vermutlich eines Erdbebens.

Der englische Archäologe Arthur Evans (1851-1941) begann mit der Jahrhundertwende auf eigene Kosten mit großflächigen Ausgrabungen auf Kreta. In Knossos legte er den bedeutendsten Palast der Insel aus dem 2. Jahrtausend v. Chr. frei: Türen, durch Steinpatten verschlossen – badewannenförmige Gefäße mit Abflußlöchern, doch ohne Abflußleitung – eine Vielzahl von Treppen: Drei lagen im Abstand von nur zehn Metern im selben Trakt und führten auf eine große Dachterrasse. Gab es Anlässe, zu denen alle Bewohner zur gleichen Zeit zum Dach drängten? Evans fand viele Magazinräume, angefüllt mit Tongefäßen von

---

* Ehern = Aus Erz bestehend, eisern.

85

doppelter Mannsgröße und Schnabelkrüge mit Feuerornamenten. Professor Hans Georg Wunderlich schrieb: [44]:

»Schon bei ›normalhohen‹ Vorratsgefäßen fragt man sich verwundert, wie sie eigentlich entleert und von Zeit zu Zeit gereinigt wurden, da man auch mit sehr langen Kellen kaum den Grund erreicht, selbst wenn man sich eines Stuhles oder Hockers bedient. Die Riesen-Pithoi [Tongefäße] aber werfen in dieser Hinsicht ein unlösbares Problem auf: sie lassen sich nicht einmal kippen ...

Vorratsgefäße von der Größe der Riesen-Pithoi mußten vor Errichtung der umschließenden Mauern herbeigeschafft, aufgestellt und sodann eingemauert worden sein, ohne daß später je die Möglichkeit bestand, sie durch andere Gefäße zu ersetzen. Füllen und Entleeren war wohl nur mit Hilfe von Schläuchen möglich, nach dem Prinzip der kommunizierenden Röhren. Doch wie unpraktisch, solche Gefäße an schwer zugänglicher Stelle einzubauen! Man wendet sich etwas irritiert ab ...«

Irritiert war auch Ralf Sonnenberg, der sich in Knossos kundig machte und über seine Recherchen [45] im Mitteilungsblatt der AAS* vorrechnete:

»Einer der monströsen Vorratsbottiche faßte durchschnittlich 586 Liter, die Summe aller, allein im Westtrakt des Palastes von Knossos untergebrachten Behälter belief sich auf 420, was einer Gesamtspeicherkapazität von rund 226 000 Litern entsprach.«

Man muß kein altgedienter Archäologe sein, um vernünftige Gedanken ins Gespräch zu bringen. Außer den Tonkrügen im Westtrakt, die Professor Wunderlich irritierten, gab es überall im und um den Palast herum Ölbehälter, von Archäologen oft ›Zisternen‹ genannt, mit einer insgesamt absurden Lagerkapazität. Die Erklärung, die Minoer hätten für Krisenfälle vorgesorgt, überzeugt nicht: Knossos

---

* Ancient Astronaut Society: Gesellschaft, die sich mit ungelösten Rätseln der Vergangenheit auseinandersetzt. Auskünfte erteilt: AAS, CH-4532 Feldbrunnen.

fürchtete keine Gefahr, denn es war landeinwärts nicht befestigt, und für die Sicherheit vom Meer her sorgte der eherne Riese Talos mit seinen Rundflügen, überdies wäre Speiseöl in mediterraner Sommerhitze schnell ranzig und ungenießbar geworden.

Die Ölreserven waren Treibstofflager!

»Kein Vormarsch ist so schwer wie der zurück zur Vernunft«, postulierte Bertolt Brecht (1898-1956).

Ich marschiere zurück zur Vernunft... und werde bald der Königin von Saba begegnen.

Die Sabäer – die im Jemen den Damm von Marib bauten und den Weihrauchhandel beherrschten – waren identisch mit jenen Minoern, die um 1450 v. Chr. spurlos aus Kreta verschwanden. Auf diese Idee brachte mich keine ›Erleuchtung‹, sondern Fleiß und Begabung, zwischen alten Überlieferungen Querverbindungen herstellen zu können. Die Stationen:

Der römische Geschichtsschreiber Plinius der Ältere, geboren 23 oder 24 n. Chr., gestorben 79 beim Ausbruch des Vesuvs, verfaßte nach damaligem Wissensstand eine Enzyklopädie der »Naturgeschichte« in 37 Bänden. Er sammelte akribisch alles Wissen über Heilmittel, Pflanzen, Bäume, Steine, Geographie und Völker. Vor zweitausend Jahren war es *das* Standardwerk. Im 6. Buch schreibt Plinius über in Arabien lebende Völker [46]:

»Die königliche Residenz von allen ist jedoch Mariaba [Marib]... An die Atramiter grenzen im Innern des Landes die Minäer... die, wie man glaubt, von dem kretischen Könige Minos abstammen sollen...«

Im 12. Buch nimmt Plinius sich der Baumarten Arabiens an; dabei interessierte ihn besonders der Weihrauchbaum. Ich zitiere aus der Abhandlung nur diese Passage [47]:

»... Es wird von einem andern Bezirke, in welchem die Minäer wohnen, begrenzt, durch welchen man den Weihrauch auf einem engen Wege ausführt. Dieses Volk hat den Handel damit angefangen, betreibt ihn am stärksten, und nach ihm wird er auch Minäum genannt. Außer den

87

Minäern sieht kein Araber und unter ihnen nicht einmal ein jeder den Weihrauchbaum. Ihre Anzahl soll sich nur auf 3000 Familien belaufen, welche sich das Recht durch Erbfolge zu erhalten wissen ...«

Starker Tobak, aber wir dürfen Plinius glauben – er wird von Archäologen, wo es ihnen dienlich ist, stets zitiert. Die Information aber ist ungeheuerlich. Man muß den Text mehrmals lesen, um zu begreifen, was der römische Historiker klar und deutlich sagte:

Die Minäer haben mit dem Weihrauchhandel *begonnen,* *deshalb* »wird er auch Minäum genannt«. Für Plinius sind die Minäer nicht irgendwelche Handelsleute aus Kreta – die Minäer *sind* Araber! (»Außer den Minäern sieht kein Araber den Weihrauchbaum.«)

Ja, das filigrane Netz von Linien aus Heiligen Büchern, Legenden *und* historischer Überlieferung ergibt ein recht gutes Bild. Weil ich nicht wiederholen mag, was ich früher schon dokumentiert habe, nur diese groben Linien *ad memoriam*:

Die »Wächter des Himmels«, über die der Prophet Henoch berichtete, stiegen einst hernieder. Alle großen Menschheitsüberlieferungen sprechen in der einen oder anderen Form von ihnen als außerirdische Lehrmeister aus einer fernen Welt. Sie beherrschten eine überlegene Technik, drum wurden sie von den tumben Menschen für ›Götter‹ gehalten.

Diese ›Götter‹ waren sich untereinander nicht immer wohlgesonnen; sie zankten und stritten sich, es kam zu Meutereien. Eine Gruppe manipulierte auf der Erde am Erbmaterial von Mensch und Tier – Zwitterwesen wie die Zentauren (Mensch / Tier-Wesen), Menschentiere (Minotaurus) waren die Folge. Andere Außerirdische trieben es mit hübschen Menschentöchtern; Produkte dieser Götter-Menschen-Mixtur waren die in alten Texten erwähnten ›Riesen‹ und ›Göttersöhne‹ – wie König Minos, Abkömmling von Göttervater Zeus. Es gab die ›Elohim‹ (= göttliche Gestalten) des Alten Testaments, Henochs ›Wächter des Himmels‹, die göttlichen Helden des indischen Nationalepos Mahabharata. All diese mythischen Gestalten verfügten mindestens über einen Teil des technischen Wissens ihrer außerirdischen Väter. Deshalb avancierten sie auf diesem Planeten zu mächtigen Herrschern und Königen – zwar verloren ihre Nachfahren nach und nach Teile des ursprünglichen Wissens, doch reichte es allemal, um den Rest der Menschheit mit zauberhaften Demonstrationen zu beeindrucken.

König Salomon – um bei unserem Protagonisten zu bleiben – erbte von seinen Ahnen die Fähigkeit, ›fliegende Wagen‹ herzustellen, beherrschte allerlei mechanische Tricks, besaß hervorragende Kenntnisse im Werkzeugbau und verfügte mutmaßlich über eine Art von Sprengstoff; mächtig, klug und gerissen, wie er war, ließ er an verschiedenen Orten der Welt Paläste bauen und entlang seiner Flugrouten ›Heiligtümer‹ auf Berggipfeln anlegen – Tank- und Landestellen.

Seine Kollegin und Geliebte, die Königin von Saba, stand ihm kaum nach; sie und ihr Clan waren Nachfahren des Göttersohns König Minos von Kreta; auch die Queen samt Anhang verfügte über genug technisches Wissen, um ihrer Umgebung imponieren zu können: Die Minoer setzten Heiligtümer auf hohe Berge, Bauten, die anfänglich einem Mehrfachzweck dienten: Sie waren Tankstellen und Nahrungslager, Beobachtungsstützpunkte, waren optisch markante Geländeformationen, an denen sich die fliegenden Götternachfahren orientierten.

Eigentlich hätten die Minoer in Frieden und Wohlstand leben können, doch es gab in Abständen immer wieder Erdbeben, Naturgewalten, gegen die zwar auch Götterabkömmlinge machtlos waren, jedoch immerhin clever genug, rechtzeitig nach neuem Land und neuer Pfründe Ausschau zu halten. Darum tauchten die Eltern der Königin von Saba urplötzlich mit einer »Stadt aus Glas und Metall« in Marib auf, mehrten ihre Macht durch die Ehe mit einer lokalen Größe, rissen sich den Weihrauchhandel unter den Nagel, planten im Großen die Plantagen des geldbringenden Busches. Undsoweiter. Die Minoer – nunmehr Sabäer – schufen das technische Wunderwerk des Staudamms, bauten – bis dahin unbekannt in diesem Landstrich – mehrstöckige Häuser. Entgegen örtlichem Brauchtum blieben die Sabäer Verehrer der Sterne – dem Namen Saba gehorchend, der ja ›Anbeter der Sterne‹ bedeutet.

Wachsam beobachtete Salomon das Erblühen des sabäischen Reiches. Was ihn über alles irritierte, waren die Nachrichten von den technischen Machenschaften dieser Königin. Verfügte die Dame am Ende – wie er selbst – über ein besonderes Geheimwissen ihrer göttlichen Vorfahren? Als sie sich begegneten, standen sie sich argwöhnisch gegenüber, stellten sich Rätselfragen. Diese prekäre Situation wurde durch das immerwährende Wunder der Liebe geklärt: Salomon half der Königin bei Konstruktion und Bau der großen Anlagen, die das Volk staunend bewunderte. So etwas hatte es noch nicht gegeben. Es entstand die Mär von ›Genien‹ und ›Dämonen‹, die hier am Werke waren.

Die letzte Begegnung von Salomon und der Königin von Saba fand in der Palmenstadt Tadmor* statt. Dort ließ der verschwenderische Salomon ein Grabmal für seine große Liebe errichten. Angaben über ihren Tod fehlen, doch Muhammed al-Hasan, Biograph des Religionsgründers Mohammed, berichtete, Kalif Walid der Erste (705-715 n. Chr.) habe in Tadmor ein Grab mit der Inschrift [48] gefunden:

DIES IST DAS GRAB UND DIE BAHRE
DER FROMMEN BILQIS,
DER GEMAHLIN SALOMONS.

Der Kalif ließ das Grab öffnen. Ihm gefror das Blut in den Adern. Er befahl, das Grab zu schließen und es nie wieder zu öffnen. Über der Gruft ließ er ein Bauwerk erstellen.

Was hatte den Kalifen derart entsetzt?

Die Gruft der Bilqis war das Grab einer Riesin!

---

* Tadmor = Palmyra. Oasenstadt im Norden der syrischen Wüste.

II.

UND DIE BIBEL
HAT NICHT RECHT
DIE BRISANTE ENTDECKUNG

> Gelegentlich stolpern die
> Menschen über eine Wahr-
> heit. Aber sie richten sich
> auf und gehen weiter, als
> sei nichts geschehen.
>
> *Winston S. Churchill 1874-1965*

Es gibt ein Buch, das unsere Welt verändert hat – auch wenn versucht wird, es totzuschweigen. Die Alttestamentler, die Zunft der Bibelinterpreten, müßten schlaflose Nächte haben. Sie lächeln verlegen und äußern sich arrogant. Ihre Reaktion sah der Entdecker einer echten Sensation voraus: »Wenn sie meine Theorie nicht ignorieren können, werden sie versuchen, sie lächerlich zu machen. Und wenn ihnen dies mißlingt, werden sie sehr hart arbeiten müssen, um zu versuchen, meine Beweise zu widerlegen. Das ist es, was ich beabsichtige.«

Was geschah?

Professor Dr. Kamal Sulaiman Salibi, ein Libanese vom Jahrgang 1929, studierte in Beirut Geschichte, promovierte in London, wurde Professor für Geschichte an der renommierten Amerikanischen Universität in Beirut; er hatte schon Standardwerke geschrieben, ehe er »Die Bibel kam aus dem Lande Asir« [1] verfaßte. Sein Manuskript mußte drei Jahre auf die Drucklegung warten: Wissenschaftliche

Verlage hatten nicht den Mut, das heiße Eisen anzupacken. Was wäre aus dem Manuskript geworden, wenn »Der Spiegel« es nicht abgedruckt hätte ... nachdem Linguisten erklärt hatten, Salibis Argumente seien korrekt?! Wissenschaftler und auch Politiker hatten eine Kröte zu schlucken, behauptete Salibi doch, die biblische Geschichte habe sich *nicht* zwischen Ägypten und Palästina abgespielt, sondern vielmehr am westlichen Rand der arabischen Halbinsel, die heute Asir heißt und sich südlich von Mekka bis in die Nähe der Grenze Nord-Jemens erstreckt.

Was ist an der Ortsverlagerung so sensationell?

Jeder kennt die Geschichte der sündigen Städte Sodom und Gomorrha, die durch ein göttliches Strafgericht vernichtet wurden. Jeder weiß, daß diese Städte in Palästina lagen – am Südende des heutigen Toten Meeres. Sie lagen *nicht* dort, sondern ganz woanders.

Jeder kennt die Mär, daß die Israeliten mehrmals ›über den Jordan‹ zogen, über das Jordan-Flüßchen in Israel. In Wahrheit ist der Jordan ein Gebirgszug in der heutigen saudiarabischen Provinz Asir.

Jeder weiß, daß die Israeliten in ägyptischer Knechtschaft gelebt haben, bis Moses sie ins Gelobte Land führte. Kurios ist, daß es weder in altägyptischen Inschriften noch Überlieferungen die geringste Spur von israelitischen Gefangenen in Ägypten, noch gar einen Hinweis auf den Exodus gibt.

Jeder weiß, daß Jerusalem deshalb als uralte Stadt gilt, weil Salomon dort den ersten Tempel der Israeliten erbauen ließ. Tatsache ist, daß es den Archäologen trotz verbissener Suche bis heute nicht gelungen ist, einen einzigen Überrest des salomonischen Tempels ans Tageslicht zu heben. Was man fand, waren eindeutig Reste *jüngerer* Tempel.

Jeder kennt die Story von den Posaunen von Jericho, die – so der Prophet Josua im Alten Testament – die Mauern der alten Stadt zum Einsturz gebracht haben sollen. Jeder ehrliche Archäologe weiß längst, daß Josuas Geschichte schon von den Daten her nicht auf jenes Jericho paßt, das in Palästina liegt.

Wie kam Professor Salibi darauf, die biblischen Orte in eine andere Landschaft zu verlegen?

Bei seinen Studien – Untersuchung von Ortsnamen auf der Arabischen Halbinsel – fiel ihm auf, daß manche davon der Sprachform nach nicht dem Arabischen, sondern dem Kanaanitischen oder dem Aramäischen entsprechen. Dazu muß man wissen:

Unser Alphabet hat Vokale und Konsonanten. Die Urschrift des Alten Testaments, ein Bündel alter Texte, ist in einer reinen Konsonantenschrift abgefaßt. Beispiel: für ›Jerusalem‹ stehen in der konsonantischen Schrift: rslm, für ›Eden‹: dn, für ›Salomo‹: slm. Beispiel ad personam: ›rch vn dnkn‹ kann – je nachdem, wo man welche Vokale einfügt – heißen: Erich von Däniken / Urich ven Dukokun / Irach vun Dinaken. Solche Implantationen von Vokabeln können zu gräßlichen Irrtümern führen.

Die Bibelschrift ohne Vokale kommt vom semitischen Alphabet mit ursprünglich nur 22 Konsonanten und den beiden Halbvokalen ›w‹ und ›y‹. Gleiches gilt für das arabische Alphabet, das ja auch semitischen Ursprungs ist.

Über Jahrhunderte, vermutlich Jahrtausende, wurden die heiligen Texte – eben das Alte Testament – von Priestern und Schülern stets in der konsonantischen Form kopiert. Die Vokalisierung der Texte erfolgte erst zwischen dem sechsten und neunten Jahrhundert unserer Zeitrechnung.

Damit beschäftigt, in Westarabien Ortsnamen nichtarabischen Ursprungs zu suchen, irritierten Professor Salibi die Funde:

»Zuerst glaubte ich, das könne nur eine Täuschung sein, aber zu meinem größten Erstaunen stellte sich heraus, es war keine. Fast alle biblischen Ortsnamen, die ich kannte, fanden sich dort auf einem 600 Kilometer langen und 200 Kilometer breiten Gebiet, das heute Asir und den südlichen Teil des Hedschas umfaßt.«

Diese Entdeckung allein hätte nicht ausgereicht, biblische Ortsangaben nach Arabien zu verlegen, weil es nicht selten ist, daß Ortsnamen mehrfach benutzt werden. Als akribi-

93

scher Kenner Arabiens und der Bibeltexte verglich Salibi Darstellungen von Gebirgen, Bodenschätzen, Tieren, Pflanzen und Wasserläufen, Schilderungen von Feldzügen, Schlachten, Siegen und Niederlagen und auch Angaben über Stunden, Tage und Nächte, die eine bestimmte Reise dauerte, mit den Gegebenheiten in Westarabien – und siehe da: Sie paßten genau dorthin, doch in keiner Weise nach Palästina! In unserer Korrespondenz übermittelte Professor Salibi mir zusätzliches Material [2, 3], so daß die Theorie und die Schlüsse daraus vollends überzeugen.

Ohne sich an Ort und Stelle kundig zu machen, fielen die angeblich so objektiven und jeder neuen Erkenntnis aufgeschlossenen Fachgelehrten vom Dienst über Salibis Werk her. Zugegeben: Hätten sie es akzeptiert, wäre den Alttestamentlern und Bibelarchäologen der Boden unter den Füßen weggezogen. Ohne irgendeine absichtliche Fälschung zu unterstellen, muß doch gesagt werden dürfen, daß allzu gläubig das ›Gelobte Land‹ mit Palästina identifiziert wurde. Wann und wo immer in Palästina eine Ruine, eine Inschrift, ein Wasserloch, eine Tonscherbe oder ein mürber Fetzen alten Stoffes gefunden wurde, war man behende dabei, jedes Ding in ›Beweise‹ für die Richtigkeit des Bibelwortes umzufunktionieren. Wie es wirklich damit bestellt ist, merkte »Der Spiegel« an: »In allen drei Bänden [bibelarchäologische Werke] wimmelt es nur so von archäologischen Pseudo-Erkenntnissen« [4].

Beispiel für solche Manipulationen:

1880 wurde bei Siloam eine Felsinschrift gefunden, die besagt, an dieser Stelle hätten Männer von beiden Seiten des Berges her einen Wassertunnel gegraben. Im Handumdrehen wurde die Inschrift zum Beleg für einen Passus im 2. Buch der Könige (20,20) gemacht:

> »Was sonst noch von Hiskia zu sagen ist, von all seiner kriegerischen Tüchtigkeit, und wie er den Teich und die Wasserleitung gebaut und das Wasser in die Stadt geleitet hat, das steht ja geschrieben in der Chronik der Könige von Juda.«

Tatsächlich erwähnt die Inschrift den König Hiskia mit keinem Buchstaben, sie zählt keine anderen Personen auf, hat keine Ortsangabe. Salibi dazu: »Wasserleitungen sind zu allen Zeiten gebaut worden.« So aber sind die Taschenspielertricks mancher Bibelarchäologen.

Es geht Professor Salibi nicht darum, den religiösen Inhalt der Bibel anzutasten, vielmehr werden nur die geographischen Orte, an denen sich die Ereignisse abspielten, verlegt. Ich bemühe mich dabei, Lichter aufzustellen, wo Dunkelheit noch unser Wissen behindert. Daß in diesem Fall die Konsequenzen erschreckend sind, geht nicht zu meinen Lasten: Es sprechen neue Erkenntnisse, und die besagen: Das Gelobte Land der Israeliten – auf dem der Staat Israel gegründet wurde – liegt nicht in Palästina, sondern in Westarabien.

Wie kam es zu diesem historischen Fehlschluß in den bisherigen Annahmen?

Die Israeliten wurden durch Kriege aus ihrem Stammland vertrieben, große Teile des Volkes gerieten in babylonische Gefangenschaft (586 v. Chr.), andere wanderten in Nachbarländer aus, viele darunter ins heutige Palästina. Sie gründeten dort neue Siedlungen und Städte mit den alten Namen. Dieses Verfahren ist nicht außergewöhnlich, es wird heute noch praktiziert: In der Schweiz gibt es den Kanton Glarus; Auswanderer gründeten in den USA ein *New Glarus*. Oder: In Jerusalem tragen neue orthodoxe Stadtteile Namen von polnischen Städten.

Könnte es auch umgekehrt abgelaufen sein? Ist es denn nicht gut denkbar, daß sich die im Alten Testament geschilderten Ereignisse *doch* in Palästina abspielten, daß Gruppen nach Westarabien auswanderten und dort Orte mit den alten, palästinensischen Namen gründeten? Die Ortsnamen in Westarabien passen auch auf Fauna, Flora, Topographie, Flüsse und Distanzen. Nicht aber auf Palästina.

Folgende Doppelseite: *Jerusalems Tempelbezirk*

Auf dem Prüfstand

Lassen sich Salibis Erkenntnisse archäologisch überprüfen? Aber sicher! Unsere Wissenschaftler, immer auf dem Wahrheitstrip, müßten ›nur‹ an den bezeichneten Orten buddeln. Nach Salibis Angaben liegt – beispielsweise – das älteste, das salomonische Jerusalem etwa 35 Kilometer nordöstlich von der Bergregion Nimas in der saudiarabischen Provinz Asir. Dort gibt es ein malerisches Dörfchen namens *Al-Sarim*, Salomons Jerusalem. Auf diesem Berggebiet hätte das alte Jerusalem eine strategisch beherrschende Position eingenommen – wie es einige Propheten beschrieben haben. Hier im Hochgebirge stand dem Tempelbauer Salomon auch das Baumaterial zur Verfügung, an dem es in Palästina mangelte.

Im 1. Buch der Könige (7,10) ist die Rede davon, daß Salomon zum Tempelbau »kostbare große Steine« benutzte, »die nach den Massen von Quadern zugeschnitten waren«. Es wurde demnach mit vorfabriziertem Material gearbeitet, wahrscheinlich mit Granit, denn auf Sand oder Kalksteinfundamenten hätten die wuchtigen Anlagen niemals ruhen können. In den Bergen von Nimas gibt es Granit, er wird dort heute noch zugeschnitten. In Palästina nicht.

Um 586 v. Chr. wurde Salomons Tempel vom Heer des babylonischen Königs Nebudkadnezar völlig zerstört, die israelitische Oberschicht kam in Gefangenschaft. Trotz der Zerstörung müßten vom Mammutbau in der Umgebung des Dörfchens Al-Sarim bearbeitete Steinblöcke zu finden sein.

Archäologische Grabungen sind gefordert.

Es wird nicht dazu kommen. Wetten, daß ...?

Warum nicht?

Die Juden im heutigen Palästina können kein Interesse daran haben, ihre angestammte Heimat Israel auf das Territorium ihres feindlich gesonnenen Nachbarn Saudi-Arabien ›verlegen‹ zu lassen. Das Königreich Saudi-Arabien wird an der alttestamentarischen Erbschaft mindestens so wenig interessiert sein. Die geringste Neigung aber, sich der neuen

Bei Ausgrabungen am Tempel von Jerusalem wurden Mauerreste gefunden, die aus kleinen Steinen bestanden haben. Der salomonische Tempel soll jedoch aus großen, monolithischen Blöcken erbaut worden sein

Erkenntnis zu stellen, hat die theologische Intelligenz jeder Couleur. Tausende gescheiter Lehrbücher von Alttestamentlern, Thora-Exegeten und Linguisten müßten als überholt abgehakt werden. Makulatur. Da die Bibel mit jeder Angabe, jeder Zeile an das Land Palästina fixiert wurde, bliebe nichts, gar nichts übrig von allen aufs Alte Testament bezogenen Statements. Ein Fiasko.

Es wird genauso ablaufen, wie Professor Salibi es prophezeite: Zuerst der Versuch, seine Theorie lächerlich zu machen oder zu verschweigen. Weil aber die Bausteine zu seriös, weil nachprüfbar sind, und weil ein Buch solchen Gewichts sich nicht in Luft auslöst, werden die Inhaber aller Weisheit und Wahrheit hart arbeiten müssen, die Beweise zu widerlegen.

Der Countdown läuft mit dem Versuch, das ›Buch von Salibi‹ lächerlich zu machen und zu verschweigen. Der Erfolg ist zweifelhaft. Die im allgemeinen eher distanzierte *Neue Zürcher Zeitung* schrieb in wohltuender Objektivität, doch deutlicher Kritik am Gehabe der Wissenschaftler [5]:

»Man sollte sie [die Theorie] nicht einfach mit der Behauptung abzutun versuchen, als Araber könne er sowieso nicht objektiv denken, wie das Leute, die sich Akademiker nennen, bereits getan haben. Salibi, der übrigens aus einer protestantischen arabischen Familie stammt, ist ein sehr seriöser Wissenschaftler.«

Konsequenzen

Die neue Plazierung des biblischen Geschehens erklärt Ungereimtheiten in König Salomons Aktivitäten. Wenn nämlich Salomons Tempel nicht im heutigen Jerusalem, sondern im südlichsten Teil von Saudi-Arabien, der an Nord-Jemen grenzt, gestanden hat, wird sofort begreifbar, weshalb er sich so sehr um das Königreich Saba bemüht hat: Die Sabäer waren seine unmittelbaren Nachbarn. Gleichwohl bleibt Salomons monatlicher Weekendbesuch bei der Königin ohne seine ›fliegenden Maschinen‹ unmöglich: die Luftlinie vom Nimas-Gebirge in Asir – Salomons Residenz – bis zur Stadt Marib beträgt immer noch 530 Kilometer.

Es sind nicht nur die alttestamentarischen Ortsnamen, die ein Umdenken, ein Neudenken, erzwingen. Im Raum Asir gibt es Heiligtümer, zerbrochene Altäre, uralte Schriften und sogar Berggipfel, die den biblischen Gestalten Abraham und Salomon zugeordnet sind.

In der zweiten Hälfte des letzten Jahrhunderts erreichte der französische Forschungsreisende Joseph Halévy, jüdischer Abkunft, als erster Europäer – auf geheimen Wegen und verkleidet – den Jemen, den kein Fremder betreten durfte. Halévy berichtete von himjaritischen *und* hebräischen Felsinschriften, die er an *derselben* Felswand nebeneinander sah [6]; er besuchte außerhalb von Marib sogar ›Salomons Moschee‹, deren Wände mit zahllosen arabischen Inschriften förmlich übersät waren.

Der Engländer Harry St. John B. Philby durchquerte in den Jahren 1917/18 Arabien; er berichtete über Felsinschriften und Felszeichnungen auf hohen Berggipfeln, von denen »eine aussah wie ein Zentaur« [7] und von Wänden voll mit »voluminösen talmudischen Inschriften«; vor einer anderen Felswand bestaunte Philby »massenhaft talmudische Inschriften« *(… a mass of Talmudic inscriptions…)*

Rund 130 Kilometer südlich der Stadt Taif – heute Sommerresidenz des saudischen Königs – liegt in der Provinz Asir der Dschebel Ibrahim (2595 m), der Berg Abrahams; weitere 150 Kilometer südlich davon bewegen wir uns in Salomons ureigener Gegend, in Al Sulaiman. Auf dem Gipfel des Dschebel Shada liegen Reste eines Altars mit (bisher) unlesbaren Inschriften; die Bevölkerung nennt ihn *Musalla Ibrahim* = Abrahams Gebetsplatz.

Sogar Aaron, ein Bruder von Moses, wurde in einem heute saudiarabischen Berg verewigt – im Dschebel Harun, Aarons Berg, 2100 Meter hoch südöstlich von Abha, der Provinzhauptstadt von Asir. Propheten und Stammväter des Alten Testaments waren in den Bergen des Jemen tätig, sie wurden dort auch begraben. Noch 1950 wurden Touristen auf dem Dschebel Hadid vor die Grufte von Kain und Abel geführt, sie sind inzwischen zugemauert.

Das Grab des Patriarchen Hiob liegt auf der mittleren Spitze des Dschebel Hesha in Nord-Jemen, und die Gruft des Propheten Hud gehört bis auf den heutigen Tag zu den großen arabischen Heiligtümern; sie liegt nördlich von Tarim im Hadramaut-Gebirge.

Wie ein Stachel im Fleisch

Mutige Gelehrte jüdischen und christlichen Glaubens wiesen immer wieder darauf hin, daß irgend etwas im scheinbar so geschlossenen Weltbild des Alten Testaments nicht geheuer sei, doch ihre Stimmen gingen im lauten Chor der Vertreter einer eingefahrenen Sicht unter. Hat denn irgendwer von uns, christlich erzogen und belehrt, auch nur ein Wort, eine Andeutung, davon gehört, daß es – außer der biblischen Version des Alten Testaments – noch andere Quellen der Überlieferung gibt?

1910 begann der jüdische Gelehrte Rudolf Leszynsky sein Buch ›Die Juden in Arabien‹ [8] mit den Worten: »Seit wann die Juden in Arabien wohnen, wissen wir nicht.« Zwei Jahre später äußerte sich Jehoschuah Feldmann in seinem Buch über jemenitische Juden: »Die Juden, die im Jemen viele Jahrhunderte, vielleicht Jahrtausende wohnen...« [9] – 1921 gelangte D. S. Margoliouth, Professor für semitische Sprachen an der Universität Oxford zu der Überzeugung, die Israeliten wären ursprünglich aus Südarabien gekommen: »Ein Werk, das zum biblischen Kanon zählt, aber eindeutig aus Arabien kommt, ist das Buch des Propheten Hiob« [10]. Diese gewichtige Aussage wagte der Oxfordprofessor erst nach jahrelangen Sprachvergleichen des Altarabischen und des Althebräischen.

Jeder, der sich in den letzten 80 Jahren mit der Frage auseinandersetzte, woher die südarabischen Juden eigentlich stammten, geriet in eine Zwickmühle: Überlieferungen und Sprachvergleiche zwangen dazu, die Existenz der Juden in Südarabien zu bestätigen, ließen aber die Frage offen, woher sie wann gekommen waren. Der Ethnologe Hugh Scott, Spezialist für Geschichte der südwestarabischen Völker, gab 1947 dieses Dilemma offen zu: »Juden waren Jahrhunderte vor dem Islam in Zentral- und Südarabien sehr

Links: Mauern des heutigen Tempels von Jerusalem

zahlreich, aber es ist unsicher, wann sie dorthin kamen und auf welcher Route« [11].

Jeder Strohhalm wurde ergriffen, wenn er nur Rettung verhieß, die ›bewährten‹ Auslegungen der Thora und des Alten Testaments schadlos über die Runden zu bringen. Es durfte nicht sein, daß sich die Geschichten des Alten Testaments in Südarabien ereignet hatten. Es durfte nicht wahr sein, daß in Südarabien religiöse Überlieferungen existiert hatten, *bevor* sie nach Palästina gelangten. Der Streit von Katheder zu Katheder war programmiert, ehe Professor Salibi sein gefundenes Pfund auf die Waage legte. Wie war das Rätsel der Juden in Arabien lösbar? Der Ethnologe Erich Brauer stellte fest [12]:

»Die nordarabischen Juden besaßen Sagen, wonach Teile von ihnen sich schon zur Zeit Josuas in Arabien angesiedelt hätten. Nach der Überlieferung der Jemeniten kamen die ersten Einwanderer zur Zeit Salomons ins Land. Sie erzählen, daß die Königin von Saba einen Sohn von Salomo hatte, für den sie sich von ihm Lehrer schicken ließ; dies seien die ersten Juden gewesen, die nach Jemen kamen. Nach einer anderen Überlieferung kamen sie im Gefolge der Königin nach Jemen.«

Dieser Ansicht schlossen sich die meisten Gelehrten an. Hallelujah, das Rätsel war gelöst, und die Bibel hatte recht: Moses führte die Israeliten nach Palästina – Salomon baute in Jerusalem den ersten Tempel – die Königin von Saba besuchte ihn dort, und Salomon schenkte ihr beim Abschied tausend seiner Landsleute. So gelangten die Israeliten nach Südarabien!

Ich nehme mir die kleine Freiheit, diese Linie in schlichter Form nachzuvollziehen: 40 Jahre wanderten die Israeliten durch den Sinai, sie hungerten und dürsteten, sie kämpften gegen ihre Feinde. Endlich erreichten sie das versprochene Gelobte Land, endlich durften sie seßhaft werden. Ihr König Salomon ließ den ersten, so richtig großen Tempel errichten, alle jungen Arbeitskräfte werkelten an der Baustelle. Zugleich schossen Häuser und Schulen empor, Wasserleitungen wurden verlegt, Straßen angelegt, Felder urbar gemacht, ein kampfstarkes Heer rekrutiert, Priester und Lehrer erhoben ihre weisen Stimmen. In dieser Lage eines jungen, erst begründeten und zu festigenden Staates weiß König Salomon nichts Wichtigeres zu tun, als seiner Geliebten, der Königin von Saba, die in einem 2500 Kilometer entfernten Land lebt, Entwicklungshilfe anzudienen. Sie gehört seinem Volk nicht an, teilt dessen Religion nicht, aber er schenkt der Königin einige tausend Jugendliche samt Ausbildern.

Diese wahrhaft groteske Situation löst sich in begreiflicher Weise auf, sobald akzeptiert wird, daß Salomons Reich nicht mit dem heutigen Palästina identisch war, es vielmehr in der südarabischen Bergregion von Nimas gelegen hat. Dann war die – von Palästina aus absurde – Entwicklungshilfe eine freundnachbarliche Geste und ein Akt des Verliebten für seine Geliebte.

Steckbrief des Salomon

Woher kam Salomon? Auch und gerade betuchte Könige wie er haben Vorgänger. Wer hortete die Reichtümer? War es vielleicht der gerissene, kleine König David – ja, jener, der Goliath besiegte?

Genau genommen müßte Salomons Stammbaum auf Abraham, Stammvater aller Geschlechter, zurückzuführen sein, aber er muß ja noch tiefer in die Urvergangenheit reichen, weil auch Vater Abraham eine Herkunft hatte, und die war seltsam genug.

Abrahams Papa war Therach, das behaupten jedenfalls altjüdische Überlieferungen, und dieser Therach – es gibt keinen Kommentar dagegen – war ein Götzendiener. Abraham selbst bestätigte diese väterliche Macke in der ›Apokalypse des Abraham‹ [13] in erzählerischer Ich-Form:

»Ich, Abraham, zu jener Zeit, wo es mein Los gewesen, daß ich die Opferdienste meines Vaters Therach an seinen hölzernen und steinernen und goldenen und silbernen und ehernen und eisernen Göttern wohl verrichtete. So ging ich einmal zu dem Dienste in den Tempel; da fand ich, daß der Steingott Merumat vornüber war gefallen und zu den Eisengottes Nachon Füßen lag.«

Abrahams Eltern hingen einem Gestirnskult an, wie er damals nicht nur in Arabien und Ägypten, bei Babyloniern und Minoern, eigentlich bei allen Völkern des Altertums gang und gäbe war. Abrahams Vater Therach soll aus Ur in Chaldäa gestammt haben, und Professor Fritz Hommel sagte, daß dort »dieser Gestirnsdienst von jeher besonders im Schwange« war [14]. So wurde denn auch Abrahams Geburt mit den Sternen in Zusammenhang gebracht – wie eine jüdische Überlieferung [15] beschrieb:

»Abraham, Sohn des Therach ... und der Amtelai ... ward geboren zu Ur in Chaldäa ... im Monat Tischri ... um's Jahr 1948 nach der Schöpfung ... in Abrahams Geburtsnacht waren Therachs Freunde ... zu einem Gastmahl ... versammelt ... Da bemerkten sie einen ungewöhnlichen Stern in östlicher Himmelsgegend; er schien in schnellem Laufe dahinzueilen und vier andere Sterne, nach den vier Himmelsseiten hin, zu verschlingen. Alle staunten ob dieser Erscheinung ...«

Dem bösen König Nimrod, Städtebauer und ›großer Jäger vor dem Herrn‹, von dem Moses und Micha berichteten, war von seinen Sterndeutern zugetragen worden, daß ein Knäblein geboren würde, das seinem Reich gefährlich werden könnte. Da ließ Nimrod vorsichtshalber 70 000 eben geborene Knaben schlachten. Klar, daß Abrahams Mutter sich schrecklich fürchtete und sich zur Geburt in einer Höhle verkroch, die durch das strahlende Antlitz des Babys erleuchtet wurde. Niemand hatte es bemerkt – außer Erzengel Gabriel, der eilends vom Himmel herniederflog, um das Knäblein zu ernähren.

Eine hübsche Legende, die nicht erzählenswert wäre, wiese sie nicht so viele Ähnlichkeiten mit der Christgeburt in Bethlehem auf.

Selbstverständlich war Abraham fortan in der Überlieferung kein gewöhnlicher Mensch mehr: Mal wurde er von Engeln in Wolken und Nebel gehüllt und konnte derart getarnt seinen Verfolgern entkommen, mal wurde er von den Turmbauern zu Babel in einen Feuerofen gesteckt. Freilich ohne schädliche Wirkung für Abraham.

Potztausend! Erst bei intensiver Beschäftigung mit Abraham wurde mir klar, daß dieser Erzvater enge Kontakte mit Außerirdischen pflegte. In der »Chronik des Jerahmeel« [16], eine Überlieferung, die wiederum auf noch älteren Quellen basiert, wird behauptet, Abraham sei der größte Magier und Astrologe gewesen, und er habe sein Wissen direkt von den ›Engeln‹ bezogen.

Diese Darstellung deckt sich mit den Angaben in der »Apokalypse des Abraham«; dort wird eindrücklich geschildert, wie Abraham von zwei Gesandten des Höchsten »in den Himmel« geführt wurde; hoch über der Erde sah er »etwas wie ein Licht, nicht zu beschreiben«, und »große Gestalten, die sich Worte zurufen, die ich nicht verstehe«. Begreiflich: Wenn Außerirdische Abraham ins Mutterraumschiff mitnahmen, verstand er die Sprache der Fremden nicht. Abraham erinnerte sich genau: Der hohe Ort, auf dem er gestanden habe, hätte sich mal abwärts, dann wieder aufwärts gedreht, mal habe er die Erde über sich, dann wieder die Sterne unter sich gesehen. Blühende Phantasie? Bestimmt nicht. Im Zeitalter der Raumfahrt lesen wir nüchterne Berichte, wie zukünftige Raumschiffe sich um die eigene Achse drehen – mit optischen Effekten, die Abraham ganz korrekt wiedergab.

Mir stets bewußt, daß ich mit legendären, historisch nicht faßbaren Überlieferungen umgehe, war ich doch sehr verblüfft, in dem von einem amerikanischen Bibelinstitut herausgegebenen Werk [17] festzustellen, daß – auf der Linie meiner Kombinationen – auch dort Besucher einer außerirdischen Zivilisation wie selbstverständlich akzeptiert werden.

In dem Buch steht: »Erst nach dem Nachtessen entdeckte

Abraham, daß seine Gäste keine gewöhnlichen Besucher waren. Sie waren aus dem Weltraum gekommen.«

Welch ein Fortschritt! Auch Theologen sind lernfähig: Abraham hatte Kontakte mit Weltraumfahrern!

An Hand der Bibel wurde uns eingebläut, Abraham wäre der Stammvater der Menschheit; dabei sind sich Fachgelehrte nicht einmal sicher, ob es Abraham überhaupt gegeben hat... und was sein Name bedeuten könnte.

Franz M. Böhl, Professor an der Universität Leiden, konstatierte [18]:

»Der alte Name Ab-ram, der außer Gen, 11,26-17,5 nirgends vorkommt, bedeutet ›der erhabene Vater‹ oder ›der Vater ist erhaben‹. Man kann das Wort »Patriarch« somit als eine Übersetzung dieses Namens auffassen. Mit »Vater« ist hierbei der Gott, ursprünglich wohl der Mondgott, gemeint... Am wahrscheinlichsten handelt es sich bei Abr-raham nur um eine dialektische Variante (»Zerdehnung«) des häufigeren Namens Ab-ram.«

Was Professor Böhl anno 1930 mit großer Sicherheit kundtat, wurde fünf Jahre später von Fachleuten im angesehenen *Journal of Biblical Literature* [19] konterkariert: »Ursprünglich war Abraham kein persönlicher Name, sondern der Name einer Gottheit.«

40 Jahre Abraham-Forschung sind seitdem vergangen, doch Klarheit hat sie nicht gebracht. In einer Publikation [20] der Yale-Universität, USA, erschienen 1975, steht der bemerkenswerte Satz: »Wir werden vermutlich nie in der Lage sein, zu beweisen, daß Abraham wirklich existierte...«

Sehr verwirrend das alles, und es wäre in toto unerheblich, wenn nicht riesige Völkerscharen ihre Stammbäume auf einen Mann zurückführen würden, den es vielleicht nie gegeben hat...

Trotz aller Widersprüche kann festgehalten werden, daß Abraham – so es ihn denn gegeben hat – keinesfalls je in einer Stadt mit dem Namen *Jerusalem* gewesen sein kann. Am Standort des *heutigen* Jerusalem existierte zwar schon

um 2000 v. Chr. ein archäologisch nachweisbarer Ort, aber:
Niemand weiß, wie dieser Ort hieß.

1975 wurde in Ebla, Nordsyrien, eine Tontafelbibliothek
ausgegraben; erstmals tauchte – in sumerischer Keilschrift –
eine Ortschaft *Urusalim (rslm)* auf. Ägyptische Hieroglyphen
aus der Zeit des Pharao Amenophis III. (1402-1364 v. Chr.)
erwähnen eine Stadt *Auschamen* oder *Ruschalimum*; beide
Varianten wurden sozusagen im Handstreich von Bibelarchäologen gekapert und für das heutige Jerusalem gesetzt.
Wer genau hinsieht, erkennt lediglich die Namensnennun-
gen, vermißt indessen eine geographische Fixierung. Total
wird die Verwirrung beim Blick in die Genesis des 1. Buch
Mose, Kapitel 14, Vers 17:

»Als nun Abraham von seinem Siege über Kedor-Laomer
und die mit ihm verbündeten Könige zurückkam, ging
der König von Sodom ihm entgegen in das Tal Sawe –
das ist das Königstal. Melchisedech aber, der König von
Salem, brachte Brot und Wein heraus; er war ein Priester
des höchsten Gottes. Und er segnete ihn und sprach:
Gesegnet ist Abraham vom höchsten Gott, dem Schöpfer
des Himmels und der Erde, und gepriesen der höchste
Gott, der deine Feinde in deine Hand gegeben hat. Und
Abraham gab ihm den Zehnten von allem.«

Da wird von einem ›König von Salem‹ geredet. ›Salem‹
ist das spätere Jeru-Salem. Seltsam. Es gab das Gelobte
Land noch nicht, Moses war noch nicht geboren, König
David (Salomons Vater) hatte die Stadt – welche? – noch
nicht eingenommen, die er hernach ›Jerusalem‹ nannte. Was
also war das für ein ›König von Salem‹, der Abraham traf,
und wo lag denn diese Königsstadt Salem?

Gelehrte Irrtümer

»Wo der Gelehrte irrt, begeht er einen gelehrten Irrtum«, sagt ein arabisches Sprichwort. In der Tat.

Städte, schon gar Königsstädte, wurden nie aus dem Hut gezaubert. Stets entstanden zuerst gesellschaftliche Strukturen, bildete sich über Generationen eine staatstragende Hierarchie, ergaben sich zwangsläufige Notwendigkeiten zum Städtebau. Gleich in welchen Ländern – allerorts gab es drei Voraussetzungen für Urbanisation: die Sichtbarmachung der Macht des Herrschers, die größer war als die Stärke der Beherrschten; die Sicherheit gegen Feinde; die Errichtung eines Heiligtums als Manifestation eines gemeinsamen Kults.

Die dritte Manifestation war zentraler Anlaß zur Städtegründung. Global haben Menschen der Vorzeit Gestirne verehrt. Diesen Gestirnskult unserer Vorfahren erklärt man mit der Pracht des Fixsternhimmels, dem Auftauchen und Verschwinden von Sonne und Mond. Die Leute erklommen Bergspitzen, um ihren Göttern näher zu sein, ihnen zu huldigen; in großen Höhen bauten sie Altäre, und wo es keine Berge gab, schütteten sie Berge auf, um heilige Städte darauf zu errichten.

Bis zu diesem Punkt folge ich der allgemeinen Lehrmeinung – doch: »Auch wenn alle einer Meinung sind, können alle unrecht haben«, stellte Bertrand Russell (1872-1970) fest. Die Wissenschaft wertet Himmels- und Sterngötter als fiktive Wesen, Produkte menschlicher Phantasie, die es in der Realität nie gegeben haben soll. Übten denn fiktive Gestalten Macht aus? Fürchteten Menschen sich vor Göttermenschen? Züchteten Ausgeburten der Phantasie sichtbar und spürbar die Erdenkinder?

Die Wissenschaft bietet eine Erklärung an: ›Züchtigungen‹ habe es ebensowenig wie reale Götter gegeben; wäre es den Menschen in irgendeinem Land miserabel ergangen, hätten sie einen Schuldigen gesucht. Da aber dieser Verursacher des Elends nicht wirklich existiert habe und zur Rechenschaft habe gezogen werden können, wären alle Übel – aber auch jede Wohltat – den Göttern zugeschrieben worden, die nun erst dadurch für die Menschen zu einer Realität geworden seien. Vulkanausbrüche, Erdbeben, Gewitter hätten als göttliche Manifestationen gegolten, daher seien Naturreligionen entstanden.

Das klingt einleuchtend, aber dann passierte das Ungeheure, das nicht mehr ins Konzept paßt: Die Götter begannen zu reden. Sie gaben Anweisungen, setzten Verbote und Gebote, schufen Gesetze, in nachprüfbaren Einzelfällen nahmen sie Menschen mit in ihre fernen ›himmlischen Städte‹, demonstrierten den Völkern technisch ausgeübte Macht, übermittelten ihnen neues Wissen, das ihrem Daseinsstand weit voraus war. Die Ausgewählten, die Anweisungen der Götter an ihre Landsleute zu übermitteln hatten, erledigten das – weltweit! – in der Ichform: ... und ich hörte ... und ich sah ... er sprach zu mir ... er zeigte mir ... er gebot mir ... gehe hin zu ... Seit Menschen reden können, bekundet die Ichform Augenzeugenschaft. In vielen Fällen dieser später als ›Prophetenberichte‹ deklarierten Übermittlungen fügten die Augenzeugen Daten dafür bei, wann und wo sich ein Ereignis abspielte, nennen Namen der beteiligten Götter oder von deren Hilfstruppen.

Eine vertrackte Situation!

Die Götter sollen nicht existiert haben. Dann müssen alle Botschaften in ihrem Namen Erfindungen, Fiktionen – oder Lügen! – von Propheten gewesen sein, die sich wichtig machen wollten. Ist es nicht die Spitze der Unlogik, aus diesen verlogenen Berichten die heiligen Bücher der Menschheit zu kompilieren? Ist es nicht der schiere Wahnsinn, nach dieser seltsamen Verwandlung, nach diesem Umweg, die Prophetenberichte nunmehr als bare Münze, als pures Gold der alleinseligmachenden Wahrheit zu nehmen? An sie zu ›glauben‹?

Roter Faden mit Knoten!

Mir ist klar, daß ich meinen Lesern eine Menge zumute, wenn ich sie an der Suche nach einem roten Faden durch das Labyrinth alter Überlieferungen – heiligen wie unheiligen – teilnehmen lasse. Zum Trost darf ich erwähnen, daß ich in den letzten Jahren mehr Zeit in Bibliotheken als daheim verbracht habe, und daß auf diesen Seiten nur der Extrakt aus einigen hundert Büchern meiner Lektüre vorgetragen wird.

Das Kernproblem sind immer wieder Namen und Daten, die nicht nur in unheiligen Büchern unkorrekt sind. Zu lesen im 1. Buch Mose, Kap. 15, Vers 13:

»Da sprach Gott zu Abraham: Du sollst wissen, daß dein Geschlecht als Fremdling weilen wird in einem Lande, das nicht sein ist; und sie werden daselbst Sklaven sein, und man wird sie drücken, *vierhundert* Jahre lang... [Vers 16]. *Erst das vierte Geschlecht* wird hierher zurückkehren ...«

Aus frischen Forschungen resümiert die angesehene britische Archäologin Kathleen M. Kenyon dazu [21]:

»Was jedenfalls keiner weiteren Erörterung bedarf, ist die in der Bibel gegebene Chronologie. Sie widerspricht sich in sich selbst. Eine Zeitspanne von vierhundert Jahren für den Aufenthalt anzunehmen und gleichzeitig festzustellen, daß schon die vierte Generation nach dem Einzug in Ägypten am Exodus beteiligt war, sind zwei so offensichtlich miteinander unvereinbare Behauptungen, daß man die sich daraus ergebende Berechnung als nichthistorisch einstufen muß.«

Die Chronologie der Bibel ist ein ziemlicher Humbug. Sie kann nicht stimmen, weil die Daten in ein vorbestimmtes Modell eingepaßt, gedreht und verfälscht wurden. Falls er denn lebte, soll Abraham so um 1800/2000 v. Chr. hinieden gewandelt sein. Er zeugte die Söhne Isaak und Jakob, dessen armen Sohn Josef die herzlosen Brüder nach Ägypten verkauften. Dort sollen sich in vier Jahrhunderten die Israeliten zu einem stattlichen Volk vermehrt haben – wenn auch keine ägyptische Inschrift, kein brüchiges Papyrus ein Wort davon weiß. Es ging dem Volk nicht gut. Um 1200 v. Chr. treten Moses und Aaron als Retter in der Not auf die Schicksalsbühne: Der 40 Jahre während Exodus aus dem Sinai beginnt. Jericho im heutigen Palästina wird erobert – ein Faktum, das archäologisch einwandfrei widerlegt ist. Die aus der Bibel vertrauten Helden Samuel, Simson, Saul und David gewinnen Schlachten. Um 970 v. Chr. endlich kommt die geschundene Heerschar zur Ruhe. König Salomon kann den ersten Tempelbau in Auftrag geben.

Eine bemerkenswerte Chronologie, die, weil der Anfang unkorrekt ist, auch am Ende nicht stimmen kann. Historisch datierbar wird die Geschichte der Israeliten erst ab dem Zeitpunkt ihrer Entlassung aus der babylonischen Gefangenschaft, als sie den sogenannten zweiten Tempel bauten. Der nun stand wirklich im heutigen Jerusalem, es gibt genug historische Zeugnisse dafür. Aber: Der erste, der salomonische Tempel stand im südarabischen Bergland von Nimas.

Steinharte Beweise für diese Feststellung werden fehlen, solange bei Al-Sarim in der Provinz Asir keine archäologischen Grabungen stattfinden, und solange wird man mit Indizien arbeiten müssen, aber auch das ist eine interessante und ergiebige ›Feldarbeit‹.

Im alten Südarabien hing man dem Gestirnskult so intensiv an wie anderswo auf unserem Globus. Namen einiger Sternengötter und Götzenfiguren sind bekannt wie ein paar Kultplätze. Chronisten wußten von dem Mann Amr bin Luhajj, der einstmals eine Reise durch Arabien unternahm [22]:

»Bei dieser Gelegenheit habe er gesehen, daß Leute Götzenbildern ihre Verehrung widmeten; als er sie gefragt, was es damit für eine Bewandtnis habe, habe man ihm geantwortet: »Diese Götzenbilder sind Herren, welche wir nach der Gestalt der himmlischen Behausungen und menschlicher Personen angefertigt haben.«

›Himmlische Behausungen‹ und ›menschliche Personen‹ gaben Vorbilder ab: Vorbilder von was? Sterne waren immer schon nur leuchtende Punkte am Firmament, waren auch bei angestrengtester Phantasie keine Anregung für Götzenbilder. Der Mensch hat schon immer nachgeahmt, was er verehrte, auch wenn er es nicht verstand [23]. Die Südaraber kopierten Wirklichkeiten, schufen Darstellungen von Erlebtem. Kopierten sie als Tempel die ›himmlische Behausung‹ eines ›Herrn‹, eines Götterabkömmlings, der sich in den Bergen niedergelassen hatte? Die Heiligtümer müssen sehr attraktiv gewesen sein, denn man versammelte sich dort zur Verehrung der Götter... womit die Initialzündung zum Bau von Siedlungen drumherum gegeben war. Das gemeinsame Heiligtum genügte noch nicht. Götter müssen mächtig sein, Götter müssen zeigen, was sie können. Sie dürfen nicht rosten und nicht vom Sockel stürzen, sonst werden sie unglaubwürdig. Götter müssen etwas bewirken, müssen Macht ausüben, damit sie verehrt werden.

Melchisedek, der Priesterkönig, war so eine mächtige wie geheimnisvolle Figur. Den ›Sagen der Juden von der Urzeit‹ [24] zufolge war er eine ›Himmelsgeburt‹; der ›Herr‹ selbst hatte seinen Samen in Sopranima – Melchisedeks Mutter – gepflanzt. (Eine Zeugung *in vitro*?) Melchisedek war also ein Göttersohn, und zu Zeiten von Abraham soll er König von Salem gewesen sein. Über Abraham erfuhren wir schon, daß er sich von Geburt an himmlischer Fürsorge erfreute und daß der ›Höchste‹ – so die altjüdische Überlieferung – ›Abraham besonders liebte‹. Abraham traf den König von Salem, ›ein Priester des höchsten Gottes‹, und die beiden verstanden sich sofort ausgezeichnet: Der Priesterkönig segnete Abraham. Und das sollte nicht erstaunen: Sie gehörten beide zur Crême de la crême; sie waren Götterabkömmlinge, und so was verbindet.

Der König von Salem verfügte über Macht, er wurde gefürchtet und verehrt; die Menschen waren bereit, ihm die Stadt Salem *(slm)* zu bauen. Die Zentrale des Königreichs arrondierte sich – im Bau einer Residenz und eines Tempels.

In diesen nicht datierbaren Zeiten gab es hier wie anderswo viele Götterabkömmlinge. Prophet Henoch sprach allein von 200 herniedergefahrenen ›Wächtern des Himmels‹, deren Nachfahren sich die Erde strittig machten; es ging um territoriale Ansprüche; man igelte sich in Herrschaftsbereiche ein, umgab sie mit Befestigungen. Für den Bau von Palästen und Residenzen lieferten Göttersprößlinge die Planung, die Schwerarbeit leisteten ihre Untertanen – angespornt und unter der Knute gehalten mittels Machtdemonstrationen, die den Menschen übernatürlich, zauberhaft und unirdisch schienen, was sie letztlich ja auch waren. Für die geleisteten Dreckarbeiten sicherten die Göttlichen Hilfe bei Kriegen zu.

Aus diesem Konkurrenzkampf der Götterabkömmlinge um die besten Plätze wird die knallharte Forderung verständlich: Du sollst keine anderen Götter neben mir haben! Dieses strikte Gebot vertrat nicht zuerst Moses, sondern Abraham gehörte das Copyright. Sein Vater Therach hing noch dem reinen Gestirnskult an; viele Götter verunsicherten die Gläubigen, die Menschen waren sich nicht klar, zu wem sie gehörten. Es kam die Zeit der Aufteilung der Erde, der Machtansprüche der Götternachfahren; jeder wachte eifersüchtig darüber, daß die Konkurrenz ihm die manipulierten Arbeiterheere nicht abspenstig machte, wegengagierte, daß die Naivgläubigen Geld, Gold und Edelsteine nicht zur falschen Adresse trugen, opferten. Darum hieß es: Du sollst keine anderen Götter neben mir haben!

Salem *(slm)* war anfänglich Residenz eines ›Priesters des obersten Gottes‹. Melchisedek, der König, ist als ›Himmelsgeburt‹ vergleichbar dem König Minos von Kreta, der ein Sohn von Göttervater Zeus war. Im Laufe der Zeit minderte sich die Macht der Götternachfahren, die späteren Generationen wußten immer weniger von der Technologie der Ur-Ur-Ur . . .-väter. So ging die Macht über auf die Priester. Die Menschen empfanden immer weniger Ehrfurcht, weil sie sich weniger bluffen ließen, auch erkannten sie die Ohnmacht der verehrten Götzen. Außerirdische in riesigen Mutterraumschiffen wurden längst nicht mehr gesichtet, die Besatzungen hatten sich – wie indische Überlieferungen melden – gegenseitig vernichtet oder waren zu fernen Himmelskörpern weitergeflogen. Als ein König namens Salomon Herrscher von Salem war, muß die Stadt noch sehr wohlhabend gewesen sein, und Salomon verfügte auch noch über technische Hinterlassenschaften seiner himmlischen Vorfahren (Flugwagen).

Dieser Salomon von Salem kann aber mit dem Salomon der Bibel – der nach 970 v. Chr. datiert wird – nicht identisch sein. Fast ist man geneigt, anzunehmen, es hätte eine Akte ›Salomon‹ gegeben, unter der alle zu der mysteriösen Person gehörenden Spuren abgelegt wurden, aus der sich dann die Überlieferer nach Gusto bedient haben. In der *jüdischen* Tradition figuriert Salomon als weiser Richter und Weiberheld, sowohl Verehrer des einen Gottes wie Anhänger der Vielgötterei. Im 2. Buch der Chronik geriet er zum »größten König auf Erden«, der »alle Könige vom Euphratstrom bis zum Lande der Philister und bis an die Grenze von Ägypten beherrschte«. Die *Araber* gestehen ihm Bauwerke in aller Welt zu, behaupten im Koran, »Geister« hätten für ihn arbeiten müssen, er wäre »Beherrscher der Winde« gewesen, hätte 350 Jahre regiert, und sei an vielen Orten fast gleichzeitig gewesen. Die *Äthiopier* schilderten Salomon als unermeßlich reich, Bewahrer der Bundeslade, Verführer der Königin von Saba und Besitzer eines fliegenden Fuhrparks.

Ziemlich viel für einen Mann mit einem Kopf, zwei Händen und zwei Füßen.

Wer Salomon wirklich war und wann er tatsächlich gelebt haben soll, weiß niemand. Er ist ein Steinchen im vorzeitlichen Puzzle wie Melchisedek, Abraham und die Königin von Saba. Einig waren sich die Zeitreporter in der Feststellung, Salomon wäre König von Jerusalem gewesen. Nachweislich wurde 586 v. Chr. eine Stadt mit dem Namen Jerusalem von den Babyloniern zerstört. Aber: *Welches* Jerusalem? Das, in dem der legendäre Melchisedek herrschte ... oder das heutige Jerusalem in Palästina?

116

Tränen für Jerusalem

Teil des Alten Testaments sind die fünf Klagelieder, in denen die zerstörte Stadt Jerusalem beweint wird. Mit dem Seufzer: »Ach!« beginnen das erste, zweite und vierte Lied. Es wird gerühmt, was für eine große und volksreiche Stadt Jerusalem gewesen ist, jetzt aber verlassen dasteht. Alle Pracht ist verschwunden, Eroberer haben die Schätze geplündert, im Tempel die Heiligtümer geschändet oder gestohlen. Jungfrauen und Jünglinge sind versklavt, die Feinde lachen über das einst so stolze Jerusalem. Propheten, Priester und Richter werden verspottet und abgeführt, wie »Adler auf den Bergen« lauern die Verfolger. Dem Autor der Klagelieder steigen in Erinnerung an die stolze Stadt Tränen in die Augen: »Es glühte mir in der Brust, mir brach das Herz.«

Da sie ohne Autorenvermerk sind, werden die Klagelieder Jeremia zugeschrieben. Dieser Prophet aus dem sechsten Jahrhundert v. Chr. war ein unbequemer und doppelzüngiger Zeitgenosse: Er warnte die Jerusalemer vor den Babyloniern, unterhielt selbst aber Kontakte zum Feind. Zedekia, letzter König von Juda (597-586 v. Chr.), ließ den Mahner in eine Zisterne werfen, die aber kein Wasser führte; so überlebte Jeremia, und der Sieger Nebukadnezar II. (605-562 v. Chr.) befahl seine Freilassung und verfügte, daß ihm kein Leid angetan wurde. So konnte sich der Prophet frei bewegen, derweil seine Mitbürger für den Marsch in die Gefangenschaft gefesselt wurden. Babylonische Soldaten, die das königliche Dekret nicht erreichte, legten den seltsamen Spaziergänger in Ketten und führten ihn mit anderen Gefangenen Richtung Babel. Der Irrtum wurde korrigiert, Jeremia erneut freigelassen, doch kehrte er nie mehr in das zerstörte Jerusalem zurück. Die Israeliten auf dem Lande unterwarfen sich der babylonischen Herrschaft, flüchteten dann in Gruppen. Einer, die nach Ägypten zog, schloß sich Jeremia an. Dort verschwand er aus der Geschichte.

Wann eigentlich soll Jeremia seine Klagelieder verfaßt haben? Theologen denken, das hätte er noch während der Belagerung und Zerstörung der Stadt getan. Diese spekulative Annahme trägt nicht, denn um diese Zeit saß Jeremia in der Zisterne, dann genoß er nur kurze Zeit seine Freiheit, um wieder in Ketten abgeführt zu werden. Krieg. Zerstörung. Verhaftung. Das war nicht gerade der Moment der Muße, in dem der Prophet alphabetisch geordnete Gedichte hätte verfassen können. In allen Klageliedern ist Jerusalem bereits zerstört. Die Zerstörung hat überdies eindeutig eine Weile zurückgelegen, denn der Autor der Klagelieder jammert, »daß der Berg wüst liegt, daß Füchse darauf streifen.«

In seiner Dissertation [25] aus dem Jahre 1889, die sich ausschließlich mit den Klageliedern beschäftigt, kam Heinrich Merkel zu dem Resümee: Wer immer die Klagelieder verfaßt habe, habe auf ältere Quellen zurückgegriffen – und – Jeremia scheide als Autor aus: »So müssen also unsere Lieder dem Jeremia abgesprochen werden, weil die Kritik es so fordert.«

Erkenntnis:

Jeremia war bei der Zerstörung Jerusalems anwesend, wurde dann in Ketten gelegt – die Klagelieder gehen indessen von der *bereits zerstörten* Stadt aus; außerdem wurden ältere Quellen benutzt. Die Klagelieder können sich also nicht auf das heutige Jerusalem beziehen. Beweint wurde die Vernichtung eines *älteren* Jerusalem.

War es das Jerusalem, jenes Salem des legendären Salomon, in dem einst der Priesterkönig Melchisedek regierte?

Während ich dies zu Papier bringe, höre ich hinter mir die Stimme meines Lesers: Was, Herr von Däniken, hat das alles mit Ihrer Theorie zu tun? Warum nur klammern Sie sich so fanatisch an ein altes Jerusalem? Gemach.

Wenn Götterabkömmlinge als Priesterkönige amtierten, dann müßten doch an ihren uralten Herrschaftssitzen Beweise aus technischen Hinterlassenschaften, mindestens Wandmalereien, Inschriften, Reliefs, Kultgegenstände zu finden sein! Unter dem *heutigen* Tempel von Jerusalem

118

wurde nichts entdeckt, nicht mal ein Beweis für die einstige Existenz des salomonischen Tempels. Also muß woanders gesucht werden. Professor Salibi gelangte aufgrund seiner Vergleiche von Ortsnamen zur Überzeugung, das *alte* Jerusalem habe im Nimas-Gebirge in Asir, irgendwo beim heutigen Ort Al-Sarim, gelegen. Ich schätze die Chance nicht sehr hoch ein, dort noch irgend etwas zu finden. Zu gründlich wurde die Stadt zerstört, zu gründlich waren die Plünderungen der Kriegshorden. Und: Seit dem Ereignis sind zweieinhalbtausend Jahre vergangen.

Kapitulation? Nein. Es gibt vermutlich etwas, das der Zerstörung entging. Doch das ist eine neue Geschichte.

Evergreen Hesekiel

Seit 20 Jahren widme ich meine besondere Aufmerksamkeit den Texten des Propheten Hesekiel. Zur Vita des interessanten Mannes: Israelitischer Prophet aus priesterlichem Geschlecht. Wurde nach Babylon deportiert, dort zum Propheten berufen. Kündigte den Zusammenbruch des Staates Juda und die Zerstörung Jerusalems an. Ich habe schon viel über Hesekiel in vier Büchern geschrieben. Er bleibt eine Fundgrube. Die Neuigkeit in diesem Buch ist brisant, aber es braucht eine knappe Vorgeschichte zum vollen Verständnis.

Hesekiel beschrieb in vielen Einzelheiten die Landung eines seltsamen Gebildes, das er als ›Herrlichkeit des Herrn‹ bezeichnete. Wie ein harter moderner Reporter notierte er nur und exakt, was er gesehen hatte: Flügel – Räder – Felgen – Augen – etwas Glühendes und den Lärm, den das seltsame Gebilde erzeugte, sobald es sich von der Erde erhob.

Folgende Doppelseite: *Ingenieur Hans Herbert Beier rekonstruierte den Tempel, den der Prophet Hesekiel beschrieben hat. Hier das Modell mit dem Zubringerraumschiff, über das noch zu reden sein wird*

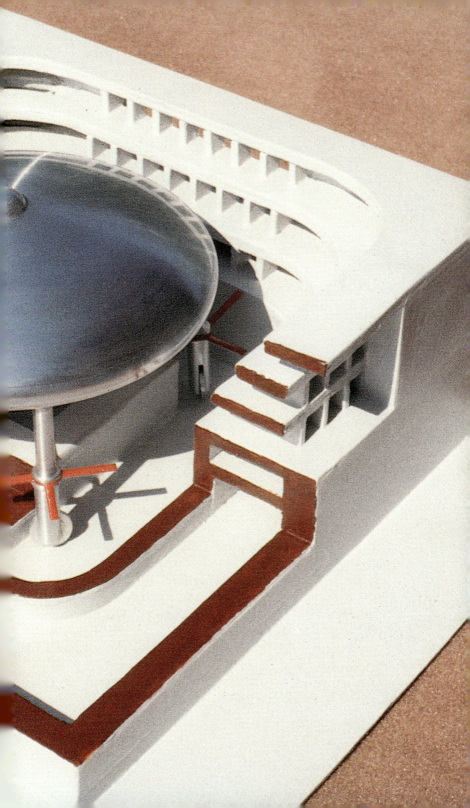

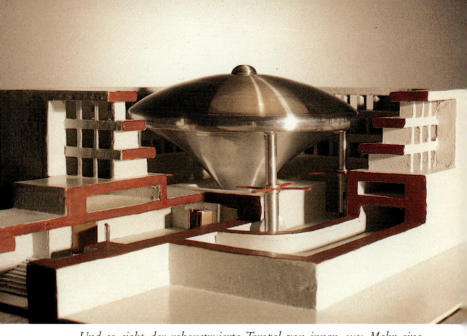

Und so sieht der rekonstruierte Tempel von innen aus: Mehr eine technische Wartungsstätte denn ein Heiligtum

Diese detaillierte Beschreibung animierte den ehemaligen NASA-Konstrukteur Josef Blumrich zu einer Rekonstruktion auf dem Zeichenbrett. Resultat war ein Zubringerraumschiff von eigenartiger Form: Unten spitz zulaufend, wurde es oben breiter, einem riesigen Kreisel vergleichbar. Dieses Gebilde – das Hesekiel als »Herrlichkeit des Herrn« beschrieb – diente dem Zubringerdienst zwischen einer terrestrischen Basisstation und einem Mutterraumschiff im Orbit.

Reporter Hesekiel beschrieb nicht nur das Zubringerraumschiff, sondern mit gleicher Genauigkeit auch einen Tempel, der ihm auf einem ›sehr hohen Berg‹ gezeigt wurde, auf dem das Raumschiff landete: »Und als ich hinsah, da erfüllte die Herrlichkeit des Herrn den Tempel.« (Hes. 44,4).

Um diesen Tempel geht es.

Im Herbst 1984 bekam ich einen Brief von dem mir unbekannten Herrn Hans Herbert Beier, Chefingenieur bei einem deutschen Großunternehmen. Herr Beier schrieb, daß er sich in den vergangenen Jahren intensiv mit den Hesekieltexten befaßt und nach deren detaillierten Angaben den Tempel rekonstruiert habe; es handle sich um eine technische, mit wissenschaftlicher Akribie ausgeführte Arbeit, schrieb Herr Beier und fragte, ob ich Interesse daran hätte. Meine Antwort dürfte jedem klar sein. Im Verlauf der folgenden Monate geriet ich förmlich in den Sog einer spannenden Entdeckung, nahm teil an der klaren und verblüffenden Rekonstruktion des ›Hesekieltempels‹.

Ich informierte den NASA-Ingenieur Josef Blumrich in Estes Park, Colorado; es kam zu einer Korrespondenz zwischen den beiden Technikern, und beide waren verblüfft: Das von Blumrich rekonstruierte Zubringerraumschiff paßte genau und in allen Einzelheiten in die Tempelrekonstruktion von Beier! Auf zwei Kontinenten wurde Hesekiel von zwei Ingenieuren unabhängig voneinander bestätigt! – Blumrich hatte seine Raumschiffkonstruktion schon 1971 beendet, während Beiers Arbeiten erst 1976 anfingen.

Was ist die Sensation der Geschichte, und was hat sie mit dem salomonischen Tempel zu tun?

Jeder von uns war via Bildschirm schon Zeuge eines Raumschiffstarts: Eine Rampe mit vielen turmhohen Stockwerken, die die Rakete umgeben; von jeder Höhe aus ist die Kontrolle der Außenhaut, sind noch während des mehrwöchigen Countdowns Schweißarbeiten möglich; mit einem Gewirr von Nabelschnüren werden die einzelnen Stufen des Raumkörpers mit Treibstoff gefüllt. Dann, vor dem Start, passiert es: Der Turm wird zur Seite gefahren, die Rakete steht alleine auf den wuchtigen Verankerungen, die unterhalb des Startturms im Boden ruhen; noch tiefer darunter gibt es ein System von Röhren, Pumpen und mächtigen Wannen, die den versengend heißen Strahlenausstoß beim Start löschen: Im Moment der Zündung der Rakete spritzt ein Wasservorhang aus dem Röhrennetz, löscht den feuergleißenden Schweif, kühlt die riesige Startapparatur.

Wie müßte eigentlich eine Startrampe für ein Raumschiff von der Form eines Kreisels aussehen? Die heutigen Rampen haben die Form von Türmen, weil die Raketen wie Obelisken gen Himmel ragen; sie werden nur zum Start benötigt, weil die Startraketen im Weltall verglühen. (Bei Außentanks des Space Shuttles schweben die Tanks an Fallschirmen ins Meer und können wieder verwendet werden.) Handelt es sich aber um ein Zubringerraumschiff, das wie ein Flugzeug ständig gewartet werden müßte, gibt es nicht nur Startrampen, sondern auch Wartungsrampen, damit man von allen Seiten an das Raumschiff heran kann. Die Wartungsrampe für ein kreiselförmiges Zubringerraumschiff würde unten die Form eines spitzen Keils haben und sich den tiefen Etagen des Zubringerraumschiffs anschmiegen – je höher die Wartungsrampe ansteigt, je breiter würde sie nach allen Seiten, stadionähnlich offen, nach oben hin in immer weiter auseinanderliegenden Stufen verlaufen. Genau diese Form ergaben die Beierschen Rekonstruktionen.

In seinem Buch ›Kronzeuge Ezechiel‹ [26] legte Hans Herbert Beier über 90, teils farbige Konstruktionszeichnungen vor, die in jedem Detail der Beschreibung Hesekiels entsprechen. Der ›Tempel‹ war ursprünglich kein Heiligtum, sondern eine Wartungsrampe mit angegliederten Werkstätten, mit Wohn- und Schlafräumen der Besatzungen.

Wir werden nie erfahren, welcher Treibstoff seinerzeit verwendet wurde. NASA-Fachmann Blumrich vermutet als Energielieferanten einen Kernreaktor, der mit Kernbrennstoffen betrieben wurde. (Viele russische und amerikanische U-Boote haben diese Energiequelle!) Bei jeder Kernreaktion gibt es zwei Probleme: Hitze, die abgekühlt werden muß, sowie radioaktiver Abfall. Zubringerraumschiff und Wartungsrampe mußten entsprechend ausgelegt werden: Der Kühler für den Reaktor wurde unten, im spitz zulaufenden Teil des Zubringerraumschiffs plaziert, dementsprechend mußte die Rampe dort mit hitzefestem Material belegt werden; abgebrannte radioaktive Elemente mußten irgendwo gelagert, wahrscheinlich vergraben werden. Weil es ehemals für diese der Zeit weit vorauseilende Technik auf der Erde weder Zwischenlager noch eine Enddeponie gegeben haben

124

wird, werden vermutlich heute noch verbrauchte Brennelemente in unmittelbarer Nähe der Wartungsrampe zu suchen sein. Und falls die Energie *nicht* aus einem Kernreaktor bezogen wurde, hat es Flüssigkeitstreibstoffe gegeben, vielleicht auch welche in fester Form. Dies würde bedeuten: Unter der Wartungsrampe, unter dem ›Tempel‹, müßten sich Röhren befinden, Zuleitungen und Ableitungen. Besonders diffizile Reparaturen konnten sicherlich nicht ausgeführt werden, solange sich explosiver Treibstoff in den Tanks befand. Man hätte diesen Resttreibstoff zuerst absaugen müssen. Entsprechend müßten noch heute Zu- und Ableitungen unter dem ›Tempel‹ vergammeln.

Falls Salomons Jerusalem jenes ›Salem‹ des Priesterkönigs Melchisedek gewesen ist, haben Außerirdische zu Zeiten von Abraham und Melchisedek die Wartungsanlage noch in Betrieb gehabt, aber nachfolgende Generationen wußten damit nichts mehr anzufangen. Sie stilisierten die Anlage zum ›Tempel‹, denn dort waren die Götter zu Besuch gewesen. Salem wurde zu Jerusalem, und Jerusalem wurde zerstört. Sofern diese Gleichung aufgeht, sollten – trotz der Jahrtausende, die seitdem verstrichen – im Boden beim heutigen Dörfchen Al-Sarim Röhren oder radioaktive Abfälle zu finden sein.

Kritiker und Hesekielkenner werden mir entgegenhalten, in meiner Theorie gäbe es einen wunden Punkt, weil der Prophet seine Augenzeugenberichte zwischen 595 und 570 v. Chr. verfaßt habe, nach meinen eigenen Aussagen aber die Außerirdischen unser Sonnensystem längst verlassen hätten, es drum auch keinen Pendelverkehr mit dem Zubringerraumschiff gegeben haben könne.

Zwei Gegenargumente:

Es ist gut möglich, daß diejenige Gruppe von Außerirdischen, die unser Sonnensystem zu den legendären Zeiten von Abraham und Melchisedek verlassen hatte, eineinhalb Jahrtausende später zurückkehrte, um zu kontrollieren, welche Früchte ihre Entwicklungshilfe an der Menschheit gezeitigt hatten. Und: Die zeitliche Datierung der Hesekiel-

125

texte ist unsicher; Hesekiels Übermittlungen mußten im Laufe der Jahrhunderte viele Interpretationen aushalten: In einer 1981 erschienenen Analyse [27] wurden 270 (!) Abhandlungen über das Buch Hesekiel verarbeitet.

Der Text des Propheten, der früher sakrosankt war, wird nun seziert und durchleuchtet. Semantiker stellten fest, daß Stil und Wortwahl auf mehr als einen Autor schließen lassen. Die Mehrheit der Alttestamentler vertritt darum die Ansicht, das Buch Hesekiel sei das Gemeinschaftswerk von Autoren, die ältere Texte ins Original mischten; deshalb wäre Hesekiels Schilderung von der ›Herrlichkeit des Herrn‹ keineswegs in die Zeit der Tätigkeit des ›realen‹ Propheten Hesekiel (zwischen 590 und 570 v. Chr.) zu verlegen. Das heißt: Was im Buche des Propheten abgeschildert ist, kann sich – aus älteren Quellen übernommen – viel, viel früher abgespielt haben.

»Glücklich der, welcher die Gründe der Dinge zu erkennen vermocht hat.« Seneca. (Um 55 v. Chr. – 40 n. Chr.)

III.

GÖTTER, GRÄBER
UND GENEPPTE

SAG MIR, WO DIE GRÄBER SIND ...

> Der Mangel an Urteils-
> kraft ist eigentlich das, was
> man Dummheit nennt, und
> einem solchen Gebrechen
> ist gar nicht abzuhelfen.
>
> *Immanuel Kant 1724-1804*

Vom Tod, der allen Menschen vorbestimmt ist, sind Märchenfiguren und einige biblische Gestalten nicht betroffen.

Der Prophet und Patriarch Henoch erlitt den Tod nicht; im reifen Alter von 365 Jahren wurde er mit Haut und Haaren in den Himmel ›entrückt‹. Auch Israels Prophet Elias nahm seinen Körper mit, als er im ›Feuerwagen‹ (2. Kön. 2) im Weltall verschwand. Andere Prominente aus dem Alten Testament erreichten Greisenalter, von denen unsere Geriatriker nicht zu träumen wagen: Adam, Stammvater aller Menschen, lebte 930 Jahre – sein Sohn Seth brachte es auf 912, dessen Sohn Enos immerhin noch auf 905 Jahre, und Adams Urenkel, des Enos-Sohn Kenan schaffte 910 Lebensjahre. So geht es weiter mit der munteren Greisenstaffette im 1. Buch Mose, Kapitel 5: Mahalaleeh kam auf 895, Jahred auf 962 Jahre. Henoch hatte – freilich vor seiner Himmelfahrt – Methusalem gezeugt, und der wurde mit vollen 969 Jahren zum Rekordhalter sogenannten biblischen Alters. Noahs Vater Lamech schaffte nur die Schnapszahl von 777 Jahren und blieb damit hinter dem Sohn zurück, der wieder 950 Jahre hinlegte. Die wenigen hier aufgeführten Musterexemplare schaffen zusammen die

127

Guiness-Rekordzahl von 7566 Jahren. Und wenn sie nicht gestorben sind ...

Sie sind – Henoch ausgenommen – gestorben, und Verstorbene hinterlassen ihre sterblichen Reste auf der Erde. Figuren mit einem so langen Leben müßten sich doch tief ins Bewußtsein vieler Generationen eingeprägt haben, müßten eigentlich in prächtigen Grüften zur ewigen Ruhe gebettet worden sein. Nicht eine dieser Grüfte ist auffindbar. Vielleicht schwemmten sie die Wassermassen von Noahs Sintflut fort, aber wo sind die Grabmale der biblischen Hauptakteure *nach* der Sintflut geblieben? Wo die verehrungswürdigen Gebeine? Wo die Höhlen mit Inschriften der Todesdaten? Wo die Sarkophage, die Grabbeigaben?

Abraham – der spurenreiche, spurenlose Erzvater

Hauptwirkungsstätte des legendären Abraham, einer der drei israelitischen Erzväter, war der Ort Mambre, zwei Kilometer nördlich der heutigen Stadt Hebron in Israel; dort erhebt sich der ›Berg des Propheten‹ in 1025 Meter Höhe ü. M.

Diese Bergregion ist der klassische Boden der Abrahamerzählung, hier ereigneten sich Zeichen und Wunder. Der Genesis (13,18) zufolge ließ Abraham sich mit seinen Herden und Zelten in Mambre nieder und errichtete dort dem Herrn einen Altar. Von hier aus setzte er mit 318 Knechten babylonischen Kriegern nach, um Lot samt Familie zu befreien. Mambre war auch der Ort der denkwürdigen Begegnung zwischen Abraham und dem ›Herrn‹, der dem Erzvater versprach, seine Nachkommenschaft würde so zahlreich »wie die Sterne am Himmel« sein. Auch hier in Mambre befahl der Herr die rituelle Beschneidung. Abraham, mit seinen damals 99 Jahren schier jenseits von Gut und Böse, ging beispielhaft voran und ließ sich die Vorhaut kupieren

128

In Mambre – zwei Kilometer nördlich der heutigen Stadt Hebron in Israel – soll Erzvater Abraham gewirkt haben

– zusammen mit seinem dreizehnjährigen Sohn Ismael, Sklaven und Dienern sowie Gästen seiner Zelte (Gen. 17,23 ff).

Es ging damals aufregend zu in Mambre. Sensationelle Rendezvous' gab es. Eines Tages saß Abraham vor seinem Zelt, als ihn drei geheimnisvolle Wesen besuchten. Gastfreundlich, wie der Stammvater war, ließ er gleich ein zartes Kälbchen schlachten, mit dem er die Fremden großzügig bewirtete... obwohl Sohn Isaak seiner Mutter Sara zuflüsterte, diese Fremden »seien nicht Abkömmlinge von der Art der Erdenbewohner« [1]. Im Testament des Abraham, einer altjüdischen Überlieferung, werden die plötzlichen Besucher als »himmlische Männer« bezeichnet, die »vom Himmel herabfuhren« und dorthin auch wieder verschwanden.

129

In dieser Moschee von Si'ir bei Zior, einem Araberdorf nördlich von Hebron, ist die Grabstätte von Esau

Ja, dieses Mambre ist ein geschichtsträchtiger Ort gewesen, ein Ort, der bräuchlicherweise mit Monumenten, Gräbern und Inschriften für die Nachwelt hätte ausgestattet werden müssen. Hier war es nicht so. Zwar liegen in Mambre monumentale Mauerreste aus mächtigen Quadern, doch es gibt nicht den geringsten Hinweis auf Abraham oder seine himmlischen Besucher. Hätten doch zeitgenössische Kunsthandwerker wenigstens eine Skizze des Feuerwagens oder das Porträt eines Weltallgastes in die Wand gestichelt – ich würde Mambre als Begnungsstätte von Irdischen und Außerirdischen lobpreisen! Die Archäologen sind gleichermaßen ziemlich ratlos, sie wissen nichts mit den monolithischen Fragmenten anzufangen. Je nach Zunft machten Bibelarchäologen aus Mambre Abrahams Viehhof – Abrahams Grab – eine Gedenkstätte für Esau – eine Residenz von König David – ein biblisches à la carte! Weniger bibelhörige Archäologen sahen in den gleichen Rudimenten einen byzantinischen Bau – ein römisches Heiligtum – eine unvollendete Mauer [2]. Selbst für das Alter der Mambrereliktе divergieren die gelehrten Angaben in der Fachliteratur bis zu 3000 Jahren.

Die Bibel weiß, daß Abraham sich »gegenüber von Mambre« für 400 Lot Silber ein Grundstück mit einer Grabhöhle kaufte. (1. Mos., 23,9 ff); dort habe er sich und sein Weib Sara beerdigen lassen, und in der Familiengruft sollen auch noch seine Söhne Isaak und Jakob mit ihren Frauen Rebekka und Lea beigesetzt worden sein – sechs biblische Gestalten in einem Gewölbe! Bestimmt wurden derart wichtige und angesehene Zeitgenossen mit Pomp und Prunk bestattet, für Generationen eine unantastbare Gedenkstätte. Sie müßte ein heute noch identifizierbares Heiligtum sein, denn die Bibel gibt sogar den Namen des Abrahamgrabes an: Machpela-Höhle.

Dort, im Zentrum der Stadt Hebron, erhebt sich heute die wuchtige, rechteckige Al-Jbrahimi-Moschee, ein mächtiger, mit wertvollen Teppichen und Leuchtern reich ausgestatteter Gebetsraum für Muslime, Juden und Christen. Zu

131

beiden Seiten des Mittelraumes liegen Krypten, unter denen sich Isaaks und Rebekkas Gräber befinden sollen. Auf der rechten Seite steht eine kunstvoll ornamentierte Kanzel, die aus dem Jahr 1091 stammt. – Golden schimmern von den Wänden Koransprüche; durch ein Messinggitter leuchten sattgrüne Tücher, die mit goldenen arabischen Schriftzeichen bestickt sind. Die Zeichen besagen: *Das ist das Grab des Propheten Abraham. Er ruhe in Frieden.* Goldbestickte Tücher bedecken zwei große Kenotaphe*: Vier kleine weiße Säulen tragen einen Marmoraufbau wie einen Baldachin: eingelassen im Marmorboden ist ein siebeneckiges Mäuerchen von 15 Zentimeter Höhe, es ist mit einer dunklen Holzplatte bedeckt. Darunter *sollen* 68 steile Stufen zu Abrahams Grabkammer hinabführen. Sollen! Die Moschee zählt zwar zu den heiligsten Stätten von Mohammedanern und Juden, doch von Gräbern, Sarkophagen, Reliquien, Grabbeigaben und Grabinschriften ist *nichts* zu sehen.

Liegen, frage ich, unter der Moschee tatsächlich Abrahams Gebeine (und die seiner Familie)? Oder werden die Gläubigen geneppt?

Eine islamische Moschee zu Ehren der Gräber gab es bereits zu Zeiten der Kreuzritter (vom Ende des 11. bis zum Ende des 13. Jahrhunderts). Was vorher dort stand, ist unbekannt. Nach der Eroberung Hebrons verwandelten die Kreuzfahrer die Moschee in ein christliches Kloster und benannten Hebron in ›Sankt Abraham-Stadt‹ um.

Ein betender Mönch verspürte Zugluft bei seiner Meditation; davon erzählte er seinen Mitbrüdern, und alle zusammen suchten an den folgenden Tagen eifrig nach Abrahams Gruft. Bis dahin wußten sie nur aus der Überlieferung, daß am Ort des Klosters die Machpela-Höhle liegen sollte. Mit Holzhämmerchen klopften die geistlichen Herren den Boden ab und entdeckten eine hohl klingende Stelle; eine

---

* Kenotaph: Leeres Grabmal zur Erinnerung an einen Toten, der dort nicht begraben ist. In seiner Ausstattung stimmt der K. mit normalen Gräbern überein.

132

Nordwestlich von Jerusalem, nahe beim arabischen Dorf Jib/Gibeon soll Samuel begraben liegen

Auch Josef, Jakobs Sohn, soll bei Nablus in Israel sein Grab haben

Steinplatte wurde entfernt, darunter gab es eine Höhlung, Hosiannah singend stiegen die Mönche eine steile Stufe hinab, die vor einer Felswand endete. Nun wurden kräftigere Hämmer geschwungen, eine Wand brach ein, die Mönche gelangten in einen kleinen, kreisrunden, leeren Raum. Es fand sich nicht der geringste Hinweis auf eine Grabstätte.

Einer der frommen Sucher mochte sich mit dem enttäuschenden Fund nicht abfinden, er tastete die Wände ab, fand einen keilförmig eingelassenen Stein; der wurde eingedrückt, es öffnete sich eine Grotte. Nun, im Flackerlicht der Kerzen, entdeckten die Mönche am Boden weiße Knochen und in einer Nische 15 Urnen, in denen Knochenreste schepperten. Aber: Sie fanden keine Grabbeigaben, nichts, was auf Abraham und seine Familie hinwies. Der Abt veranstaltete ein Fest. Zu Ehren des Herrn erschallten Loblieder. Einige Knochen wurden als Reliquien verkauft, andere sollen in die Gruft zurückgelegt worden sein. »Seither ist kein Mensch mehr unten in Machpelas Höhle gewesen«, stellte der dänische Forschungsreisende Arne Falk Rønne fest, der Abrahams Spuren folgte. [3]

Es läßt sich nicht mehr checken, ob die frühmittelalterliche Grabentdeckung sich genauso abgespielt hat, ob Mönche und/oder Kreuzritter wirklich nichts, gar nichts auf Abraham Hindeutendes gefunden haben oder wieviel davon zu begehrten Reliquien umfunktioniert wurde; bekannt ist, daß zu Kreuzfahrerzeiten viele Objekte aus dem Heiligen Land in europäische Klöster und den Vatikan expediert wurden. Da stehen viele Fragezeichen in der Landschaft. Ich weiß nur, daß *heute* nichts mehr überprüfbar ist: Die Muslime weigern sich, Abrahams Gruft zu betreten, weil Allah jeden mit Blindheit strafe, der die Grabesruhe des Propheten Ibrahim störe. Aus angeblich ähnlichem Grund verhindern orthodoxe Juden jede archäologische Forschung. Mag sein.

Kann es aber nicht auch sein, daß der Spaten Überraschungen ans Tageslicht fördern könnte, die das Gegenteil dessen aussagen, was dem Volk seit eh und je zum Teil des Glaubens gemacht wurde? Ich kann mir nicht vorstellen, daß ein sehr wohlhabender Patriarch wie Abraham, ein ›Freund des Herrn‹, so sang- und klanglos ohne Grabbeigaben und insbesondere ohne Sarkophag und Grabinschrift zur ewigen Ruhe gebettet wurde. Entweder enthielt die Gruft Grabbeigaben und Inschriften, und irgendwer ließ sie verschwinden, weil sie nicht genehm waren … oder Abraham hat nie in der Machpela-Höhle gelegen! Gäbe es nämlich einen unbezweifelbaren Beweis für die Existenz von Abrahams Grab (sowie das seiner Angehörigen) – Machpelas Höhle wäre längst zum nationalen und religiösen Heiligtum Israels erklärt worden, Grabinschriften und Grabbeigaben würden im Nationalmuseum von Jerusalem einem ehrfürchtig staunenden Publikum als religiöser wie nationaler Schatz gezeigt. Da es solche Beweise nicht gibt, verlangt die Logik diesen Schluß: Es war nicht Abraham.

Gräber: Von wem?

Gleiche Feststellungen gelten auch für andere Prophetengräber im Heiligen Land. Jeder Tourist darf in Israel diese Gräber bewundern:

Esau	Moschee von Si'ir/Zior
	Araberdorf nördlich von Hebron
Lot	Moschee von Bnei Na'im
	Araberdorf östlich von Hebron
Josef	Nablus (Sichem oder Shechem)
David	Jerusalem, Erdgeschoß der
	Dormitiokirche auf dem Zionsberg
Samuel	Nordwestlich von Jerusalem, nahe
	dem arabischen Dorf Jib/Gibeon
Gad und	
Nathan	Halhul, nördlich von Hebron
Rahel	Bethlehem

Bei jedem dieser Gräber steht eine blaue Metalltafel mit der Erklärung: Gruft von ... – Einen wirklichen, echten Beweis für das Grab des jeweiligen Propheten sucht man vergebens. Es gibt ihn nicht.

Besonders düpiert kommt man sich vor, wenn Gräber für dieselbe Person gleich mehrmals angeboten werden – wobei die Bewohner des jeweiligen Grabdorfes felsenfest davon überzeugt sind, daß ihre, nur ihre Gruft die echten Gebeine beherberge. Der Prophet Jona ist so ein Typ mit Mehrfachgrab. Er hat mich schon als Kind beeindruckt: Staunend vernahm ich im Religionsunterricht die Geschichte, wie Jona auf seinen eigenen Wunsch von Matrosen ins stürmische Meer geschleudert wurde, um dort von einem Walfisch verspeist zu werden; drei Tage und drei Nächte verbrachte Jona im Bauch des Wals, bevor er putzmunter wieder ans Tageslicht kam (Jona, Kap. 2).

Längst weiß ich, daß die drei Tage und Nächte im Fischbauch nur symbolisch – was ist nicht alles nur symbolisch gemeint! – für die drei Todestage von Jesus vor der Auferstehung stehen. Doch als Erwachsener habe ich auch die Jona-Legende recherchiert und in den jüdischen Sagen [4] erfahren, daß der Walfisch gar kein Walfisch gewesen ist: Jona stieg nämlich in den Rachen des Fisches »wie ein Mensch, der einen Raum betritt« und die »Augen des Wassertieres waren wie Fenster und leuchteten auch nach innen«; selbstverständlich konnte Jona mit dem Fisch reden, und durch die Fischaugen (Bullaugen!) erkannte er im »Licht, gespendet wie die Sonne am Mittag«, alles, was im Meer und auf dem Meeresgrund vorging.

Ja, das Grab dieses vorgeschichtlichen U-Bootfahrers hätte mich schon interessiert, zumal die Jonal-Legende deutliche Parallelen zur babylonischen Oannes-Überlieferung aufzeigt: Dort gab es ein vernunftbegabtes Wesen namens Oannes mit einem Fischkörper; der eigenartige Fisch verfügte über eine Menschenstimme und unterwies die Zweifüßler

Stets mit weißer Schrift auf blauem Grund stehen Tafeln an Gedenkstätten, die behaupten, hier wäre das Grab von XY

in Schrift, Wissenschaft und Städtebau*. Wo aber liegt Jona tatsächlich begraben? Seine Grabstätte gibt es gleich in sechsfacher Ausführung:

1. Mesed   Galiläa
2. Nabi Yunis   Judäa
3. Halhul   Strecke Bethlehem-Hebron
4. Tell Yunis   6 km südlich von Jaffa
5. en nabi Yunis Zwischen Sidon und Beirut
6. Hama   ca. 150 km nördlich von
                  Damaskus, Syrien

Was soll der entnervte Grabbesucher sagen, wenn eine so grandiose Gestalt wie Moses in Israel bestattet liegen soll, da Moses doch nach Thora und Altem Testament das Gelobte Land nie betreten hat? Das Nabi Musa (= Moses-Grab) liegt nur 15 Kilometer abseits der Hauptstraße Jerusalem-Jericho, einige Kilometer Luftlinie entfernt von den Qumran-Höhlen, wo vor 30 Jahren die berühmten Schriftrollen (mit Ergänzungen zur biblischen Genesis) gefunden wurden.

Im 5. Buch Moses, Kapitel 34, sagt der Herr: »*Dies ist das Land, das ich Abraham, Isaak und Jakob zugeschworen habe. Aber dort hinüber sollst du nicht kommen ... und Moses, der Knecht des Herrn, starb daselbst im Lande Moab ... und niemand kennt sein Grab bis auf den heutigen Tag.*«

Verdutzt fragt man, weshalb der Herr Abraham und Isaak ein Land zugeschworen hat, wenn doch diese biblischen Gestalten schon seit Urgedenken in Mambre gewohnt haben. Verblüfft nimmt man eben zur Kenntnis, daß niemand Moses' Grab kennen würde – und steht davor!

Da bekanntlich nicht sein kann, was nicht sein darf, erfanden pfiffige Geister ein Wunder, um Moses eine Ruhestätte im Gelobten Land zu ermöglichen:

Der Sultan Saladin träumte einst, Allah habe die sterblichen Reste von Moses auf die westliche Jordanseite gebracht. Dieser überlieferte Traum reichte aus, um ein Heilig-

---

* EvD: Habe ich mich geirrt? Seiten 128 ff.

Das Moses-Grab wird im Wadi Mousa angenommen, nicht weit von der Straße Jerusalem-Jericho entfernt

tum mit einem Moses-Kenotaphen entstehen zu lassen. 1265 ließ Sultan Baibars über dem Kenotaphen eine Moschee errichten; im 15. Jahrhundert bauten Mamelucken eine prächtige Herberge mit über 400 Räumen neben die Moschee. Geschafft!

Heute pilgern jährlich in der zweiten Aprilhälfte 70 000 und mehr Besucher zum Mosesgrab. Inmitten der kahlen Felsen und ausgedörrten Dünen vermittelt die Moschee mit ihren vielen leuchtenden Kuppeln und Minaretten das Bild einer verschwenderischen Oase. Die Pilger ziehen, andächtig erschauernd, an einem Gitter vorbei, hinter dem ein Kenotaph steht, mit einem grasgrünen Tuch bedeckt. Kenotaph? Der Duden sagt, was es ist: Leeres Grabmal zur Erinnerung an einen Toten, der dort nicht begraben ist. Richtig!

Das heilige Land war geschichtsträchtiger Boden, auf dem sich ab etwa 800 v. Chr. einzigartige und für die großen Religionen der Menschheit entscheidende Ereignisse abgespielt haben. Will man aber etwas packen und präzisieren, das weiter zurückreicht als 800 v. Chr., dann zerrinnen die Dinge wie Sand im Sieb. Es versickern die Spuren der großen Repräsentanten wie Abraham, Melchisedek, Lot, David oder Salomon; dabei müßten von ihnen archäologische Zeugnisse in der Landschaft erhalten geblieben sein. Zu wichtig, zu groß, zu heilig waren diese Propheten! Es wird eingewendet, der geographische Raum, der heute als heiliges Land bezeichnet wird, wäre politisch stets turbulent gewesen, wäre von Kriegen aufgewühlt worden, und diese stetigen Unruhen hätten mögliche archäologische Zeugnisse verschwinden lassen. Mag sein, aber Zweifel bleiben. Denn: Araber und Israeliten verehrten die gleichen Gestalten. Araber hätten bei Kriegszügen alte, ehrwürdige Gräber genauso unversehrt belassen wie die Israeliten. Was im Vorderen Orient gelten soll, müßte auch anderswo in der Welt gültig sein, dort aber überdauerten Tempelruinen, Rudimente von Sportstätten, Gedenksäulen, beschriftete Tontafeln ... und Gräber von Königen und Volkshelden die Zeitläufe. Warum sollte das Heilige Land eine Ausnahme machen?

An der Bar vom King David

Von der enttäuschenden Gräbersuche frustriert, saß ich mißgelaunt an der Bar des noblen Hotels King David in Jerusalem. Ich grübelte vor mich hin, weshalb nur Pseudobeweise für die Existenz altisraelitischer Propheten zu finden sein sollten, als mich ein junger Herr aus meiner Grübelei aufschreckte:

»Tourist?« fragte er.

»Ich bin sozusagen auf der Jagd ...«

»Was gibt es hier schon zu jagen?«

Im Cable code schilderte ich meine erfolglosen Bemühungen, ein echtes Prophetengrab unanfechtbar zu lokalisieren. Der junge Herr hörte höflich zu, runzelte ab und zu die Stirn, sagte dann:

»Ich bin Israeli, meine Eltern sind aus Kanada eingewandert. Die Gräber, die Sie nannten, kenne ich alle, nur tun Sie uns Unrecht, wenn Sie annehmen, wir hätten den Zirkus mit der Gräberverehrung erfunden!«

»Nicht? Hebräisch, Arabisch und Englisch beschriftete Tafeln locken doch die Touristen vor die Gräber!«

»Schon!« lachte der Israeli, »aber diese Gräber wurden ausnahmslos bereits von den Arabern verehrt, als es einen Staat Israel noch nicht gegeben hat. Das Nabi Musa, beispielsweise, das Mosesgrab, ist ein arabisches Heiligtum. Wir Juden glauben kein Wort davon.«

Schweigen.

Dann sagte mein Whiskypartner: »Besuchen Sie doch das Grab Aarons, das von Moses' Bruder. Das ist echt!«

»Und wo liegt das?« erkundigte ich mich.

»In Jordanien, nahe bei der berühmten Felsenstadt Petra.«

In meinem Hinterkopf klickte es. Als junger Bursche hatte ich ein Buch von Johann Ludwig Burckhardt verschlungen: »Reisen in Syrien und dem gelobten Land.« Vage erinnerte ich mich, daß dort – außer einer eindrücklichen Beschreibung von Petra – von einem Aarongrab die Rede gewesen war.

»Waren Sie dort? Haben Sie das Aarongrab gesehen?« provozierte ich meinen Gesprächspartner, von dem ich inzwischen erfahren hatte, daß er Pilot der israelischen Air Force war.

»Ich kann doch dort nicht hin! Mit einem israelischen Paß kommen wir nicht nach Jordanien. Viele meiner Landsleute würden wie ich gerne dem Aarongrab Ehre erweisen. Ich kenne Berichte aus den dreißiger und vierziger Jahren, als mutige Juden versucht haben, das Aaronheiligtum zu besuchen. Keiner kam zurück. Sie sind Schweizer, Sie können hin! Berichten Sie mir, was Sie gefunden haben?«

141

Ich versprach es. Wir tauschten Visitenkarten aus. Der Concierge besorgte mir ein Lexikon. Dort las ich:

Johann Ludwig Burckhardt, schweizerischer Orientreisender und Schriftsteller. Geboren 24. 11. 1784 in Lausanne, gestorben 5. 10. 1817 in Kairo. Seit 1809 bereiste Burckhardt, der zum Islam übergetreten war, Syrien, Palästina, Nordarabien, die Sinai-Halbinsel, Ägypten und 1814 Nubien. Als mohammendanischer Pilger konnte er sich in Mekka und Medina aufhalten, 1812 wurde Petra, die Ruinenstätte und Felsenburg im südlichen Jordanien, von Burckhardt wiederentdeckt.

Die knappen lexikalischen Angaben sagten nichts über das Aarongrab. Anderntags fand ich in der reich bestückten National Library von Jerusalem eine deutsche Ausgabe des Burckhardt-Buches ›Reisen in Syrien und dem gelobten Land‹ [5]. Meine Erinnerung hatte mich nicht getrogen. Die Witterung von Aarons Grab in den grauen Zellen, möchte ich zuerst von meinem Landsmann erzählen, von einem abenteuerlichen Leben, das spannender als ein Kriminalroman ist.

Auf dem Weg zu Aarons Grab

Anfang August 1812.

Burckhardt ist 28 Jahre alt. Er hat sich den Namen Ibrahim Abdullah zugelegt und wieder mal als Scheich verkleidet; seine Tarnung ist perfekt, denn der bärtige Schweizer beherrscht das Arabische wie seine Muttersprache. Aus Liebe zum Orient, aber auch um von den Arabern nicht als Ungläubiger abgelehnt zu werden, war er vor ein paar Jahren Mohammedaner geworden.

In diesem August 1812 wollte er in einem mehrtägigen Kamelritt von Damaskus aus quer durch die – heutige – jordanische Wüste Kairo erreichen. Wie er in seinen Reisenotizen festhielt, war er begierig, das *Wadi Mousa*, das

Oben: *Amman gleicht heute – bis auf Klima und Umgebung – jeder anderen Großstadt*
Unten: *Auf einem der sieben Hügel der alten Stadt liegt die supermoderne Universität von Amman*

Moses-Tal, zu sehen, von dessen legendären Altertümern ihm die Eingeborenen in großer Ehrfurcht und Bewunderung erzählt hatten.

Außerhalb von Amman heuerte Burckhardt einen ortskundigen Beduinen an, der sich aber vor den Gefahren fürchtete, denen sie, nur zu zweit, auf der langen Wüstenstrecke ausgesetzt sein würden. Hartnäckig verlangte der Beduine, Kairo auf dem Umweg über Akaba anzusteuern, weil sie sich auf dieser Strecke einer großen Kamelkarawane anschließen könnten. Gerade Akaba wollte Burckhardt auf jeden Fall meiden: Dort unterhielt der Pascha von Ägypten eine große Garnison und ließ im Umkreis alle Straßen kontrollieren. Mein mutiger Landsmann fürchtete diese Kontrollen, denn er besaß keinerlei arabische Ausweispapiere, schon gar keinen auf den Namen Ibrahim Abdullah. Dafür verfügte der unerschrockene Schweizer über das Temperament eines neugierigen Forschers, dem nichts daran lag, auf ausgetrampelten Kamelpfaden auch nur in die Nähe von Akaba zu gelangen.

Das Ziel: Petra!

Petra rumorte in seinen Gedanken. Im Orient hatte Burckhardt geheimnisvolle Andeutungen über eine rätselhafte Felsenstadt vernommen. Als Student hatte er beim griechischen Geographen Strabon (63 v. Chr. – 26 n. Chr.) Beschreibungen der grandiosen Hauptstadt der Nabatäer, Petra, gelesen, in der alle Häuser in den Fels geschnitten seien, und daß dort ein König regiert habe, der »in großer Masse beständig viele Gelage« veranstaltet habe, wobei »niemand mehr als 11 Becher aus ständig wechselnden, goldenen Geräten« trank [6].

Der griechische Geschichtsschreiber Diodorus Siculus, der im ersten vorchristlichen Jahrhundert lebte, übermittelte Details vom geheimnisumwobenen Ort:

Vor 175 Jahren ritt Burckhardt durch diese ausgedörrten Wüstentäler

»Es befindet sich im Lande der Nabatäer ein überaus fester Felsen mit einem einzigen Aufstieg, auf welchem immer nur wenige hinaufsteigen können, um da die Vorräte niederzulegen ... Dieser Ort war sehr fest, aber mauerlos, und von der bewohnten Gegend zwei Tagereisen entfernt.« [7]

Burckhardt war überzeugt, hier irgendwo müsse in den ausgedörrten Wüstentälern das Land der Nabatäer gelegen haben; aus Reiseberichten wußte er auch, daß am Ende des Wadi Mousa das von den Arabern verehrte, streng gehütete

Im Schatten dieser Burg kämpften die Kreuzritter mit den Muselmanen

Grab des Propheten Aaron liegen sollte. Ja, nur wenige Reitstunden von hier entfernt mußte dieser Aaron ruhen, und kein Europäer hatte je sein Grab gesehen! Dieses Ziel reizte Burckhardt.

Da war aber noch der widerspenstige Beduine! Burckhardt übertölpelte ihn mit einer List: Er könne, sagte er ihm, die Karawanenstraße nicht benutzen, weil er ein feierliches Gelübde abgelegt habe, zu Ehren von Aaron eine Ziege zu opfern. Hinter der sonnengegerbten Stirn des Beduinen grübelte es: Was wog mehr? Seine Angst vor Wüstenräubern oder seine Furcht vor Aarons Zorn? Aaron siegte.

Die beiden Männer ritten sechseinhalb Stunden, bis sie an die Kreuzung der Straßen nach Akaba und ins Moses-Tal gelangten. Kleine Steinhaufen nahe der Kreuzung erklärte der Beduine zum Ort, an dem die Reisenden ihre Ziegen opferten und hernach die Schlachtstätte mit Steinen abdeckten; so solle es der Herr nun auch halten. Burckhardt widersprach: Sein Gelübde verpflichte ihn, seine Opferziege direkt neben Aarons Grab zu schlachten, ein Grab aber sei bisher weit und breit nicht zu sehen.

Der Mut des Beduinen war verbraucht; hier begänne, sagte er, die Landschaft der Altertümer, und Aarons Grab läge jenseits des Tales, dorthin traue er sich aber nicht.

Burckhardt ritt allein weiter.

Stolz und selbstverständlich wie ein richtiger Scheich ritt er in die Ortschaft Eldjn im Moses-Tal ein. Etwa 300 Häuser zählte das von einer Mauer umgrenzte Dorf. Burckhardt wußte, daß es nun lebensgefährlich werden konnte, falls seine Maskerade durchschaut würde. Er hockte sich zu palavernden Händlern, pries Allah, Mohammed und Aaron und erzählte ihnen von seinem Gelübde, am Grab Aarons ein Ziegenopfer darbringen zu müssen; schließlich war ein Eingeborener für ein paar alte Hufeisen bereit, den Scheich Ibrahim Abdullah zu Aarons Grab zu führen.

22. August 1812

Burckhardt und sein dörflicher Cicerone durchritten eine enge, hochaufragende Schlucht, die oft so schmal war, daß sie gerade Raum für einen Reiter bot. Plötzlich aber öffnete sich die Felsenschlucht in einen kleinen Talkessel. Verblüfft starrte Burckhardt auf die mehrstöckige, säulenbewehrte Fassade eines herrlichen Tempels, der in einem Stück aus dem Felsen gemeißelt war. Er vermied es, allzu überrascht und neugierig zu erscheinen und viele Fragen zu stellen. Sein gedungener Führer war nämlich längst mißtrauisch geworden:

»Ich sehe schon, daß du ein Untreuer bist, der eine besondere Absicht mit den Ruinen unserer Vorfahren im

147

Schilde führt. Aber du wirst nicht einen winzigen Teil der verborgenen Schätze wegnehmen können, denn sie liegen in unserem Gebiet und gehören uns.« [8]

Der staunende Schweizer versicherte, es sei nur Bewunderung, die ihn umherblicken ließe. Sein Begleiter blieb argwöhnisch, denn er war – wie alle Bewohner des Moses-Tales – überzeugt, daß hier besondere Kräfte walteten und daß einem wissenden Magier alte Schätze auch dann noch durch die Luft folgen würden, wenn er die Felsenstadt längst verlassen hätte.

Während sie weiterritten, staunte Burckhardt über die gewaltigen Gebäude, die zu beiden Seiten des Moses-Baches aus den Felswänden quollen, so, als ob sie mit den Felswänden verwachsen wären. Burckhardt konnte nirgendwo Mauerwerk erkennen.

In seinen Reisetagebüchern verrät Burckhardt, weswegen er seine Verblüffung zurückhielt:

»Ich kannte den Charakter des Volkes, von dem ich hier umgeben war. Ich war ohne Schutz mitten in der Wüste, wo man vor mir nie einen Reisenden gesehen hatte, und eine genaue Untersuchung dieser Werke der Ungläubigen, wie man sie nennt, hätte leicht Verdacht erregen können, daß ich ein Schwarzkünstler oder Schatzgräber sei. Ich würde wenigstens an der Fortsetzung meiner Reise nach Ägypten verhindert worden sein, und aller Wahrscheinlichkeit nach würde man mich ausgezogen und meines wenigen Geldes beraubt haben, und meines Tagebuches, was mir noch unendlich wichtiger war als das Geld. Künftige Reisende mögen den Ort unter dem Schutze eines Trupps Bewaffneter besuchen.«

Nach Durchquerung des Talkessels und der Felsenstadt ritten die beiden Männer über eine steinige Höhe, die ›Aaronterasse‹ hieß. Vor ihnen funkelte auf der Bergspitze im Licht der untergehenden Sonne ein kleines, weißes Gebäude mit einer im Dämmerlicht gerade noch erahnbaren Kuppel. Aarons Grab! Nur zu gern wäre Burckhardt noch hinaufgeklettert, doch es war zu spät am Tag und sein

Führer argwöhnisch und voller Furcht vor Räubern in der hereinbrechenden Nacht.

Am Fuß des Aaronberges registrierte Burckhardt »mehrere unterirdische Gräber, jedes mit einem in Fels gehauenen und zu ihm führenden Gange.« Er entschloß sich, hier die mitgeführte Ziege zu schlachten. Während aus der Hauptschlagader Blut spritzte, warf sich der Beduine zu Boden und betete lauthals:

»Oh Haroun, siehe auf uns! Für Dich schlachten wir dieses Opfer. Oh Haroun, beschütze uns und vergib uns! Oh Haroun, nimm den guten Willen für die Tat, denn die Ziege ist eine allzu magere!«

Nachdem er das Gebet mehrmals wiederholt hatte, bedeckte der Mohammedaner Rinnsale und Spritzer des Blutes mit Steinen.

Einen Kilometer vor dem Ziel hat Johann Ludwig Burckhardt seinen Vorstoß zu Aarons Grab abbrechen müssen. Das bedauerte er später um so mehr, als er erfuhr, daß es unter der Bergkuppe, auf der das Grab lag, mehrere in den Fels geschlagene Grüfte gegeben hat. Er starb, nur 33 Jahre alt, in Kairo an Malaria.

Aaron, Bruder und Rivale von Moses

Burckhardts Buch »Reisen in Syrien und dem Gelobten Land« hat mich beim Wiederlesen genauso mitgerissen wie damals als junger Gymnasiast. Wieder erregten mich die Schilderungen der Felsenstadt, von der man heute weiß, daß es sich dabei um die von Strabon und anderen frühzeitlichen Schriftstellern erwähnte Nabatäerstadt Petra handelte, die Burckhardt 1812 wiederentdeckte.

Mich faszinierte – und das mehr als bei der ersten Lektüre – der Gedanke an Aarons Grab auf der Bergkuppe. Seit meiner Jugend mit der Bibel vertraut, war Aaron für mich eine der interessantesten Persönlichkeiten, eine schillernde und rätselvolle Figur. War nicht Aarons feierliche Einsetzung schon mysteriös?

Der ›Herr‹ selbst befahl Moses, seinen Bruder zu salben! Moses wusch Aaron, hüllte ihn in seinen Rock und ein Oberkleid, legte ihm einen Gürtel um, gab ihm einen Brustbeutel, in den er die einem Hohepriester zukommenden Steine *Urim* und *Thummin* legte; schließlich setzte Moses seinem Bruder Aaron einen Kopfbund aufs Haupt und befestigte an der Vorderseite ein goldenes Stirnband, das sogenannte Diadem. (3. Mos., 8,1)

Welche besondere Wirkung mag diesem Stirnband innegewohnt haben? Da ›der Herr‹ es sich angelegen sein ließ, die Ausführung seiner Anweisungen höchstpersönlich zu überwachen, mußte es doch wohl eine Funktion haben, die mehr bedeutete als nur ein Schmuckstück zu sein. Ich traue den Steinen Urim und Thummin, die in Konnex mit der Bundeslade in verschiedenen Farben aufleuchteten, eine besondere Wirkung zu. Sie wurden als Orakelsteine gedeutet, die hohen Priestern vorbehalten wurden; wohl auch nicht ohne Grund hatte der Beutel, in dem sie getragen wurden, die Bezeichnung ›Tasche der Entscheidung‹; sie gehörte wesentlich zum Ornat der Wissenden. Zudem wurden die Steine auch als ›Übersetzungssteine‹ bezeichnet, mit deren Hilfe ausgewählte Persönlichkeiten Sprache und Schrift längst vergangener Kulturen zu übersetzen vermochten [9]. Konnte ›der Herr‹ über das Medium des goldenen Stirnbandes, quasi Sende- und Empfangsanlage, dem Aaron Befehle übermitteln und dessen Rückfragen beantworten? Bemerkenswert: Aaron war immer mit von der Partie, wenn es – augenscheinlich – um eher technische Probleme ging. Er war auch der eigentliche Chef des Heiligen Zeltes, in das Moses an jedem Lagerplatz funktionelle Objekte wie die Bundeslade bringen ließ. [10].

Als es zu einer Schlacht zwischen Israeliten und Amalekern kam, gab Moses seinem Heerführer Josua Weisung, ins Feld zu ziehen, während er sich – begleitet von Aaron und Hur – »mit dem Gottesstabe in der Hand« auf einem nahen Hügel postierte. Was darüber die Bibel berichtet, hört sich höchst merkwürdig an:

»Solange nun Moses seine Arme hochhielt, hatte Israel die Oberhand; wenn er aber seine Arme sinken ließ, hatte Amalek die Oberhand. Da jedoch die Arme Moses schwerer wurden, nahmen sie einen Stein und legten denselben unter ihn, und er setzte sich darauf, während Aaron und Hur seine Arme stützten, der eine auf dieser, der andere auf jener Seite. So blieben seine Arme fest, bis die Sonne unterging.« (2. Mos., Kap. 17,11+12)

Was mag es mit diesem ›Gottesstab‹ für eine Bewandtnis gehabt haben? Auf jeden Fall war er von erheblichem Gewicht, denn die Arme des Moses mußten beim Halten des Instruments von Aaron und Hur gestützt werden. Drängt sich nicht das Bild einer Dreiercrew auf – Moses, Aaron, Hur –, die sich mit einer wuchtigen, kriegsentscheidenden Waffe an eine strategische Position oberhalb des Schlachtfeldes begeben hatte?

Moses allein war der Geheimnisträger, kannte die Waffe und konnte sie bedienen, doch schon bald ermüdeten Arme und Hände, so daß seine Begleiter Hilfestellung geben mußten, damit er das Ziel im Visier halten konnte. Hatte Moses die Geheimwaffe genau im Anschlag, siegten die Israeliten, legte er sie ab, rückten die Amaleker vor. Was war denn dieser ›Gottesstab‹ für ein Kriegsgerät? Es läßt sich nur spekulieren – aus heutigem Verständnis. War es ein mit Sonnenlicht betriebener Laserstrahl? Wir werden es nur erfahren, sofern die Waffe oder Teile davon gefunden werden – oder – wenn jene ›Zeitmaschine‹, die durch die SF-Literatur geistert, uns in fernste Zeiten zurückbringen kann. – Fragen aber darf man auch:

Lagern in Aarons Grab vielleicht technische Relikte aus dieser so verschwommenen Epoche? Existieren noch irgendwo die wunderbaren Steine Urim und Thummin? Oder harrt gar irgendwo Aarons aufwendiger Kopfschmuck seiner Entdeckung? Wurde Aaron mit ihm bestattet?

151

Wer war Aaron?

Die ›Jüdische Enzyklopädie‹ befriedigt unsere Wißbegier [11].

Aaron war der älteste Sohn des Hebräers Amram vom Stamme Levi. Moses, sein zweiter Sohn, war drei Jahre jünger und beider Schwester Miriam einige Jahre älter. Aaron, Großenkel des Hohepriesters Levi, übte in seinem Stamm ein priesterliches Amt aus. Während Moses am ägyptischen Hof erzogen wurde, lebte Aaron bei Verwandten im östlichen Grenzland von Ägypten und war als brillanter Redner bekannt. Als Moses vom ›Herrn‹ den Befehl empfing, die Israeliten aus der ägyptischen Gefangenschaft zu befreien, rief er seinen Bruder Aaron zu sich.

Moses war nämlich keineswegs redegewandt, er brauchte einen ›offiziellen Sprecher‹, der dem Pharao die Forderungen Israels überzeugend vortrug. Während der Jahre des Exodus avancierte Aaron zum Stellvertreter von Moses und zum Hohepriester; er stand unter dem besonderen Schutz des ›Herrn der Wolkensäule‹.

Wann immer Probleme auftauchten, die einen technisch begabten Verstand forderten, war Aaron zur Stelle; er galt als Magier, der Vorgänge zu bewirken vermochte, die der Masse wie Wunder erschienen. Einmal, berichtete Moses, schleuderte sein begabter Bruder vor dem großen Pharao seinen Stab auf den Boden, und der verwandelte sich dort augenblicklich zu einer lebendigen Schlange; als die höfischen Zauberer den Trick nachmachten, fraß Aarons Schlange alle anderen auf (2. Mos., 6,10-12). Mit demselben Zauberstab wurden Ägyptens Gewässer in eine stinkende, rote Flut verwandelt, wurden Myriaden ekliger Frösche und widerlicher Stechmücken im Nu zur Landplage im Pharaonenreich.

Spektakulär war schon der Auftritt des Brüderpaares am Hof des Pharao. In den ›Legenden der Juden‹ [12] wurde überliefert, daß Moses und Aaron sich vor der Audienz gefürchtet hätten, doch dann wäre der Erzengel Gabriel erschienen und hätte beide – mitten durch die Wachen – in den Palast geführt. Obwohl die Wachen ihrer Unachtsamkeit wegen streng bestraft worden seien, habe sich der rätselhafte Vorgang am nächsten Tag wiederholt: Moses und Aaron gelangten unbehindert vor den Thron des Pharao. Sie haben den stolzen Herrscher Ägyptens wohl ungeheuer beeindruckt, denn »sie glichen Engeln, ihr Äußeres reflektierte und glänzte wie die Sonne, die Pupillen ihrer Augen war wie das Leuchten des Morgensterns, ihre Bärte wie junge Palmzweige, und wenn sie sprachen, züngelten Flammen aus ihrem Mund.« In der Tat eine fabelhafte Inszenierung.

Einmal befahl der ›Herr‹, Moses solle die Stäbe aller Stammesfürsten einsammeln und über Nacht vor die Bundeslade im Heiligen Zelt niederlegen lassen. Zwölf Stämme hatte Israel, es kamen demnach zwölf Stäbe zusammen, deren jeder den Namen eines Stammes trug. Lediglich auf Aarons Stab – hatte der ›Herr‹ befohlen – sollte nicht dessen Stammesbezeichnung ›Levi‹, vielmehr sein Name Aaron eingeritzt sein:

»Und Moses legte die Stäbe vor dem Herrn im Zelte des Gesetzes nieder. Am anderen Morgen aber, als Moses in das Zelt des Gesetzes trat, siehe, da hatte der Stab Aarons, vom Stamme Levi, gesproßt, hatte Schoße und Blüten getrieben und trug reife Mandeln.« (4. Mos., 17, 8)

Seit Aarons Zeiten ist denn auch ein Stab das unentbehrliche Requisit aller Zauberer, und sie wissen vermutlich nicht einmal, welchem Kollegen sie ihn verdanken.

Über den Verbleib des alttestamentarischen Zauberstabs gibt es verschiedene Meinungen; eine Gruppe von Gelehrten nimmt an, er wäre in die Bundeslade gelegt und mit ihr verborgen worden; eine andere ist überzeugt, der Stab wäre im Grab Aarons deponiert.

Selbst über den Tod des wunderbaren Aaron gehen unterschiedliche Annahmen um. Die ›Encyclopaedia Judaica‹ schreibt, daß Aaron »am ersten Tag des fünften Monats im

153

Alter von 123 Jahren« starb [13]. Leider fehlt eine Jahresangabe. Und so lautet der biblische Bericht über sein Ableben:
»Und der Herr redete mit Moses und Aaron am Berge Hor, an der Grenze des Landes zu Edom... Nimm Aaron und seinen Sohn Eleasar und führe sie auf den Berg Hor. Dann sollst du Aaron die Kleider ausziehen und sie seinem Sohn Eleasar anlegen. Aaron aber wird daselbst zu seinen Stammesgenossen versammelt werden und sterben. Und Moses tat, wie der Herr geboten hatte; sie stiegen vor den Augen der ganzen Gemeinde auf den Berg Hor. Und Moses zog Aaron die Kleider aus und legte sie seinem Sohne Eleasar an; und Aaron starb daselbst auf dem Gipfel des Berges.« [4. Mos. 20,4 ff.]
Ausführlicher, mit vielen Einzelheiten, berichtet die legendäre Fassung [14]. Sie weiß, daß Moses vom höchsten Gott informiert wurde, daß Aaron bald sterben müsse und daß sein Grab auf dem Berg Hor vorbereitet sei. Der unerbittliche, strenge Gott habe Moses gebeten, die Botschaft seinem Bruder zu übermitteln. Erfolglos versuchte Moses, dem Herrn ein längeres Leben abzuhandeln. Aarons Tod war festgelegt – »nicht wegen seiner Sünden, doch durch die Machenschaften der Schlange« [13], was immer darunter verstanden werden mag.

Moses, Aaron und Eleasar stiegen zum Berg Hor empor. Aaron war im Ornat des Hohepriesters gekleidet. Oben angekommen, »öffnete sich vor ihnen eine Höhle, und Moses forderte seinen Bruder auf, hineinzutreten« [14]. Mit einer Notlüge brachte Moses seinen Bruder dazu, die Gewänder abzulegen: »Aaron«, sagte er, »es ist unvernünftig, im Priesterkleid in diese Höhle zu treten, denn es könnte beschmutzt werden. Die Höhle ist sehr groß und enthält vielleicht andere Gräber« [14]. Vertrauensselig folgte Aaron dem brüderlichen Rat, streifte die geweihten Gewänder ab, die Moses – dem Befehl des ›Herrn‹ folgend – gleich Sohn Eleasar umlegte. Mit dem Gewand müssen wohl auch besondere Fähigkeiten verbunden gewesen sein. Da Aaron nackt vor der Höhle stand, war – Himmel hilf! – ein Wunder fällig. Schon während des Entkleidungsaktes schwebten »acht himmlische Kleidungsstücke heran und bedeckten Aaron.« Na also!

Während Moses mit Aaron die Höhle betrat, befahl er Eleasar, draußen zu warten. Der Raum war beleuchtet, ein Tisch stand darin, auch ein Bett, um das herum sich mehrere Engel versammelt hatten. Erst jetzt, in diesem Augenblick, begriff Aaron, daß ihm hier ein Sterbelager bereitet worden war. Nun in Todesangst erschrocken, hatte Moses den Trost bereit, daß er ja nicht wie ein Mensch, sondern »durch einen Kuß von Gott« sterben würde. Aaron fügte sich. Mit Abschiedsworten verließ Moses hurtig die Gruft.

Moses und Eleasar stiegen vom Berg herab. Das Volk erwartete sie und vermißte Aaron. Skeptische Fragen wurden laut. Hatte Moses seinen Bruder aus Eifersucht getötet, weil Aaron beliebter war als er? Oder hatte Eleasar seinen Vater ermordet, um selbst das Hohepriesteramt übernehmen zu können? In die Klemme geraten, rief Moses seinen ›Herrn‹ um Hilfe an. Der war zur Stelle und befahl seinen Engeln, Aarons Totenbett »durch die Luft fliegen zu lassen« [14]. So geschah es, während »Gott und seine Engel auf der Spitze des Berges Hor Aarons Beisetzung zelebrierten« [15]. Eleasar (hebr.) bedeutet: »Gott hat geholfen.« In der Tat! Weniger märchenhaft, doch immer noch wunderlich genug, schildert die islamische Legende Aarons Tod:

»Mousa (= Moses) und Haroun (= Aaron) erblickten einmal eine Höhle, welcher Licht entströmte. Sie gingen hinein und fanden darin einen goldenen Thron mit der Aufschrift: ›Bestimmt für denjenigen, dem er paßt.‹ Da er Mousa zu klein vorkam, setzte Haroun sich darauf. Sofort erschien der Todesengel und nahm seine Seele in Empfang. Er war 127 Jahre alt.« [16]

Es gibt nur ganz wenige derart geheimnisumwitterte alttestamentarische Figuren wie diesen Aaron. Seit ich Burckhardts Reiseberichte wieder gelesen hatte, fragte ich mich: Weshalb kümmert man sich nicht um Aarons Berggruft? Ihre Lage ist doch bekannt. Gab es Beigaben darin? Trug

155

das Grab Inschriften? Ließen irgendwelche Hinweise auf die Art und Weise schließen, mit der die Grabkammer in den Fels geschlagen, vielleicht geschnitten wurde? Gab es hinter der Felsenstadt Petra auf dem Aaronsberg noch andere mumifizierte Leichname? Existierten tatsächlich zwischen den Grabstollen bei der Aaronterrasse unterirdische Verbindungen zu den Grüften auf der Bergspitze, von denen Burckhardt berichtet hatte? Und wenn es nicht Aaron war, wessen sterbliche Hülle wurde dann hoch droben auf dem Berg seit Jahrtausenden von den Gläubigen verehrt?

Ich durchforstete alle erreichbare Literatur über Petra. So gut wie nichts fand ich darin über Aarons Grab. Zwar besuchten in unserem verkorksten Jahrhundert manche Archäologen und Globetrottel Petra, beschrieben die mirakulöse Felsenstadt, einige unterzogen sich sogar der Mühe, den Aaronberg zu erklimmen. Eine auch nur leidlich gründliche Studie über das Aarongrab fand ich nicht, nichts über den Inhalt der Grüfte. Mit Senkblei und Meßband wurde jeder Steinhaufen in Petra kartographiert. Der nahebei liegende Aaronberg fand kein Interesse, schien tabu zu sein. Weshalb? Fürchteten sich die Orientreisenden vor der so leicht verletzlichen Religiosität der Muslims, die das Aarongrab verehrten? Wirkte gar die Aura des mystischen, geheimnisvollen Unbekannten bis in unsere Zeit? Mied man deshalb das Grab?

Dem arabischen Sprichwort – »Erfahrung ist die Brille des Verstandes« – folgend, wollte ich wissen, was es auf dem Aaronberg zu sehen gab. Nein, ich machte mir keine Illusionen, das Rätsel, die Rätsel lösen zu können. Als Pfadfinder im archäologischen Dschungel weiß ich nur zu genau, daß vor dem Ziel ein Gestrüpp von Formularen durchrobbt werden muß, um schließlich Erlaubnisse zum Betreten streng behüteter und bewachter Räume zu bekommen – von Behörden, deren Beamte mit scheelen Blicken jede Kamera beäugen. Oft wird man dann auch durch den finanziellen Aufwand entmutigt. A tout risque! Ich wollte zu Aarons Grab.

156

Ebet als Kopilot

Für eine Reise nach Jordanien gab es keine ernsthaften Schwierigkeiten, doch den Trip nach Petra mochte ich nicht allein machen. Von meinen vielen, oft nicht ungefährlichen Reisen auf allen Kontinenten weiß ich, wie gut es ist, wenn man einen zuverlässigen Kopiloten neben sich hat. So rief ich denn aus Jerusalem meine Frau an; sie ist passionierte Rallyefahrerin, also für den Wüstentrip genau der richtige ›Mann‹. Elisabeth (Ebet) holte einmal tief Luft, sagte, ich solle mich erkundigen, wann der nächste Direktflug ab Zürich in Amman einträfe, und dann solle ich am Airport sein. Ich fand ihre Reaktion prima, ein Einverständnis auf der zuverlässigen Basis einer 28jährigen Ehe.

Von Jerusalem nach Amman sind es nur 83 Straßenkilometer, doch wer die berühmte Allenby-Brücke über den Jordan passieren will, tut gut daran, einen zweiten Paß bei sich zu haben: Stehen ein israelisches Visum oder Stempel im Paß, bleibt für den Reisenden die Grenze versperrt. Vorgewarnt, verfügte ich über einen zweiten, jungfräulichen Paß. Nach viermaligem Umsteigen in vier Taxis erreichte ich das moderne, weitläufige Flughafengebäude von Amman gerade noch rechtzeitig, um Ebet in die Arme nehmen zu können. – Spätnachmittags trafen wir im Hotel Mariott ein, die Zungen klebten unter unseren Gaumen, so heiß war es. Ich bestellte zwei eisgekühlte Biere.

»No alcohol!« sagte ein adrett livrierter Boy mit strenger Miene.

»Kein Alkohol? Sind wir hier nicht in einem modernen Hotel?«

»Ramadan!« tönte die feierliche Stimme.

Ich muß mir endlich einen muslimischen Kalender anschaffen! Im neunten Monat des Mondjahres ist der Fastenmonat Ramadan. Wie soll ein Europäer daran denken? Und kein Reisebüro macht einen darauf aufmerksam. Im Ramadan gibt es vom Morgengrauen bis zum Sonnenunter-

157

gang weder zu trinken noch zu essen, selbst Rauchen ist untersagt. Nachts allerdings werden arabische Nächte gefeiert: Bei Einladungen und Familienfesten wird getafelt. Übrigens: Alkoholische Getränke gibt es auch nach Einbruch der Nacht – offiziell – nicht; in streng nach dem Koran geführten Ländern – Iran, Saudi-Arabien, Libyen – ist Alkohol auch während der übrigen elf Monate tabu: Mohammed hat ihn verboten.

Wir saßen auf der Terrasse des Hotels, der relativ ruhige Ramadantag ging zu Ende. Amman erwachte zu lautem Leben. Von den Minaretten riefen die Muezzine die Gläubigen, lautsprecherverstärkt, zum Gebet. Das letzte Abendlicht – die Nacht fällt hier schnell ein – zauberte einen Hauch von rosarotem Licht auf die Kuppeln der Moscheen, auf Zinnen und Dächer, eine märchenhafte Illustration zu den Märchen aus »Tausendundeiner Nacht«. Im fahlen Licht einer flackernden Tischlampe studierten wir Straßenkarten und beschlossen, ein Auto zu mieten, um über die alte Königsstraße (Kings Highway) Richtung Petra zu fahren; das war eine Strecke von 227 Kilometern, in gemütlicher Fahrt binnen fünf Stunden zu bewältigen.

Ramadan!

Nichts ist mit unserer frühen europäischen Geschäftigkeit! Die Muslims verdauen ihr Nachtmahl bei langem Schlaf. Gegen Elf erschien ein turbanbewehrter Mann, der uns in höflichster Manier einen Wagen vermietete.

Stadtauswärts in südlicher Richtung waren wir schon in einer Viertelstunde auf der doppelspurigen Flughafen-Autobahn, und nach weiteren zehn Minuten an der Abfahrt nach Madaba. Aus englischer Kolonialzeit prangte noch ein Schild *Desert Highway – Kings Highway* an der Kreuzung. Daß wir derart schnell aus der Stadt heraus waren, verdankten wir dem Ramadan: Die Mohammedaner haben es nicht eilig, sie fasten gemächlich vor sich hin. Hier und da schwatzen Männer, alle tragen sie im Dreieck gefaltete weiße oder rotweiß gewürfelte Kopftücher, die mit einer aus Kamelhaarwolle gedrehten Kordel zusammengehalten werden.

Würdevoll nicken sie uns zu, einige winken einen Gruß mit der Hand.

Im Städtchen Madaba, 37 Kilometer hinter Amman, waren die meisten Läden und offenen Stände verkaufsbereit: Die Bewohner gehören überwiegend der römisch-katholischen oder griechisch-orthodoxen Kirche an, für sie gilt der Fastenmonat nicht. Madaba ist des einzigartigen Mosaikbodens wegen berühmt, der 1884 bei einem Neubau der zerstörten Basilika entdeckt wurde. Der 25 Meter lange, fünf Meter breite Mosaikboden ist aus 2,5 Millionen farbigen Steinchen zusammengesetzt und ergibt das Bild einer Landkarte vom byzantinischen Palästina, dazu den Stadtplan von Jerusalem, auch ein Wunder der menschlichen Kunst und des Fleißes.

Im peträischen Felsengebirge

Als die Sonne schon im Zenit stand, tat sich – in hügeliger Wüste die kurvenreiche Strecke fahrend – vor uns eine Schlucht, das Wadi Mujib, auf, das die jordanische Wüste von Osten nach Westen bis zum Toten Meer durchteilt. Natürlich fallen einen hier erinnerungträchtige Gedanken an – an Johann Ludwig Burckhardt, der vor 174 Jahren dieses Tal mit weniger PS durchmessen hat; an die christlichen Kreuzfahrer, die hier in ihren sandverkrusteten, eisernen Rüstungen gegen Muselmanen kämpften. Der britische Oberst Thomas Edward Lawrence, bekannt als ›Lawrence of Arabia‹ organisierte – als Berater von Feisal I., König des Irak (1883-1933) – den arabischen Freiheitskrieg und gewann ihn gegen die Türken, hier in dieser Wüste.

Kurz vor der Kreuzritterburg Kerak, auf einem Hochflächensporn 1050 Meter ü. M. gelegen, winkt uns ein Araberjunge erregt zu, so erregt, daß ich den Wagen stoppe. Der Knabe verbeugt sich am Fenster vor Ebet, eilt um den Wagen herum, um mir mit Händen, Füßen und allen Ausdrucksmöglichkeiten seines braunen Gesichts irgend etwas klarzumachen. Leider verstehe ich seine Gestik nicht. Er deutet auf ein schwarzes, verlottertes Beduinenzelt, das landeinwärts von der Straße aufgeschlagen ist. Der Junge greift mit beiden Händen verzweifelt ins Gesicht, rauft seinen Haarschopf, weist auf sein Herz; er reißt meinen Arm vom Lenkrad, küßt meine Hand. Ebet und ich sehen uns ratlos an. Klar, der Junge bittet um etwas, aber wir wissen nicht, um was. Meine Frau ergreift eine Proviantta- sche vom Rücksitz, von der Hotelküche mit Eiern, Schin- kenbroten, Obst und einem halben gebratenen Huhn ge- füllt, und gibt sie dem Jungen. Nie sahen wir ein Kinderge- sicht so übergangslos von Verzweiflung in den Ausdruck von Glück wechseln! Der Junge spurtete dem Zelt zu, unsere Tasche wie eine Trophäe um sich schwingend. Be- schämt, weil wir nicht ahnten, ob im Zelt noch andere Hilfe nötig gewesen wäre, fuhren wir schweigend weiter.

Diese Wüste war einst Ort des Unverständlichen und der Grausamkeit. Als ich daheim die Reiseeindrücke vom Ton- band nahm und mich beim exzellenten Jordanienkenner Karl-Erich Wilken informierte, las ich diese Schilderung vom Rande unserer Fahrstrecke:

»Von den habgierigen und erpresserischen Scheichs der Huetat-Beduinen ausgeplündert und ermordet, ver- scharrte man die Leichen irgendwo im Wüstensand oder warf sie in eine der abgrundtiefen, unzugänglichen Schluchten des peträischen Felsengebirges, wo sich Geier und Hyänen ihrer erbarmten. In dieser Wüste herrschten vor einigen Jahrzehnten noch andere Gesetze als bei uns, ungeschriebene Gesetze, die die Beduinen-Scheichs be- stimmten. Was sie befahlen, das geschah! Was sie von den Reisenden forderten, das mußte gezahlt werden, und wenn nicht mit Geld, so mit dem Leben!« [17]

Insch-Allah. So Gott will. Wir haben dem kleinen Bur- schen den Wegzoll von Herzen gern gegeben.

Die Berg- und Talfahrt führte an schmalen, fruchtbaren Streifen Landes vorbei, an Beduinenzelten; im Schritt krochen wir hinter einer Kamelkarawanne und Lasttieren, die von einem fast schwarzen Eselchen angeführt wurden; von oben her sahen die Kamele, die Unterlippen weit nach vorn gestülpt, überlegen auf uns herab.

Die gewellten Sanddünen warfen schon graurötliche Schatten, als wir, gegen vier Uhr, die Hügelstadt Shobak mit ihren kleinen Häusern aus Bruchsteinen – in der Gegend gebrochen oder aus verfallenden geschichtsträchtigen Bauten geklaubt – erreichten; auch die mächtige Kreuzritterburg – 1115 von Balduin I., König von Flandern erbaut – hat zwischenzeitlich manch Baumaterial für Häuser und Hütten abgeben müssen. Als wir in der Hitze des späten Nachmittags die Burg ansahen, war uns absolut unbegreiflich, wie die Kreuzfahrer aus nördlichen Regionen solche Temperaturen auf Jahre hin hatten ertragen können; wir dampften auch ohne blecherne Rüstung und trugen nur soviel am Leibe, daß die Muslims sich nicht über unsere westliche Dekadenz erzürnen konnten.

Wir hatten für die Nacht ein sehr gutes Quartier. Das Hotel Petra Forum wurde erst 1983 eröffnet. Wir setzten uns auf die Terrasse und schauten in den blauschwarzen Himmel. Über den violett schimmernden Felsen, die Petra verbargen, hing eine Lichtgirlande von zartrosa Farbe. L'heure rosée. Fern, hoch über den dunkelbraunen Felsschrunden, glitzerte auf einem Berggipfel etwas wie eine strahlende Perle. Ein Kellner sagte uns, das wäre der Dschebel Harun, der Aaronsberg. Mein Reiseziel im Blick, befragte ich ihn nach dem Grab des Propheten Aaron. Ja, das läge dort oben, sagte er, und die leuchtende Perle, die mit der Dämmerung immer mehr verblaßte, das wäre die Kuppel einer kleinen Moschee über dem Aaronsgrab. Ich kam mit Gästen ins Gespräch; es waren Touristen aus aller Herren Länder, die Petra besichtigt hatten. Keiner war auf dem Dschebel Harun gewesen. Niemanden interessierte das Grab des Propheten.

Ebet trat zu mir und drückte mir eine kühle Büchse mit Orangensaft in die Hand. Ach, das war eine gute Idee! Ich setzte sie an den Mund, kostete ... da war eine gute Portion Whisky beigemischt! Drum waren die Gäste rundherum so lustig, so laut, so fröhlich, obwohl sie alle nur Tee getrunken hatten. Nach meiner erfreulichen Überraschung durfte ich wohl annehmen, daß auch der Tee mit reichlich C_2H_5OH getauft war. Insch-Allah!

Mit Machmud unterwegs

Anderntags engagierten wir einen Dragoman, einen sprachkundigen Fremdenführer. Seine Zunft kommt mit vier Namen aus: Machmud, Mohammed, Achmed und Ali. Unser verschmitzter Dragoman hieß Machmud; er beriet uns beim Mieten der Reitpferde: Die Stuten Susanne und Leila fanden sein Vertrauen. So ritten wir zu dritt wie dermaleinst unser Landsmann Burckhardt auf die Schlucht El Sik zu, vor deren Eingang wuchtige, dunkelbraune Steinkuben liegen.

»Welcher Gott hat denn damit gewürfelt?« wollte ich von Machmud wissen.

In fast astreinem Englisch erklärte Machmud mir, daß auf diesen Blöcken einst Statuen des nabatäischen Mondgottes Dushara und der Sonnengöttin Allat gestanden hätten.

Merkwürdig. Der Mondgott Dushara wurde bei den Nabatäern stets als Steinblock oder Obelisk symbolisiert. Seltsam, denn diese Formen fanden im ganzen indischen Raum ihre schier spiegelbildliche Entsprechung. *Dushara* kommt vom arabischen *Dhu-esh-Shera* und bedeutet: ›der von Shera‹. *Shera* werden die Gebirgszüge um Petra genannt. Der Begriff taucht im Alten Testament auf: Dort heißt das Land der Edomiter mit seinen Gebirgen *Seir*, und Seir ist mit Shera identisch. Dazu der Fachmann G. Lankester Harding [18]:

»Jehova wird ›der von Seir‹ geheißen, in anderen Worten die gleiche Person wie Dushara, und Jehova wohnte ebenso in einem Steinblock, oft ›Beth-El‹, das Gottes-

Oben: *Vorm Eingang zur Schlucht El Sik liegen diese dunkelbraunen Steinkuben.* Unten: *Ein dreistöckiges Bauwerk ragt aus dem Felsen* Folgende Doppelseite: *Vier Obelisken reihen sich zum Felsengrab*

haus, genannt. Beiden wurden Altäre auf hohen Plätzen (= Hochaltar) errichtet.«

Nun fesselt ein dreistöckiges, aus dem Felsen herausgearbeitetes Bauwerk den Blick, es erinnert mich gleich an ägyptische Tempel. Zuoberst recken sich vier Obelisken, rechts und links von ihnen neigt sich eine Steinrampe zu Boden; in der Mitte – vor dem Eingang – winden sich Säulenpaare hoch. Es gibt keine Inschrift, keinen Hinweis auf den Sinn des Monuments, es wird schlicht das ›Obeliskengrab‹ genannt. So einfach ist das.

Wir reiten in die Schlucht. Der Auftritt der Pferdehufe tönt klirrend von den Wänden zurück. Streckenweise ist die klammartige Schlucht nur knapp drei Meter breit, die Felsen ragen über 100 Meter empor. Halten wir an, hören wir von irgendwoher – 1,6 Kilometer ist die Schlucht lang – Hufe-

Links: *Wir reiten in die Schlucht ein*

Der Sandstein ist wie von zarten Aquarellfarben durchzogen

klappern. Es ist kühl. Hoch über uns, wo die Felsen sich berühren wollen, fällt durch den Spalt Sonnenlicht ein und zaubert auf den roten Sandstein ein herrliches Farbenspiel in purpurnen, gelben und blauen Adern. Auch die Wände rechts und links zeigen getönte Schichten, wie in buntem Knetgummi in zarten Übergängen gemischt: weiß, braun, grün.

»Steinschlag«, rufe ich Machmud zu, »und man wäre rettungslos verloren!« Nein, erklärt er, Steinschlag wäre hier nie die größte Gefahr gewesen, vielmehr plötzlich herabstürzende Wassermassen hätten für Menschen und Tiere Katastrophen bedeutet; noch 1963 wäre eine 26köpfige französische Reisegesellschaft im El-Sik in den Wasserfluten ertrunken; diese Gefahr sei aber gebannt: Das herabbrausende Wasser würde nun von Mauern aufgefangen und durch einen Tunnel aus uralter Zeit in ein modernes Reservoir geleitet.

An der engsten Stelle der Schlucht verblüfft uns an der gegenüberliegenden Seite – wie durch den Spalt eines Vorhangs grell beleuchtet – in rötlichem Licht die barock anmutende Fassade eines riesigen Palastes.

»Khazne Fara'un, das Schatzhaus des Pharao«, sagt Machmud. Man bleibt stumm vor dem überwältigenden Bild. Dieses riesige Monument wurde aus der stark eisenoxydhaltigen Felswand herausgeschnitten, gehämmert, gemeißelt. Nirgends die geringste Spur von künstlich aufgeschichteten Steinen, keinerlei Fugen von Säulenteilen. Man kann nicht einmal sagen: Wie aus einem Guß, es muß heißen: aus einem Stück. Zwölf Meter hoch sind die Säulen im Parterre, sie tragen einen sechs Meter hohen Fries mit dem Symbol der ›zauberreichen‹ ägyptischen Göttin Isis: eine Scheibe zwischen zwei Hörnern. Darüber, im ersten Stock sozusagen, türmen sich sechs korinthische Säulen, steht oben, in 40 Metern Höhe, auf einem mit rundem Dach gedeckten zierlichen Bau, eine große, steinerne Urne. Was mag sie enthalten? 1967 schrieb Karl-Erich Wilken [17]:

»Urnenverschlossen ruht in ihr die Seele des Königs, nicht tot, sondern geheimnisvoll lebendig ... Wie oft haben Fassadenkletterer versucht, bis zur Urne hinaufzugelangen, um den sagenhaft großen Kronschatz des Königs, den Aretas kurz vor seinem Tod mit einem geheimnisvollen Zauber in der Urne verschlossen haben soll, zu plündern? Aber jeder, der es wagte, bis zur Urne hinaufzuklettern, erreichte nie sein Ziel, stürzte herab und lag zerschmettert vor dem Eingang des Grabtempels.«

Durch das Portal betreten wir das Schatzhaus. Die Wände sind kahl. Vom rechteckigen Vorraum zweigen Gänge ab, die zu Kammern führen. Der zentrale Raum hat drei Nischen, in denen Sarkophage gestanden haben können. Ob

Rechts: *In rötlichem Licht die fast barock anmutende Fassade des üppigen Palastes*

es so war, bleibt eine Annahme – wie die Aussage, beim Schatzhaus handle es sich um das »Mausoleum eines späteren Nabatäerkönigs« [19].

Nur einen Steinwurf vom sogenannten Schatzhaus entfernt, ist rechter Hand ein enormes, fast quadratisches Loch in den Felsen gestemmt worden; in der – etwas nach links versetzten – Decke ist ein dunkelroter Kreis erkennbar. ›Ornamentik‹ ist alles, was die Fachliteratur darüber zu sagen weiß. Eine derart wüste Arbeit für eine reine Verzierung?!

Unser Ritt führt an einem viele Tonnen schweren Kubus vorbei, der in der Diagonalen auf einer Ecke balanciert. Man kommt aus dem Wundern nicht heraus.

Wir reiten in den Talkessel ein, in dem die monumentale Stadt Petra liegt; sie dehnt sich auf einer Fläche von reichlich einem Kilometer Länge bei etwa 800 Metern Breite – in 925 Meter Höhe ü. M. – aus. Mit den herkömmlichen Worten

Dieses riesige Monument wurde aus der lotrechten Felswand regelrecht herausgeschnitten

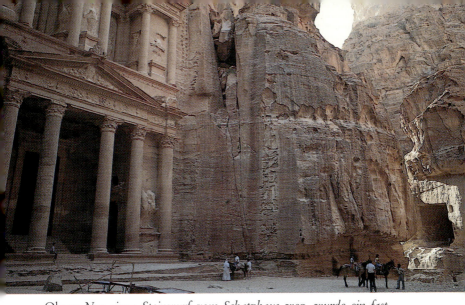

Oben: *Nur einen Steinwurf vom Schatzhaus weg, wurde ein fast quadratisches Loch in den Felsen gestemmt*
Unten: *Vier Tonnen schwer ist der Kubus, der in der Diagonalen auf einer Ecke balanciert*

und Begriffen zur Beschreibung einer Stadt ist Petra nicht vorstellbar zu machen. Petra ist eine phantastische Orgie im Fels!

Devot, fast entschuldigend, tat Machmud kund, daß wir nun die Pferde zurücklassen müßten, falls wir zum Heiligtum Ed-Deir aufsteigen wollten, es gäbe für Reittiere viel zu steile Stufen. Also marschierten wir in das von rosenroten, weißen und gelben Oleanderblüten duftende Tal in nördlicher Richtung. Dann wurde das Tal eng, aus dem in der Tat steilste Stufen in überraschend eckigen Wendungen aufwärts führten. Keuchend und verschwitzt, nahmen wir im Vorbeigehen am Rand des Höhenpfades das ›Löwengrab‹ – zwei Löwenreliefs vor einem Eingang – zur Kenntnis.

Unten und Seite 173: *Ansichtskarten aus der Felsenstadt Petra*

Hier war und ist – wie es in klugen Büchern steht – kein Grab. Längst weiß man, daß der Ort falsch benannt wurde, aber auch in Büchern überdauern derartige Relikte die Zeiten.

Ein Schatz für Allah

Wir waren über viele hundert Meter Felspfade gestapft, hatten auch beträchtlich an Höhe gewonnen, als wir über eine kleine Plattform den Felsentempel Ed-Deir erreichten, ein Name, der ›Kloster‹ bedeutet. Es wird vermutet, daß

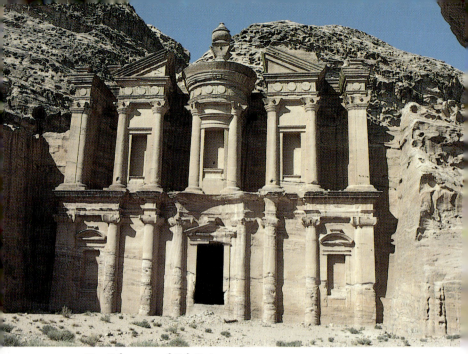

Der Felsentempel Ed-Deir...
... und ein Opferplatz in den Bergen bei Petra

das Bauwerk dem zum Gott erhobenen nabatäischen König Obodat III. gewidmet worden war. Die Front von Ed-Deir ähnelt der des Schatzhauses des Pharao; die Tempelfassade mißt 40 Meter in der Höhe, 47 in der Breite, hat also die Ausmaße eines stattlichen modernen Bankpalastes.

Ganz oben steht die neun Meter hohe Urne, deren Geheimnis über die Jahrtausende bewahrt blieb, niemand hat je hineingeschaut. Ich fragte Machmud. Er hob wie in Zeitlupe die Schultern, sah einen Moment gen Himmel. Insch-Allah. Nur Gott weiß es. Machmud wußte uns nur zu sagen, was darüber seit alter Zeit in seinem Volk umging: Moses und seine Israeliten hätten einen Schatz mitgebracht. »Man sagt«, resignierte Machmud, »hier irgendwo bei Petra liegt dieser Mosesschatz, und Allah wird ihn eines Tages abholen ...«

Nahe dem Aaronberg

Von hier oben aus sahen wir ins 1000 Meter tiefer gelegene Wadi Araba und südlich, schon ganz in der Nähe, unser Ziel, den Aaronberg. Aus wolkenlosem Himmel fragte Ebet unseren Dragoman:

»Bist du ein sehr gläubiger Muslim?«

Machmud schmunzelte:

»Ein gläubiger schon, aber kein guter ...«

»Nicht? Warum nicht?«

Machmuds dunkle Augen blinzelten vergnügt aus dem gegerbten Gesicht:

»Ich faste zu wenig ... und übertrete manchmal das Verbot des Propheten. Ich mag Alkohol ...«

Nach einer Denkpause, wie sie nur Frauen setzen können, deutete Ebet auf die weiße Kuppel drüben auf dem Aaronberg:

»Kannst du uns dort hinaufführen?«

Machmud kraulte sich verlegen hinterm Ohr:

»Das wird teuer! Sie müssen für drei Pferde und für mich einen ganzen Tag bezahlen, und wenn Sie Ihre Kameras mitnehmen, noch für ein viertes Pferd und einen Pferdejungen ...« Er schaute uns prüfend an, ob wir jetzt abwinken würden. Wir hörten ihm zu. Dann fügte er an:

»Außerdem müssen Sie dem Grabwächter ein gutes Bakhschisch geben und Harun eine Opfergabe ...«

»Meinetwegen«, schaltete ich mich ein, denn in arabischen Ländern schließen Männer die Geschäfte ab. »Kann ich da oben fotografieren? Du sagst, wenn wir Kameras mitnähmen ...«

»Nicht im Heiligtum!« erhob der Dragoman abwehrend seine Hände. »Die Ruhe des Propheten darf nicht gestört werden!«

»Dürfen Frauen zum Grab Aarons?«

Machmud bedachte mich mit einem gequälten Blick, sah dann lange meine Frau an und entrang sich schließlich die Sentenz, die immer paßt: »Insch-Allah!«

Wenn man auch den Gedankenwindungen der Leute hier nicht zu folgen vermag, spürte ich mindestens, daß die Chancen nicht völlig aussichtslos waren. Wenn Allah es will ...

Ich ließ Machmud Zeit, den Ritt vorzubereiten.

Nachdenken in Petra

Es ist nicht meine Absicht, einen Reiseführer oder ein Geschichtsbuch über die Felsenstadt Petra zu verfassen, diese Literatur gibt es, darin sind die geklärten Sachverhalte nachzulesen. Mir geht es, wie immer, um die ungeklärten Fragen. Ich kann mir – wenn auch oft gescholten – diese andere Optik leisten. Nur am Rande gilt mein Interesse der jüngeren Geschichte, also nicht so sehr den Zeitläufen, in denen Römer, Griechen oder Kreuzritter Petra heimgesucht haben. Meine Neugier gilt der Frage nach dem Ursprung

der Stadt, ihren legendären Helden und Gottesdienern wie
Moses und Aaron. Ich möchte begreifen, aus welchem Im-
petus Menschen einst eine ganze Stadt in den Felsen getrieben haben – oder – aus dem Felsen schlugen; ich möchte
die Motive erfahren, was Menschen glauben machte, Gott
existiere in einem Felsenwürfel (Beth-El = Gotteshaus)
oder er wäre in einem steinernen, obeliskenähnlichen Objekt (Lingam = Feuersäule) vom Himmel niedergefahren.
Was trieb seit Jahrtausenden die Menschen dieses weiten
Raumes dazu, auf Berggipfeln Kontakt mit himmlischen
Wesen zu suchen? Warum errichteten sie unter unvorstellba-
ren Opfern und Arbeitsleistungen auf höchsten Bergen
Altäre, warum schleppten sie die Opfergaben dort hinauf?

Die Erklärung, der Himmel habe halt von Anfang an
hoch ›oben‹ über den Menschen gethront, deshalb strebten
sie nach dem Unerreichbaren, ist mir zu einfältig. Sie reicht
doch wirklich nicht aus, begreifen zu lassen, weshalb Menschen rund um den Globus ›Götter‹ herniederfahren sahen,
keine ephemeren Traumgestalten, sondern Wesen, die mit
ihnen sprachen, sie unterrichteten und belehrten, sie mit
technischen Geräten beeindruckten. War Moses denn ein
SF-Autor, wenn er beschrieb, der ganze Berg Sinai habe
geraucht und gebebt, weil der Herr herniederfuhr? (2. Mos.,
24,16 ff)

Was soll's denn, bitte, gewesen sein? Ein Naturereignis?
Ein Gotteswunder? Ein von Priestern inszenierter Zauber?
Eine Massenpsychose? Ich habe zu viel Respekt vor der
Heiligen Schrift. Und lese bei Moses, 2. Kap. 19,23 ff:

»Das Volk kann nicht auf den Berg Sinai steigen, denn
du hast uns bezeuget und gesagt: mache ein Gehege um
den Berg. Du und Aaron sollen hinaufsteigen ... aber die
Priester und das Volk sollen nicht hereinbrechen ... daß
ich sie nicht zerschmettere ...«

Mir kommt es fast wie Lästerung vor, wenn unterstellt
wird, Gott habe vor seiner Niederkunft »ein Gehege um
den Berg« bauen lassen müssen, um keinen Flurschaden
anzurichten. Naturereignisse haben seit je die unangenehme

Eigenschaft, sich unangemeldet auszutoben. Nein, ich nehme Moses beim Wort und deshalb auch ab, daß der Herr ihm konkret befahl, das Volk vom Berg – von der Landestelle – fern zu halten, weil er es sonst »zerschmettern« würde.

Es ist zu grotesk, daß mir just jene Kritiker – die jedes Bibelwort für heilig und von Gott inspiriert deklarieren – vorwerfen, ich würde alles zu wörtlich nehmen. In der Tat! Ich nehme die biblischen Überlieferungen dort als Fakten, wo sie *erkennbare Ereignisse* schildern.

Der griechische Philosoph und Arzt Alkamaion aus Kroton schrieb im fünften vorchristlichen Jahrhundert: *Die Menschen gehen deshalb zugrunde, weil sie den Anfang nicht an das Ende anknüpfen können.*

Dieses Handicap menschlichen Denkvermögens grassiert anscheinend zweieinhalbtausend Jahre später immer noch.

Genealogie, Topographie, Historie von Petra

Die Hauptstadt des Nabatäerreiches wurde 312 v. Chr. erstmals erwähnt: Der griechische Historiker Diodorus Siculus berichtete von einem Überfall auf die Nabatäer, den Antinogos, der Einäugige, Herrscher von Kleinasien, mit 4000 Fußsoldaten und 600 Reitern unternahm. Die Nabatäer blieben Sieger; sie lockten die Feinde in Fallen oder ließen sie in der Wüste verhungern.

Bisher sind die Namen von elf Nabatäerkönigen bekannt, die das Reich bis 106 v. Chr. regiert haben; später wurde es vom römischen Kaiser Trajan (53-117 n. Chr.) annektiert und zur ›Provincia Arabia‹ gemacht.

Ihren Hauptgott Dushara, den ›Herrn der Schera-Berge‹, haben sich die Nabatäer »von Anfang an himmlisch, außerirdisch und gestaltlos« vorgestellt [20]; er lebte in einem Stein und wurde auf Berggipfeln verehrt. Zu Dusharas Ruhm wurden Pfeiler und Obelisken erreichtet. Noch heute

Wir ritten am Amphitheater vorbei, das einstmals 8000 Zuschauer faßte

stehen uralte Pfeiler im Amphitheater von Petra, das, notabene, 8000 Zuschauer gefaßt hat. Auf dem ›Obeliskenberg‹ schliffen die Nabatäer eine Felskuppe plan zu einer Terrasse: Zwei sieben Meter hohe Obelisken ließen sie – wie aus dem Fels gewachsen – stehen: mahnende Symbole für Gott Dushara und seine Gespielin Allat, die mit dem Planeten Venus in Verbindung gebracht wurde.

Woher kamen die Nabatäer? Eindeutig aus jenem geographischen Raum des heutigen Saudi-Arabien/Jemen, in den Professor Salibi die Schilderungen des Alten Testaments verlegt hat. Sowohl in Jemen wie in Saudi-Arabien findet

Auf dem ›Obeliskenberg‹ wurde eine Felskuppe plan zu einer Terrasse geschliffen, nur der Obelisk reckt sich, an Gott Dushara gemahnend, gen Himmel

man typisch nabatäische Bauten, wie sie in Petra stehen könnten. Berühmt sind im nordwestlichen Saudi-Arabien die nabatäischen Felsgräber von Madain Salih: Dort wie in Petra sind die Tempel mit Säulen und Aufbauten in einem Stück aus dem Felsen geschnitten. Hier wie dort befinden sich über den Tempelfriesen Urnen oder Falken mit gespreizten Flügeln. In Petra endet wie in Madain Salih das oberste Stockwerk der Felsentempel in Stufen, die aufwärts steigen – Treppen zum Himmel, über die fliegende Gäste quasi nur in die irdischen Niederungen herabzusteigen hatten.

Die Nabatäer, Meister der Felsbearbeitung, waren vermutlich nicht einmal die ursprünglichen Bauherren von Petra, sie beerbten das viel ältere Volk der Edomiter. Petra trug auch nicht allezeit diesen Namen. Flavius Josephus, Zeitgenosse von Jesus, schrieb im ersten Buch seiner ›Jüdischen Altertümer‹, zu Zeiten von Moses habe die Felsen-

stadt den Namen Arke getragen – eine Feststellung, der der Kirchenvater Hieronymus von Bethlehem widersprach: Er wußte, daß ›Sela‹ der älteste Name der Stadt gewesen war. ›Sela‹ steht für ›Fels‹, und dann wäre Sela mit der sinngemäßen Übersetzung von Petra identisch.

Die Edomiter, Vorfahren der Nabatäer, stammten vom biblischen Stamm Esau ab, eine Familie mit einer verworrenen Geschichte, die ich jedoch festhalten muß, weil deren Abstammungslinie wieder auf Götterabkömmlinge hinweist:

Isaak, Sohn von Erzvater Abraham, zeugte die Söhne Esau und Jakob. Esau war der ältere Sohn und also erstrangiger Erbe. Daraus machte Esau sich nichts, bis ihm eines Tages ein Licht aufging: Müde von der Feldarbeit heimgekehrt, hatte sein kleiner Bruder ein verführerisch duftendes rotes Linsengericht zubereitet. Hungrig, wollte Esau sich darüber hermachen. Jakob verwehrte ihm das Mahl, bis Esau auf sein Erstgeburtsrecht verzichtet hatte. Die Ränke wurden noch perfider: Als der blinde Vater nach guter Tradition den Erstgeborenen segnen wollte, täuschten ihn sein Weib Rebekka und Jakob. Der Greis segnete Jakob! (1. Mos., 27,1 ff) Verständlich, daß der um sein Erbe geprellte Esau nichts mehr von seiner Familie wissen wollte.

Aber: Damals war der ›Herr der Wolkensäule‹ noch allgegenwärtig; er schenkte Esau »das Gebirge Seir« (5. Mos., 2,5) als Wohnstatt. Darum siedelten Esaus Nachkommen, die Edomiter, im Grenzgebirge des heutigen Jordanien/ Saudi-Arabien. Die Bibel gab diesem Volk viele Namen: Söhne Esaus – Söhne Seirs – Töchter Edoms ... und Edomiter.

Die phönizische Sage weiß, daß Esau ein direkter Nachkomme aus dem Göttergeschlecht der Titanen gewesen ist und »mit den himmlischen Mächten kämpfte« [21]. Während die Bibel Esaus Tod nicht erwähnt, stattete die phönizische Sage ihn mit einem von Wundern begleiteten Begräbnis auf einem Felsgipfel aus.

Zu den Pseudepigraphen des Alten Testaments – Texte,

die nicht ›kanonisiert‹ wurden, also offiziell nicht zum Alten Testament zählen – gehören die Testamente der zwölf Patriarchen. Eins davon ist das Testament Juda, des vierten Sohnes von Jakob und Lea. Wie viele Überlieferungen liegt diese Schrift in Ichform vor.

Juda erzählt von seiner Geburt, seiner Jugendzeit und seinen Kämpfen. Mit echtem Erstaunen erfährt man, wie Juda gegen den Riesen Achor kämpfte, »der vorne und hinten vom Pferd Geschosse schleuderte« [22]. Schließlich berichtete der Icherzähler, daß sein Vater 18 Jahre lang mit seinem Bruder Esau in Frieden gelebt habe, dann erst wäre Esau mit starkem Volk gegen seinen Bruder Jakob in den Kampf gezogen. »Und Jakob jagte Esau mit dem Bogen, und Esau wurde tot aufgehoben im Gebirge Seir.«

Befindet sich auch Esaus Grab auf einem der Berge um Petra? War etwa seine Gruft – verbunden mit dem Glauben an ewiges Leben und Wiedergeburt – ursprünglich der Grund, weswegen Freunde und Nachkommen in seiner Nähe begraben werden wollten? In der Tat stellte der Anthropologe Philip C. Hammond [23] fest, daß »die Totenmonumente von Petra die komplexesten und offensichtlichsten Bauwerke für jeden, der den Ort besucht«, sind.

Seit Menschen auf der Erde lebten und starben, wollten sie dort beigesetzt werden, wo auch die Väter ruhten; ihnen traute man zu, daß sie den rechten Weg im jenseitigen Leben weisen würden, ihnen wollte man nahe sein, wenn der ›Engel‹ zur Wiedergeburt rief. Dieses Verlangen, auch im Jenseits nahe beieinander zu sein, könnte die ungeheure Arbeitsleistung, die in die Felsengräber investiert wurde, erklären; eigentlich sind sie Zeugnis genug für das »Bedürfnis, eine geeignete Behausung für diejenigen zu schaffen, die in der anderen Welt weiterleben«. [24]

Von Anfang an hatten die Edomiter eine andere Gottesvorstellung als ihre jüdischen Brüder. Esau und Jakob hatten in der Familie des Erzvaters Isaak die gleiche religiöse Erziehung genossen; es wäre anzunehmen, daß sie die ›reine Lehre‹ weitervermittelten.

So war es aber nicht. Den Edomitern war ihr Gott eine sichtbare, wirkende Gestalt – keine abstrakte Vorstellung wie der jüdische Gott Jehova. Während die Edomiter sich vor der realen Nähe des »Allmächtigen in der Wolkensäule« fürchteten, lebten die Juden wie selbstverständlich mit ihrem unsichtbaren Gott: »Die Juden waren entgeistert über die edomitische Gottesvorstellung ... für sie war das nichts anderes als Atheismus.« [25] Daß Esau zu einer anderen Gottesvorstellung fand als sein Bruder Jakob, läßt sich wohl in dem Jugenderlebnis begründen, als er in der Präsenz des allgegenwärtigen Gottes schäbig betrogen wurde.

Was hat das alles mit Petra zu tun?

Nun, falls die Edomiter in der ersten Felsengruft ihren Stammvater Esau beigesetzt haben, hätten sich – logischerweise – spätere Stammesfürsten in der Nähe bestatten lassen, und damit könnte Esau, postum, der Gründer der Felsenstadt in der Wüste geworden sein.

Ritt zum Aarongrab

Machmud kam nach einigen Tagen mit der augenzwinkernd mitgeteilten Botschaft zu uns, der Grabwächter habe sich auf eine Pilgerfahrt nach Mekka begeben; das sei für unser Anliegen von Vorteil, weil dessen Weib bei weitem nicht von der ehemännlichen Sturheit wäre und nun Schlüsselträgerin sei. Mit einer Dose ›Orangensaft‹ prosteten wir uns auf ein gutes Gelingen zu.

Vier Pferde, Machmud und ein Pferdejunge erwarteten uns in der Morgenfrühe des nächsten Tages auf der kargen Weide hinter dem Hotel.

Durch die Schlucht El-Sik, am Amphitheater vorbei, ritten wir den Hang hinauf. Felsformationen schillerten mal in Formen von Platten oder Krokodilpanzern, mal verliefen sie in lupenreinen, roten, weißen, blauen und gelben Adern. Wir überholten Kinder, die, an einem Stock auf den Schul-

Zuletzt führte der Ritt zum Aarongrab durch Felskamine, Riffe und über steile, in den Felsen geschlagene Stufen

tern, Wasserkübel trugen, sahen Frauen in schwarzen Gewändern, die uns aus Beduinenhöhlen zuwinkten – vor uns, im Südosten, immer den Blick auf den majestätischen Doppelgipfel des Dschebel Harun, von dessen Spitze ein fast weißes Gebäude wie eine kostbare Perle blinkte.

Der Felsenpfad ist so schmal, daß die Tiere in Kolonne eben noch Platz hatten. Ortskundig, wie sie sind, setzten sie ihre Hufe traumwandlerisch sicher. Eine lange schwarze Schlange ringelte sich über die Steine, die Pferde blieben stehen und schnaubten, als wollten sie ihre Reiter warnen. Schlangen und Skorpione, sagte Machmud, seien hier oben nicht selten. Später, Ebet und ich bemerkten es erst, als Machmud mit ihr in lautem Disput war, hatte sich eine Frau mit einem fast verwitterten Männergesicht, auf einem Esel hockend, in unseren Troß eingereiht. »Das ist das Weib des Grabwächters!« rief Machmud uns zu.

Das letzte Drittel zum 1330 Meter hohen Gipfel war für ungeübte Reiter schwierig; mehrmals boten Ebet und ich an, abzusitzen, um Susanne und Leila am Halfter zu führen. Machmud lehnte das ab, die Pferde seien die felsigen Saumpfade gewöhnt.

Das Panorama sah aus wie eine phantastisch-unwirtliche Marslandschaft: Aus sandigen Wüstentälern reckten sich schwarze oder dunkelbraune, scharfkantige Felsensporne, über uns ein saphirblauer Himmel, den orientalische Dichter seit eh und je priesen.

Etwa hundert Meter unter dem Gipfel gelangten wir auf eine kleine, von Menschenhand plan abgetragene Fläche. Machmud band die Pferde an einen dürren, fast versteinerten Ast, die alte Hausmeierin hüpfte vom Eselsrücken und lief behende zu einer Ecke des Plateaus hinüber, wo irgendwelche Ruinen zuhauf lagen, sie verschwand in einer Felsnische, kehrte aber bald mit einer orangefarbigen Plastikkanne und einem Seil zurück. Ich erinnerte mich an den österreichischen Orientalisten Alois Musil (1868-1944), der im Herbst 1900 hier oben weilte; er hatte seine Pferde »unweit von einigen dort befindlichen Kupferkesseln« [26] angebun-

186

den: So ändern sich die Zeiten: Kunststoff hatte Kupfer
abgelöst.

Die Alte senkte die Kanne in ein Bodenloch, hievte sie –
mit kühlem, klarem Wasser gefüllt – wieder ans Licht. Eine
Zisterne in dieser Höhe, hundert Meter unter dem Gipfel!
Das war in diesem Gebiet wirklich nichts Alltägliches. Hier
kam es nur sporadisch zu kurzen Regengüssen. Die Zisterne
war in den Fels gehauen worden, um die hier einst tätigen
Steinmetze zu versorgen!

Machmud lief zur Nordwestseite der Felswand, winkte
dem Pferdejungen zu, ihm mit unseren Kameras zu folgen.
In dieser Sekunde fing die Alte an, im schrillsten Diskant
zu zetern. Über ihrer grellen Stimme dröhnte der Baß des
Dragomans. An den schadenfrohen Augen des Pferdejungen
erkannten wir, daß er mit frechen Einwürfen die Auseinan-
dersetzung befeuerte. Machmud, ganz Würde und stolzer
Wüstensohn, teilte uns in ruhigem Ton mit, die Alte unter-
sage uns den Gang zur Grabmoschee, sofern wir die Foto-
apparate nicht bei den Pferden zurückließen. Dezent blätterte ich mit Banknoten und spürte förmlich den begehrli-
chen Blick des runzligen Weibes auf meinen Händen; gleichwohl erwies sie sich – was im Orient viel heißt! – als
unbestechlich. Ich zeigte mich fügsam, ließ aber, Allah sei
mir gnädig!, unbemerkt eine Minox in der Hosentasche
verschwinden. Die Alte, nun wieder in ihrem Seelenfrieden,
stapfte Stufe um Stufe vor uns hinauf. Wir kletterten hinter-
her, und Machmud, ganz unser Hüter, setzte sich ans Ende
unserer kleinen Gesellschaft. Der Aufstieg war schweißtrei-
bend, weil die Stufen zu hoch waren, um mit einem Schritt
genommen werden zu können. Schwindelerregend steil ging
der Blick ins Tal hinunter. Dort unten hatte Burckhardt vor
174 Jahren seine magere Ziege geschlachtet, er hatte den
Aufstieg nicht geschafft.

In einer steilen Kehre hielten wir für einige Atemzüge an.
Der Fels um uns herum zeigte überall deutliche Spuren
einer Bearbeitung. Was immer dort oben stehen mag, um
ein wichtiges Heiligtum muß es sich gehandelt haben, sonst

Keuchend erreichten wir die planierte Kuppe...

hätte diese Schufterei von Steinmetzen keinen Sinn gehabt. Keuchend erreichen wir eine planierte Fläche auf der Kuppe – vor uns die kleine Moschee, etwa 14 Meter lang, sieben Meter breit, weiß getüncht. Über dem Flachdach wölbte sich die weiße Kuppel, die wie eine Perle zu uns auf die Hotelterrasse heruntergeleuchtet hatte.

Aarons Grab?

Die Wächterin fummelte aus den Falten ihres schwarzen Gewandes zwei große, klobige Schlüssel und schob sie ins Schloß, kramte dann aber noch einen dritten Schlüssel hervor, ein Monstrum, wie ich es noch nie gesehen hatte: Ein Ding von mindestens 15 Zentimetern Länge mit einem Schraubengewinde, sie setzte es in ein rundes Loch und drehte und drehte, die Tür knarzte, ächzte in den Angeln und öffnete sich. Nun ließ sich die Alte im Schneidersitz nieder und murmelte vor sich hin. Ich beobachtete, wie Machmud sich seiner staubigen Schuhe entledigte und tat

… und sahen die kleine Moschee mit ihrer blendend weißen Kuppel

es ihm nach. Gespannt wartete ich ab, wie sich die beiden Muslims Ebet gegenüber verhalten würden; so, wie Ebet in Jeans, Windjacke, mit weißem Schlapphut und kurzgeschnittenen Haaren dastand, war sie nicht unbedingt als Frau auszumachen, wenigstens für die Alte nicht. Wie der Blitz fiel mir ein, daß Ebet – seit sich die Alte uns anschloß – kein Wort gesprochen hatte. Raffiniertes Ding, dachte ich. Ebet entledigte sich der Schuhe und folgte mir in großer Selbstverständlichkeit. Aus den Augenwinkeln beobachtete ich, wie die Alte ihr ein bißchen erstaunt nachschaute.

Als erstes betrachtete ich an den Wänden der schummrigen Moschee drei farbenreiche Teppiche mit Motiven aus Mekka, die Kaaba und die große Moschee, eine Hommage an den Geburtsort Mohammeds. Machmud nutzte die Gelegenheit zu einem lauten Gebet mit dauernden, rythmischen Verbeugungen gen Mekka.

Meine Blicke durchforschten neugierig und erwartungsvoll den etwa acht mal vier Meter großen Raum. Die gewölbte Decke ruht auf zwei viereckigen Pfeilern. Nahe der Eingangstür, rechts von mir, ein wie zu Beisetzungsfeierlichkeiten hergerichteter Kenotaph, unter der weiß-rot-grünen

Flagge des Islam mit kreischend grünen Seidentüchern drapiert.

Lähmend fuhr mir Enttäuschung in die Glieder. War das alles von Aarons Grab? Dafür die körperlichen Anstrengungen? Dafür der ziemliche finanzielle Aufwand? Reichte dieses Pseudograb für den Jahrtausende währenden Rummel um den Propheten Aaron? Warum denn dieses Heiligtum auf der Bergspitze, errichtet auf Plattformen, zu denen mühevoll in den Fels gehauene Stufen führten? Ich war nicht gewillt, den Rückzug anzutreten, bevor ich nicht mehr, nicht alles, was hier geboten wurde, gesehen hatte.

Während ich so interessiert wie nur möglich mit den Augen den Raum abtastete, fingerte ich klammheimlich meine Minox aus der Hosentasche und löste – ohne Entfernung oder Licht zu justieren – eine Aufnahme in dem Moment aus, als Machmud sich im Gebet aufrichtete. Das dezente Klick war in der Stille nicht zu überhören. Machmud strafte mich mit einem leeren, entsagenden Blick. Vielleicht hatte ich eine leidliche Aufnahme vom Kenotaph auf dem Film. Ich kann sie hier anbieten.

Ein Kenotaph unter der weißrotgrünen Flagge des Islam symbolisiert den Sarkophag des Aaron

Aus der düsteren Ecke des Raumes gab Ebet mir ein Handzeichen, zu ihr zu kommen. Sie deutete auf den Boden. Dort war ein Loch im Steinboden, eine Treppe führte in die Tiefe. Als ich gleich hinuntersteigen wollte, unterbrach Machmud sein Gebet und stand mit einem Satz neben uns.

»No! No!« flüsterte er flehentlich mit entsetztem Blick.

»Wohin führt die Stiege?« raunte ich ihm zu.

»Zum Grabe Aarons ...«

»Dann laß mich hinabsteigen!« sagte ich forsch und nahm schon die zweite Stufe.

In der Tür tauchte der Kopf der Beschließerin auf, sie kreischte verzweifelt. Machmud hielt mich am Arm fest, ich ließ ihn gewähren und steckte ihm mit der freien Hand eine Banknote unters Hemd. Er nickte, ließ mich aber immer noch nicht los. Er flehte: »No camera! Please, no camera!«

Ich reichte ihm die Minox. Er nahm sie und atmete tief durch, war aber noch nicht zufrieden. Er deutete mit dem Kopf auf Ebet, auf die zeternde Alte, die sich anscheinend nicht in den Raum traute. Ebet erfaßte die Situation, nickte Machmud zu, schob mir – für die beiden uneinsehbar – eine kleine Stablampe zu. Ich hatte die richtige Kopilotin bei mir!

Ich stieg abwärts. Machmud, wie ein Schatten nahe bei mir, verdeckte mit dem Unterarm seine Augen, er fürchtete sich. Ich befand mich in einem schmalen Raum mit feuchtschimmernden Wänden. Im schwachen Licht der Taschenlampe sah ich zuerst ein Eisengitter, dahinter ein Tuch, in Falten drapiert, das eine aufrechte Mumie bedecken könnte. In die gegenüberliegende Wand war ein kopfgroßer, runder, tiefschwarzer Stein eingelassen. Ehe ich Machmud um Auskunft befragen konnte, war er in die Knie gesunken, rutschte an den Stein heran und bedeckte ihn mit verzücktem Gesicht mit einer Serie schmatzender Küsse. Später erst erfuhr ich, daß dieser Aaron-Stein als so heilig gilt wie der legendäre Schwarze Stein in der Kaaba zu Mekka, daß Allah selbst ihn vom Himmel herbrachte und an diesem Ort deponierte,

191

um damit das Grab seines Dieners Aaron auszuzeichnen;
der Stein, heißt es, wirke Wunder, er habe schon Blinde
sehend gemacht.

Machmud betete. Nonstop. Ich kann weder bestreiten,
daß mir auch ehrfürchtig zumute war, noch daß ich der
Versuchung habe widerstehen können, den Raum mit der
Taschenlampe auszuleuchten. Die Lampe streute ihr schwa-
ches Licht durch das Gitter. Ich traute meinen Augen nicht:
An der hinteren Wand stand etwas wie ein Sarkophag! Ein
rechteckiges Gebilde, ein staubiger Stein, von dem ich nicht
ausmachen konnte, ob er aus Granit oder Marmor gehauen
war. Es gab auch keine Chance, das schwarze Tuch über
dem verhüllten Etwas zu lupfen. Es ist vertrackt, so nahe
vor einem Geheimnis zu stehen ... und es nicht ›enthüllen‹
zu können!

Ich erinnerte mich, bei Alois Musil, der vor 86 Jahren an
dieser Stelle stand, gelesen zu haben, daß er einige »griechische und mehrere hebräische Inschriften« an den Wänden
und Säulen ertastet hätte. Ich leuchtete die Wände ab, führte
die Fingerspitzen darüber, Inschriften konnte ich nicht ermitteln.

Der Schwarze Stein zog mich in Bann: Wie er da im Licht
der kleinen Taschenlampe aus der Wand trat, schien es mir,
als wäre eine klebrige, glimmernde Masse über ihn getropft,
als würden tausend winzige Lichtpunkte wie das irisierende
Universum leuchten, aber das mag an der Fremdartigkeit
dieses Ortes gelegen haben. Aus meinen Studien an den
Rollright-Stones [27] in England blieb mir in Erinnerung,
daß Steine ›reden‹ können, daß sie Gedanken auf der
Schwelle von Traum und Wirklichkeit gespeichert haben.
Steine sind – wie letztlich jede Materie im Universum –
›kristallisierte Energie‹: In ihren Elektronen bergen sie Mitteilungen, die an geweihten Orten von sensibilisierten Personen empfunden werden können. Mir war mulmig zumute.

Machmud hatte zu beten aufgehört und drängte, die
Gruft zu verlassen. Blinzelnd torkelte ich ins grelle Tageslicht zurück und setzte mich neben Ebet auf den Boden.

192

»War es Aarons Grab?« fragte sie.

»Mir fehlt der Glaube!« schmunzelte ich und erkannte in Ebets Gesicht, daß sie die doppeldeutige Antwort verstanden hatte. »Fraglos ruht hier eine berühmte Persönlichkeit der Vergangenheit. Es gibt da unten einen Sarkophag, einen heiligen Stein und unter einem schwarzen Tuch eine längliche Sache, von der ich nicht weiß, was sie darstellt. Ein Beweis für Aaron ist das nicht. Ich fand keine Grabinschrift, keine Grabbeigaben wie seinen Kopfschmuck, seine Brustplatte, nichts zu ahnen von den Steinen Urim und Thummin, nichts von seinem Zauberstab ...«

Reminiszenzen

Abends, im Petra Forum Hotel, beunruhigte mich die gleiche Frage, wie ich sie vor einigen Tagen in Jerusalem mit dem israelischen Piloten erörtert hatte: Warum nur läßt sich nicht ein einziges Prophetengrab des Alten Testaments eindeutig identifizieren? Falls auf dem Dschebel Harun der Prophet Aaron begraben wurde, muß dieser Ort logischerweise ab dessen Todestag eine ungeheure Anziehungskraft auf die Gläubigen ausgeübt haben. Es ist auch völlig bedeutungslos, welches Volk gerade in diesem Raum lebte – alle Völker haben Aaron inbrünstig verehrt! Sofern Aarons Ruhestätte je auf dem Dschebel Harun gelegen hat, wußten es alle Gläubigen zu jeder Zeit der Geschichte. Aber: Wie ist es denn heutzutage mit Gräbern von Propheten und Religionsgründern bestellt?

Stellen wir es an vier Beispielen dar:

– Jesus starb in Jerusalem. Wenn auch die Christen glauben, er wäre körperlich in den Himmel aufgefahren, wurde doch schon im ersten nachchristlichen Jahrhundert sein Grab verehrt, nämlich jene Stelle, an der der Leichnam nach der Kreuzesabnahme bis zur Auferstehung geruht haben soll. 136 n. Chr. ließ der römische Kaiser Hadrian an eben dieser Stelle einen Tempel seiner Liebesgöttin Aphrodite errichten: Hadrian wollte die Erinnerung an Jesus damit auslöschen. Erfolglos. Knappe zweihundert Jahre später – im Jahre 326 – erteilte Kaiser Konstantin I. Befehl, den Aphroditetempel zu schleifen und eine Stätte zur Verehrung Jesu Christi zu erbauen. Seitdem ist die Grabeskirche – trotz mehrerer Zerstörungen in der wechselvollen Geschichte Jerusalems – immer nur gewachsen. Die Gläubigen haben den historischen Ort nie vergessen.

– Der Apostel Petrus wurde im Zirkus des römischen Kaisers Nero (54-68 n. Chr.) mit dem Kopf nach unten hängend gekreuzigt. Christen sammelten seine sterblichen Überreste, beerdigten sie und markierten die Stelle mit einem schweren Stein. Das war zu einer antichristlichen Zeit, der Bau einer Kapelle war nicht möglich. Die junge Christengemeinde würdigte den Begräbnisplatz, bis Kaiser Konstantin im Jahr 324 über dieser Stelle die erste Basilika bauen ließ. Seither ist der Petersdom mit dem Vatikan Zentrum der römisch-katholischen Kirche. Anlaß: die Gebeine des Apostels Petrus.

– In Ravenna, Italien, steht seit eineinhalb Jahrtausenden ein mächtiger Bau aus schweren Monolithen: Das Grabmal des Gotenfürsten Theoderich I. (419-451). Er war weder Religionsgründer noch Prophet, sondern ›nur‹ Gründer des westgotischen Reiches. Sein Grabmal steht heute so fest und unversehrt wie zur Erbauungszeit.

– Als der Prophet Mohammed im Jahr 632 in Medina starb, ließ der Kalif Othman über der Begräbnisstelle eine Moschee errichten, die in späteren Jahrhunderten mehrfach erweitert wurde. Gläubige Muslims beten dort nicht etwa Mohammed an – sie beten *für* ihn. Das werden sie aller Wahrscheinlichkeit nach in tausend Jahren auch noch tun – in einem weiter ausgebauten Heiligtum.

Derartige Beispiele ließen sich leicht vermehren – etwa um die Mausoleen der japanischen Urkaiser. Alle solche Stätten zusammen erlauben die Feststellung: Grabstätten

194

geheiligter Persönlichkeiten werden von den Völkern nicht vergessen. Sie wachsen mit den Jahrhunderten.

Es gibt keinen Zweifel: Einer durch Wunder und Zauber in der Überlieferung herausragenden Figur wie Aaron wäre ab seinem Begräbnis eine Verehrung zugestanden worden, die mit jener für Mohammed oder Petrus vergleichbar wäre. Da dem nicht so ist, bleibt die Vermutung, daß von Anfang an niemand gewußt hat, wo Aaron begraben wurde. Sein Grab muß aus irgendeinem Grunde geheimgehalten worden sein. Schon deshalb wundert, verwundert es nicht, daß für Aarons Ruhestätte Kenotaphe stehen. Eines liegt auf der Spitze des Berges Ohod bei Medina [28]; dort stand einst eine Moschee mit einer Kuppel, die schon vor 130 Jahren verfiel [29]. Ein zweiter Begräbnisort soll – der Bibel zufolge – Moseroth im heutigen Israel sein. Vielleicht aber suchen wir vergeblich nach Aarons Ruhestätte, denn einer arabischen Volkslegende nach schwebte das Totenbett mit Aarons Leichnam in den Himmel [30].

Und Abraham? Was geschah mit ihm?

Der Name seiner Gruft war doch von allem Anfang an bekannt, er ist in der Thora und im Alten Testament vermerkt, also nie geheimgehalten worden. Es war die Machpela-Höhle. Die Würdigung des Patriarchen und Stammvaters aller Geschlechter müßte vielfach größer als die Ehrfurcht vor Aaron gewesen sein. Um es in Bauwerken auszudrükken: Seine Begräbnisstätte hätte sich im Laufe der Jahrhunderte zur doppelten Größe des Vatikans mausern müssen – schon deshalb, weil in derselben Gruft noch fünf weitere verehrungswürdige Gestalten – verehrt von Juden, Christen und Moslems! – zur ewigen Ruhe gebettet wurden.

Die Machpela-Höhle in Hebron war ebensowenig Abrahams Grab wie Mambre außerhalb Hebrons seine Wirkungsstätte. Mambre und Machpela-Höhle liegen – so bewies Profesor Salibi – in der saudiarabischen Provinz Asir. Der »Hain«, in dem Abraham sich niederließ, »besteht heute aus kleinen Akazien- und Tamariskenwäldern in der Umgebung von Namira und Hirban im Hinterland von

195

Qunfudha« [31]. Im gleichen Bergland bei Namira steht »auch der Ort Maqfala (mqflh), der bis heute den Namen der zwiefachen Höhle (›Machpelah‹, mkplh) trägt.«

Das echte Abrahamgrab bekam nie die Chance, sich zum Wallfahrtsort zu entwickeln: Die Israeliten wurden von den Babyloniern geschlagen, verschleppt, in alle Winde zerstreut. Die militärischen Sieger aber verehrten Abraham nicht, sie hatten eine andere Religion!

Gerade die zentralen Heiligtümer alter Religionen müßten – ohne religiöse Gefühle zu verletzen! – mit modernsten wissenschaftlichen Methoden untersucht werden, um echte Gräber zu entdecken und von Pseudogräbern zu distanzieren.

»Die Vergangenheit muß reden, und wir müssen zuhören. Vorher werden wir und sie keine Ruhe finden.« – Erich Kästner (1899-1974).

Insch-Allah.

IV.

KINDER DER ERDE
KINDER DER GÖTTER
HAT DER MENSCH KEINE URHEIMAT?

> Ihr seid nicht ausgeartet, meine Kinder.
> Seid arbeitsam und faul
> und grausam mild,
> freigebig geizig!
> Gleichet alle euern Schicksals Brüdern,
> gleichet den Tieren und den Göttern!
>
> *Johann Wolfgang von Goethe   1749-1832*

Seit Jahrtausenden ist der Mensch auf der Suche nach dem Garten Eden, dem Paradies, in dem er erschaffen . . . und aus dem er vertrieben wurde. Bisher konnte die Menschenheimat nicht lokalisiert werden.

Als ich vor einigen Jahren begann, Literatur über den Garten Eden zu sichten, ahnte ich nicht, *wie* divergierend die Annahmen sind. Wenn 200 Wissenschaftsautoren ihre Meinung postulierten, standen zugleich 200 ebenso gut oder schlecht belegte Ansichten dagegen. Wo lag der Garten Eden? Hier eine Palette der wichtigsten Orte [1, 2, 3], die sich im Handumdrehen um weitere 80 Angebote ergänzen ließe:

- zwischen Euphrat und Tigris
- am indischen Ganges
- am blauen Nil
- am westlichen weißen Nil
- am kaspischen Meerbusen
- am linken Ufer des Araxes, Armenien
- am Schatt-el-Arab
- an der Ostseeküste Preußens
- an der oberen Donau

- in Ceylon
- auf der Insel Kuba
- am Jordan in Palästina
- beim heutigen Jerusalem
- außerhalb des heutigen Damaskus
- in Dilmun (heutiges Bahrein)
- auf der Insel Kreta
- im Gotthardgebirge (Schweiz)
- im Hochland von Kaschmir, Indien
- auf der versunkenen Insel Atlantis
- im Staate Maryland, USA
- bei Tiahuanaco, Bolivien
- im Hochland von Mexiko
- auf verschiedenen Südseeinseln
- im Lande Utopia
- auf einem fernen Planeten
- in einem außerirdischen Raumschiff
- das Paradies war die ganze Erde

25 Zeilen, die die Welt bewegten

Knappe 25 Zeilen in der Genesis*, dem 1. Buch Mose, setzten Hunderte von Autoren in Marsch, den Garten Eden zu suchen, stimulierten Debatten von Katheder zu Katheder, waren Ursache für eine wahre Flut einer Paradiesliteratur. Dies sind die beunruhigenden Zeilen aus dem 1. Buch Mose, 2,8:

>»Dann pflanzte Gott der Herr einen Garten in Eden gegen Osten und setzte den Menschen darein, den er gebildet hatte. Und Gott der Herr ließ allerlei Bäume aus der Erde wachsen, lieblich anzusehen und gut zu essen, und den Baum des Lebens mitten im Garten, und den Baum der Erkenntnis des Guten und des Bösen. Es ent-

---

* Griechisch: ›Entstehung‹.

springt aber ein Strom in Eden, den Garten zu bewässern; von da aus teilt er sich in vier Arme: der erste heißt Pison; das ist der, welcher das ganze Land Hawila umfließt, wo das Gold ist; und das Gold jenes Landes ist köstlich. Da findet man auch das Bdellionharz und den Edelstein Soham. Der zweite Fluß heißt Gihon; das ist der, welcher das ganze Land Kusch umfließt. Der dritte Fluß heißt Hiddekel; das ist der, welcher östlich von Assur fließt. Der vierte Fluß ist der Euphrat. Und Gott der Herr nahm den Menschen und setzte ihn in den Garten Eden, daß er ihn bebaue und bewache.«

In der vorstehend zitierten Bibelübersetzung der Württembergischen Bibelanstalt, Stuttgart 1972, ist vom *Euphrat* die Rede, in anderen Übersetzungen auch vom *Tigris*; derart beim Namen genannte Flußläufe lassen vermuten, der geographische Raum wäre bekannt. De facto ist er nicht bekannt. Erinnert man sich der konsonantischen Schreibweise der alten Texte, dann lautet *Tigris* – in lateinischen Buchstaben – *tgrs*, und Euphrat schnurrt zu *phrt* zusammen. Durch Einfügung von Vokalen ließe sich alles mögliche daraus machen. Die Bibelgelehrten gaben den Flüssen die Namen Tigris und Euphrat, weil in der Genesis steht, Gott habe den Garten Eden »gegen Osten« gesetzt, und im Osten lagen Tigris und Euphrat.

Im Osten von was? Auf einer Kugel – wie der Erde – ist »gegen Osten« allemal eine Frage des Standortes, von wo aus man die Himmelsrichtung bestimmt. Immerhin versicherte die Genesis, in Eden entspränge ein Strom, der sich »in vier Arme« teile. Nimmt man, wieder mal, die Bibel beim Wort, können Euphrat und Tigris als Lokalangaben von der Vorschlagsliste gestrichen werden: Sie sind nicht Teil eines anfänglich gemeinsamen Stromes, denn sie haben verschiedene Quellgebiete: Der Tigris im Westen des östlichen Taurus, und der Euphrat bildet sich aus den beiden Flüssen Kara Su und Murad Su in Anatolien, Türkei. Vorerst bleibt daher die geographische Lokalisierung für den Garten Eden reine Wortklauberei.

Drei Ereignisse

Aus Eden werden drei Ereignisse gemeldet: Die Menschwerdung – der Sündenfall – die Vertreibung aus dem Paradies. Die biblische Version dieser Ereignisse gibt Rätsel auf, steckt voller Widersprüche und Ungereimtheiten, die dem arglosen Bibelleser entgehen.

Vor allem Anfang gab es Jahwe, den allwissenden und allmächtigen Schöpfergott. Woher er kam, wo er wohnte, erfahren wir nicht, nur, daß er »in der Abendkühle lustwandelt« im Garten Eden (1. Mos., 3,8). Ob er tagsüber irgend etwas unternahm, wird uns verschwiegen.

Der Garten Eden war Jahwes Besitz, den er selbst bepflanzte, auch ließ er dort »allerlei Bäume wachsen, lieblich anzusehen und gut zu essen«. Inmitten des Gartens gediehen zwei bemerkenswerte Bäume – einer war der »Baum der Erkenntnis«, einer der Baum »von Gut und Böse«.

Adam sollte den Gottesgarten »bebauen und bewachen«, war also als Gärtner und Wächter tätig. Gern wüßte man, vor wem und was er den Garten bewachen sollte; außer ihm gab es ja noch keine Menschenseele, Eva wurde doch erst später geschnitzt. Eine theologische Deutung, Adam hätte den Garten vor der listigen Schlange bewachen sollen, mutet, ja, mutet komisch an: Schlängelte denn die listige Schlange schon im Baum der Erkenntnis?

Just vor diesem Baum warnte Jahwe den Gärtner: Er dürfe Früchte von allen Bäumen essen, nur von diesem Baum nicht, sonst »mußt du sterben« (1. Mos., 2,16). Das ist ein Wort! Allerdings vertrat die Schlange eine dezidiert gegenteilige Meinung: »Mitnichten werdet ihr sterben, sondern Gott weiß ... daß euch die Augen aufgehen und ihr wie Gott sein und wissen werdet ...« (1. Mos., 3,4).

Es kam, wie es kommen mußte, zum weltberühmtesten Biß in einen knackigen Apfel. Was geschah? Nichts! Adam und Eva überlebten das vegetarische Mahl. Die Schlange aber lag richtig mit ihrer Prophezeiung, und der Herr bestätigte ihre Aussage: »Siehe, der Mensch ist geworden wie unsereiner« (1. Mos., 3,22)! Genau das hatte die Schlange vorausgesagt; sie wußte offenbar so gut Bescheid wie Jahwe.

Nun passierte der schreckliche Sündenfall. Adam und Eva bemerkten nach dem Apfelgenuß, »daß sie nackt waren«. Nicht lange, denn Gott persönlich »machte dem Menschen und seinem Weibe Röcke von Fell und legte sie ihnen um« (1. Mos., 3,2). Einen Moment nackt – und dafür sollte das erste Ehepaar mit dem Tode bestraft werden?

Die Genesis, die ›Entstehung‹, ist, so wie sie dasteht, eines allwissenden Gottes unwürdig. Jahwe schuf in sechs Tagen – welcher Zeitraum auch immer angenommen werden mag – Himmel, Erde, Wasser, Land, Kräuter, Bäume, Flüsse, Fische, Vögel, Landtiere und auch zwei Menschen »nach seinem Ebenbilde« (1. Mos., 1 ff); dann betrachtete er sein Werk »und siehe, es war sehr gut« (1. Mos., 1,31). Nur wenig später aber »reute es den Herrn, daß er den Menschen geschaffen hatte, und es bekümmerte ihn tief« (1. Mos., 6,6).

Ja, wie haben wir's denn? War sein Werk nun »sehr gut« oder mißraten? Als ›Allwissender‹ apostrophiert, darf vorausgesetzt werden, daß mit ihm kein Experimentator tätig war, der nicht im vorhinein gewußt hätte, wie seine Versuche ausgehen würden. Jahwe wußte vorher, daß Adam und Eva vom Baum der Erkenntnis naschen würden, der Sündenfall muß ergo im Programm gestanden haben. Weshalb der Herr dann aber, als es passiert war, was er schon vorher gewußt hatte, derart enttäuscht war, daß er die dürftig bekleideten Menschlein aus dem Garten Eden vertrieb, man begreift es nicht. Er verfluchte den Erdboden, drohte ihnen, daß sie fürderhin »im Schweiße des Angesichts« schuften müßten und daß das Kinderkriegen zur Qual werden solle.

Beim Sündenfall spielte Adam – ich habe es zur männlichen Schande feststellen müssen – eine klägliche Rolle. Der Herr versenkte ihn in Tiefschlaf, um aus einer Adamrippe ein Weib zu schnitzen, ein Faktum, das Adam geflissentlich bestätigte: sie sei Fleisch von seinem Fleisch und solle »Männin« heißen. Er gab seiner Lebensgefährtin einen Namen, den der Herr indessen überhörte, um weiterhin nur von einem »Weib« zu sprechen. Bei der Anpassung der Fellröcke gebrauchte Adam dann plötzlich den Namen »Eva«. Diese Eva – die eigentlich gar nicht Eva hieß – fiel auf die becircenden Verlockungen der Schlange herein und verputzte die verbotene Frucht.

Und Adam? Er »steht schweigend und überflüssig daneben. Gegen seine eigene Verführung macht er auch nicht den geringsten Versuch der Abwehr; er ißt nur, weil Eva ißt – trotzdem soll angeblich das Weib leichter zu verführen sein als der Mann«, kommentierte vor 80 Jahren [4] der berühmte Theologe Hugo Gressmann (1877-1927).

Wenn ich die Schöpfungsgeschichte auseinandernehme, dann nur – so eigenartig es tönen mag –, weil ich dem allmächtigen Gott die geschilderten Peinlichkeiten nicht zutrauen mag. Ein Gott, der so gravierende Fehler macht? Ein Gott, der »in der Abendkühle lustwandelt«? Ein Gott, der keine Ahnung hat, wo in seinem Garten Adam sich versteckt? (»Gott rief, wo bist du?«) Ein Gott, der drauflos experimentiert? Ein Gott als Mikrochirurg?

Die Genesis ist – und damit erklärt sich vieles – eine aus verschiedenen älteren Quellen zusammengetragene Legende, angereichert mit Irrtümern und menschlichem Wunschdenken. Es gibt so viele Schöpfungslegenden wie es alte Völker – und seien es nur kleine Gruppen – gegeben hat; jedes hatte seine eigenen Vorstellungen vom Entstehen der Menschheit.

Der kluge Diodor von Sizilien

Geradezu moderne Ansichten vertrat der griechische Geschichtsschreiber Diodor von Sizilien, der im ersten vorchristlichen Jahrhundert gelebt hat; er war der Verfasser der vierzigbändigen ›Historischen Bibliothek‹, für die er nach eigenen Aussagen aus alten Werken schöpfte.

Diodor vertrat die Ansicht, die Menschen hätten zuerst »in einem ungeordneten und halbtierischen Zustand gelebt« [5], wären einzeln auf Nahrungssuche gegangen und hätten sich nur zusammengerottet, weil sie von wilden Tieren angegriffen wurden; ihre Sprache habe aus einem Brei verschiedener Laute bestanden; erst allmählich hätten sie gelernt, Gesichtszüge der Nachbarn zu unterscheiden und bestimmten Gegenständen bestimmte Laute zuzuordnen: weil diese Entwicklungen unabhängig voneinander in vielen Teilen der Welt stattgefunden hätten, wären verschiedene Sprachen entstanden, und jede ›Horde‹ habe schließlich andere Bezeichnungen gefunden.

In diese Zeit des Vormenschen wären – so der Historiker Diodor vor 2000 Jahren – die Götter hineingeplatzt, und jedes Volk hätte seine Götter gehabt. Diodor erwähnte aus dem alten Ägypten die Götter Isis und Osiris, die den Menschen abgewöhnt hätten, »einander aufzuessen«; die Götter hätten Weizen und Gerste gezüchtet, die Menschen im Bergbau unterwiesen, den Wein erfunden und »belegten vieles mit Namen, wofür man bisher noch keinen Ausdruck hatte«.

Wann soll das geschehen sein?

Gewährsmann Diodor:

»Von Osiris und Isis bis zur Herrschaft Alexanders, der in Ägypten die nach ihm benannte Stadt gegründet hat, seien mehr als zehntausend Jahre verflossen, sagen sie.«

Der kluge Herr Diodor hat sich nicht verhört! Wenige Seiten später berichtete er nämlich von Herakles, dem Sohn des Zeus und der Alkmene, der den olympischen Göttern im Kampf gegen die Giganten beigestanden hat. Diodor hielt den Griechen vor, daß sie sich irrten, wenn sie die Geburt des Herakles nur eine Generation vor dem Trojanischen Krieg angäben, denn dies wäre »zur Zeit der ersten Entstehung der Menschen geschehen. Von dieser an nämlich würden bei den Ägyptern mehr als zehntausend Jahre gezählt, seit dem Trojanischen Krieg aber nicht einmal ganz zwölfhundert.«

Demnach war es Auffassung der Ägypter, daß der Mensch in einem evolutionären Prozeß auf der Erde heranwuchs, die Kultur in weitestem Sinne indessen von den Göttern übernommen hat. Diese Auffassung deckt sich *im Kern* mit den Statements der Genesis: Adam wurde »aus der Erde« geformt und durch göttlichen Eingriff zum lebenden Wesen. Es ist evident, daß die Produkte der Schöpfung – Kräuter, Bäume, Fische, Vögel usw. – anfänglich keine Bezeichnung hatten, aber »der Mensch gab allem Vieh und allen Vögeln und allen Tieren des Feldes Namen ...« (1. Mos., 2,20). Es war göttliches Werk, daß Adam zu sprechen lernte.

Es kann der Einwand laut werden, in der ägyptischen Überlieferung würde von zwei Göttern – Isis und Osiris – gesprochen, in der Genesis jedoch nur von einem Gott. Nun, im hebräischen Original steht für *Gott* stets *Elohim*, und das ist ein Plural, für den es den Singular nicht gibt. Warum denn in allen Bibeln der Welt *Gott* statt *Götter* steht? Weil Abraham und Moses den Monotheismus, den Glauben an einen Gott, gepredigt haben. Seit eh und je müssen sich Theologen mit diesem Ärgernis abfinden, aus der Welt können sie es nicht schaffen.

Im babylonischen – im semitischen Akkadisch abgefaßten – Gilgameschepos, das auf die Sumerer zurückgeht, sich dann in undatierbarer Ferne verliert, wiederholt sich der Menschwerdungsmythos. Gilgamesch, König der südbabylonischen Stadt Uruk, wurde von den Göttern Schamasch und Adad erschaffen: »So schufen den Gilgamesch die großen Götter: elf Ellen lang war sein Wuchs ... zwei Teile sind Gott an ihm – Mensch ist sein dritter Teil« [6]. Gilgameschs Kampfgefährte Enkidu lebte unter Tieren und benahm sich wie ein Tier: »Mit Haaren bepelzt am ganzen Leibe ... auch kennt er nicht Land noch Leute ... so frißt er auch mit den Gazellen das Gras, drängt er hin mit dem Wilde zur Tränke ...«

Diese Grundsituation – der Mensch wird vom Tier abgesondert, lernt durch göttlichen Einfluß zu sprechen – zieht sich wie ein roter Faden durch alle Schöpfungsmythen. Vor zehn Jahren schon analysierte ich sie aus moderner Sicht [7]. Peter Krassa und Viktor Farkas taten es in ihrem Buch ›Lasset uns Menschen machen‹ [8] ebenso wie französische und amerikanische Autoren [9, 10]. Nur an den Universitäten hat sich noch nichts gerührt. In ›bewährter‹ Tradition richtet sich ein Dozent am andern auf, und der andere klebt stets im Kitt des Ewiggestrigen. Man riecht den Mief von tausend Jahren.

Viel mehr als Science-fiction

Wie sähen denn Entstehungsmythen – durch moderne Brillen betrachtet – aus?

Vor Jahrtausenden – waren es zehn-, dreißig-, hunderttausend Jahre? – landete auf unserem Planeten ein außerirdisches Raumschiff, dessen Besatzung Auftrag hatte, Intelligenz weiterzutragen und geeignete Lebensformen zu mutieren.* Die Ausbreitung von Intelligenz im Universum ist eine zwingende Notwendigkeit für jede raumfahrende Intelligenz, weil nur nach dem progressiven Schneeballsystem Intelligenz vielfach multipliziert werden kann; erst bei genügender Ausbreitung von Intelligenz wird in den Weiten des Universums interstellare Kommunikation möglich.

Weshalb die Fremden sich nicht einfach angesiedelt haben? Weil eine Lebensform, die auf einem Planeten bereits existiert, am besten angepaßt ist: Ihr Körperbau ist auf die Anziehungskraft ihres Planeten am besten ausgerichtet, sie ist immun gegen heimische Bakterien, vertraut mit dem existenten Luftgemisch.

Als die Fremden landeten, gab es längst Millionen verschiedener Lebensformen, darunter auch Gattungen unserer hominiden Vorfahren, unwissenschaftlich ausgedrückt: Orang-Utans, Gorillas, Schimpansen, Affenarten. Die Au-

---

* Spontane Änderung im Erbgefüge.

ßerirdischen fingen ein Exemplar jener Art ein, dem sie ein positives Resultat aus ihren Manipulationen zutrauten. Diesem ausgewählten Exemplar entnahmen sie Zellen und änderten unter dem Elektronenmikroskop die Basenreihenfolge im DNS*-Molekül ab; vielleicht reichte auch ein Austausch einzelner Gene, ein Verfahren, das heute in Laboratorien erfolgreich praktiziert wird. Die durch diese gezielte künstliche Mutation veränderte Zelle ließ man in einer Nährlösung bis zum Ei heranwachsen. Es könnte – wie derzeit bereits erfolgreich im Schwange – auch ein Fötus *in vitro* (im Reagenzglas) zum Wachsen gebracht worden sein. Retortenbabies! Oder es wurde einem Weibchen gleicher Gattung in einer künstlichen Befruchtung ein Ei eingesetzt. (Diese Methode wird seit vielen Jahren mit dem Samen von Zuchtbullen und Ebern praktiziert.)

Nach der Tragezeit kommt der Nachwuchs mit allen gewünschten Merkmalen der veränderten DNS. Er hat den gleichen Körperbau, den gleichen Schädel, die gleichen Immunreaktionen – nur besitzt er *zusätzlich* Erbanlagen, über die seine Stammesgenossen nicht verfügen: Neugierde – Fähigkeit zur Sprache – ein Gehirn, das Erfahrungen speichert und jederzeit abrufen und verwenden kann – Sinn für Kultur wie Bildhauerei, Gesang, für die Pflege von Freundschaften ... und für Religion samt Totenkult.

Dieses Denkmodell widerlegt die Evolutionstheorie von Charles Darwin nicht, ist aber eine logische Ergänzung: Das *missing link*, das vielgesuchte ›fehlende Bindeglied‹ in der Entwicklungsgeschichte des Menschen war die gezielte künstliche Mutation an einem unserer frühesten Vorfahren.

Von heute aus gesehen, war es nur vernünftig, daß die Außerirdischen den ersten Menschen von der Umwelt abschirmten und in einen ›Garten Eden‹ verpflanzten; er sollte keiner Gefahr, keinem Biß giftiger Skorpione oder Schlan-

---

* DNS-Desoxyribonucleinsäure, natürliche Bestandteile von Zellkernen. Stoffliche Träger der genetischen Information der Zelle. Im Transformationsexperiment gelingt die Übertragung von Erbeigenschaften.

Eine Kollektion von Zwitterwesen, aufgenommen im Türkischen Museum, Ankara – Ausgeburten der Phantasie oder einstige Realität?

gen ausgesetzt werden. Dann, ja dann wurde die ›Männin‹ fällig. Ganz ohne Weiber geht die Chose nicht...

Diese ersten Menschen beherrschten keine Sprache, kannten nur Grunzlaute. Es müssen die Außerirdischen gewesen sein, die Adam und Eva – belassen wir es bei dieser Namensgebung! – zu sprechen lehrten. Drum war die Sprache der ersten Menschengenerationen die Sprache der ›Götter‹! Diese Annahme lugt noch durch die Überlieferung vom Turmbau zu Babel: »Es hatte aber alle Welt einerlei Sprache und einerlei Worte.« (1. Mos., 11,1).

Es kam der Tag, an dem die Außerirdischen zu neuen Sonnensystemen aufbrachen, um dort weitere Populationen mit Ingelligenz auszustatten. Beim Abschied könnte sich eine Szene wie diese abgespielt haben:

»Kinder«, sagte der Kommandant zum ersten Menschenpaar, »wir haben euch intelligent gemacht, ohne uns wäret ihr immer noch wie Tiere!«

Adam und Eva knieten vor den Fremden nieder, verehrten sie als Götter. Der Kommandant wies die Ehrung zurück:

»Wir sind keine Götter, wir sind vom gleichen Fleisch und Blut wie ihr. Macht euch nie, niemals ein Bildnis von Gott, denn Gott ist unfaßbar und unerklärlich.«

Die Fortsetzung dieses erdachten Gesprächs lesen wir bei Moses (1., 1,28):

»Seid fruchtbar und mehret euch und füllet die Erde und machet sie euch untertan, und herrschet über die Fische im Meer und die Vögel des Himmels, über das Vieh und alle Tiere, die auf der Erde sich regen.«

Klarer Auftrag. Intelligentes Leben sollte sich vermehren und über nichtintelligente Lebensformen herrschen. Nur ein strenges Gesetz galt fürderhin: Adam und Eva (samt ihren Nachkommen) durften mit ihren bisherigen, nicht mutierten Artgenossen keinen Geschlechtsverkehr mehr haben. Dieses flüchtige Vergnügen hätte einen entsetzlichen genetischen Rückfall bedeutet. Für solchen Exzeß wurde der Tod als Strafe angedroht. Trotzdem ereignete sich der Sündenfall. Irgendwer ließ sich mit wilden, nicht mutierten

Artgenossen ein. Diese Sodomie ging als Erbsünde in die Legende ein. Jetzt erinnerten sich die intelligenten Menschen an die Drohungen, an die verheißenen Strafen der ›Götter‹: Sie bekamen Angst. Das Unheil begann. Die Menschen glaubten, durch Sühneopfer, durch Blut, die Götter versöhnen zu können.

›Ewigkeiten‹ nach dem Sündenfall kehrten die Außerirdischen zurück, um zu kontrollieren, wie die Aussaat ihrer Intelligenz aufgegangen war. Die Inspektion wurde zum Horrortrip. »Da reute es die Götter (Elohim-Plural!), daß sie den Menschen geschaffen hatten, und es bekümmerte sie tief.« Sie machten ihre Todesdrohung wahr. Viele der Mutierten lebten bereits weit verstreut, sie konnten die einzelnen nicht erreichen, sie entschlossen sich zu einer Radikallösung. Sie ertränkten die mißratene Brut.

Diese Deutung der Adam-Eva-Legende macht – von heute aus betrachtet – einen Sinn, sie ist mit der Evolutionslehre wie mit religiösen Überlieferungen vereinbar. Der Streit, der vor allem in den Vereinigten Staaten von Amerika zwischen den Kreationisten (jene, die an Gottes Schöpfung glauben) und den Evolutionisten (die von Darwin überzeugt sind) heftig geführt wird, ist überflüssig. Beide Seiten haben recht.

Dieser Sicht der Dinge wegen wirft man mir rassistisches Denken vor, auch sei die Kreation intelligenter Menschen durch Außerirdische aus ethischen Gründen unannehmbar. Diese Kritiker übersehen, daß ich nirgends von einer bestimmten menschlichen Rasse gesprochen habe. Es geht nur und ausschließlich um die Wandlung der Hominiden zum intelligenten Menschen. Dieser intelligent gemachten Spezies gehören *alle* Rassen an. Ich habe weder die Sintflut noch ein auserwähltes Volk erfunden.

Der neue Weg

Läßt sich die neue Deutung der Entstehung des *Homo sapiens* belegen? Wo ist der Ansatz zum Sinneswandel?

- Ptolemäus von Alexandrien (um 100-160) war überzeugt, die Erde wäre der Mittelpunkt des Universums. Es war ein terrazentrisches Denken, und es war falsch.
- Nikolaus Kopernikus (1473-1543) verkündete, die Sonne wäre der Mittelpunkt aller Planeten. Er meinte, die Planetenbahnen liefen kreisförmig (statt elliptisch) um die Sonne, und auch die Sterne drehten sich in größerer Entfernung darum herum. Obschon im Ansatz richtig, war auch dieses heliozentrische Denken falsch.
- Die Evolutionstheoretiker sehen den Menschen im Zentrum des universellen Lebens. Das ist ein anthropozentrisches Denken, und es ist falsch.

Der Mensch nahm und nimmt sich zu wichtig, möchte, daß sich alles um ihn dreht. An diesem Grundübel krankt auch die moderne Evolutionstheorie. »Was ist der Mensch? Jedenfalls nicht das, was er sich selbst einbildet zu sein, nämlich die Krone der Schöpfung« (Wilhelm Raabe). Wer damit leben kann, unter fünf Milliarden Menschen keine Sonderausgabe zu sein, der ist auch bereit, zu verstehen, daß die Erde unter Millionen von Planetensystemen im Universum keine Sonderstellung einnimmt.

Seltsam. Die alten Indianer Nord- und Südamerikas, die heutzutage wegen ihrer naturverbundenen Traditionen immer mehr Beachtung finden, haben immer gewußt, daß der Mensch nur eine unter vielen intelligenten Lebensformen im Weltall ist. Sie haben sich nie als einzigartig betrachtet:

- Die Pawnee-Indianer im heutigen Nebraska, USA, glauben, der Mensch wäre von den Sternen erschaffen worden und himmlische Lehrmeister wären immer wieder zur Erde herabgestiegen, »um Männer und Frauen mehr von den Dingen zu sagen, die sie wissen mußten«. [11]

- Die Ojibway-Indianer (Ontario, Kanada) sagen, sie würden zur Gesellschaft »der Himmelsmenschen« gehören [12]. Diese Himmelsmenschen sind »keine Engel, aber Indianer mit hellerer Hautfarbe, bekleidet mit scharlachroten Tunikas und Kapuzen«.
- Eine Schöpfungsmythe der Cherokee-Indianer (Nordwest Georgia, USA) beginnt so: »Am Anfang lebten alle Lebensformen im Himmel ... Die Bewohner der himmlischen Behausungen waren begierig, wegzukommen, denn ihre himmlischen Behausungen waren mehr und mehr übervölkert ...« [13].
- Die Miccosukee-Indianer (Südflorida, USA) behaupten: »Vor langer Zeit stieg ein Indianerstamm vom Himmel in den Mikasukisee im Norden Floridas. Sie schwammen an Land und bauten die Stadt Mikasuki. Von dieser Stadt leiten die Miccosukee-Indianer ihren Namen her.« [13]
- Die Stämme der Salishan-Indianer (Britisch Kolumbien, Kanada) erzählen: »Einmal wollten die Menschen einen Krieg gegen die Himmelsmenschen anzetteln ...« [14].
- Die Irokesen (Staat New York) überliefern, die Erde wäre einst mit Wasser bedeckt und dieses von Monstern bevölkert gewesen. »Weit darüber liegt der Himmel, bewohnt von übernatürlichen Wesen ...« [15].
- Die Tootoosh-Indianer (Nordwestküste des Pazifik, USA) kennen mehrere ›Thunderbirds‹- (Donnervögel)-Überlieferungen. Einer ihrer Totempfähle für diese Donnervögel ist das Symbol für die »Stadt der Himmelsmenschen« [16].

Beispiele aus einer beliebig vermehrbaren Liste indianischer Abkunftsmythen – Beispiele, die heute lebende Stämme weitergeben. Die bescheidene Frage Ludwig van Beethovens: »Wenn ich mich im Zusammenhang des Universums betrachte, was bin ich?« ließe sich kommentieren: Die Indianer fragen!

Ich kenne die Geschichte des Quiche-Maya-Stammes aus dem »Popol Vuh«, bin vertraut mit den Entstehungsmythen der Inka; ich weiß um die Religion der Hopi-Indianer mit

211

ihren himmlischen Lehrmeistern, den Kachinas. Durch die jahrelange Beschäftigung mit Überlieferungen alter Völker kann ich feststellen, daß mir *kein* Fall unterkam, in dem die Vorfahren dieser alten Völker nicht versichern würden, daß göttliche oder himmlische Wesen ihre Lehrmeister gewesen sind. Nur wir klugen Besserwisser dieses Jahrhunderts verneinen dies kategorisch. Wir ganz allein sind die Größten!

Kinder, wie die Zeit vergeht

Die anthropozentrische Selbstüberschätzung brockte uns die Lehre ein, das Leben auf der Erde wäre aus unbelebter, toter Materie entstanden. Das Rezept des Lehrganges ist banal: Man gebe einen Schuß Ursuppe in den Mixbecher, schüttle ihn tüchtig und lasse zum Garen elektrische Funken sprühen; tut man's lang genug, entstehen – Abakadabra! – höchst komplizierte Proteine (Eiweiße), DNS-Stränge, lebende Zellen.

Ein Wunder! Sind ›Wunder‹ wissenschaftlich?

Ich mag nicht wiederholen, was ich dazu vor zehn Jahren [7] geschrieben habe, bin aber arrogant genug, anzumerken, daß seitdem eine Reihe bekannter Wissenschaftler den Ball aufgenommen hat. Damals sagte ich: Das erste primitive Leben kann auf der Erde nicht *von selbst* entstanden sein. Es echote prompt aus den akademischen Leersälen: Der Mann hat keine Ahnung von Molekülketten und präbiotischer Chemie. Wie ist die Lage heute?

Zwei Problemkreise sind streng auseinanderzuhalten:

1. Wie entstand Leben auf der Erde?
2. Wie entstand menschliche Intelligenz?

Zwischen der Antwort auf die erste Frage – Lebensentstehung – und der Antwort auf die zweite – Intelligentwerdung – liegen Jahrmillionen.

Ich beantworte die zweite Frage zuerst: Menschliche Intelligenz entstand durch eine gezielte künstliche Mutation an Exemplaren aus dem Stamme der Hominiden*. Auf die Frage: Gab es eine Evolution oder gab es sie nicht? antworte ich: Selbstverständlich gab (und gibt) es die Evolution. Mutationen – Veränderungen des Erbmaterials – und Selektionen – Auswahl des für Mutationen am besten geeigneten Erbmaterials – sind in der Paläontologie belegbar. *Nicht* bekannt ist der Intelligenzsprung zum *Homo sapiens*. Ich kenne die Gebirge von Theorien, die das Gegenteil behaupten, aber es sind eben auch nur Theorien.

Es wäre ein wichtiger, ja, der entscheidende Schritt nach vorn, wenn die Paläontologie endlich die Menschheitsüberlieferungen in ihre Forschungen einbezöge! Es ist wie ein Stück absurden Theaters: Es vergeht kaum ein Jahr, in dem dem Publikum nicht irgendein Knochen, ein Skelett als allerneuester Fund des nunmehr allerneuesten ›Vormenschen‹ ins Rampenlicht gehalten wird.

Vor zehn Jahren, als ich mein Buch »Beweise« schrieb, trauten Paläontologen dem *Homo erectus* (= aufgerichtet) das runde Alter von 1,5 Millionen Jahren zu. Inzwischen kratzte Richard Leakey mit seinen Mitarbeitern vom Nationalen Forschungszentrum für Prähistorie und Paläontologie, Nairobi, westlich des Turkanasees in Kenia ein neues Skelett aus dem Boden, einen nagelneuen *Homo erectus* [17]; der ist noch mal 100 000 Jahre älter als sein Vorgänger, doch 100 000 Jahre spielen in der Paläontologie keine Rolle. Rechnet man eine Generation mit 30 Jahren, dann liegen zwischen den beiden Skeletten ja ›nur‹ rund 3300 Generationen. Ein Schädel des allerältesten *Homo erectus* bringt es sogar auf ein Alter – seit seiner Existenz – von 2,5 Millionen Jahren.

Zwischen dem populären Neandertaler – der vor 50 000 Jahren lebte – und dem *Homo erectus*, den es vor 2,5 Millionen Jahren gab, liegt eine Spanne von 81 000 Generationen. Macht nichts. Die Paläontologie ist großzügig. Neue Knochen, neue Datierungen – und jedesmal wird hinausposaunt,

---

* Menschenartige Familie im System der Primaten.

die Skelette oder Teile davon stammten zweifelsfrei von unseren frühesten Vorfahren. Heilige Einfalt!

Tatsächlich werden doch immer nur Nachbleibsel von Affenablegern studiert! Nichts gegen das heitere Glück bei jedem neuen Fund – jeder mag für Evolutionstheoretiker umwerfend interessant sein, endlich zu wissen, seit wann eine Affenart auf den Hinterbeinen stehen konnte, auch, ob deren Handgelenke fähig waren, primitive Werkzeuge zu bedienen. (Auch heute benutzen *wildlebende* Affen simple Werkzeuge.)

Freunde: Mit der Intelligentwerdung des Menschen hat dieses Affentheater nichts zu tun.

Eva – eine junge Frau?

Die Paläontologie hat einen hoffnungsvollen Konkurrenten bekommen – die Molekularanthropologie (Anthropos = der Mensch). Die Vertreter dieser neuen Gattung der Wissenschaft erstellen Stammbäume auf der Basis genetischer Untersuchungen. *Das* ist ein aussichtsreicher Ansatz der Forschung, für den ich allerdings die vage Ahnung verspüre, daß seine Forschungsergebnisse eines Tages nicht mehr bekannt werden dürfen, weil früher oder später die Herkunft verschiedener Rassen aufgedeckt werden muß, und über Rassen spricht man nicht.

Im vergangenen Jahr begab sich der amerikanische Genetiker Douglas C. Wallace von der Emory-Universität, Atlanta, auf die Suche nach unserer vielgeliebten Eva. Sein Team untersuchte die Mitochondrien* von 600 Frauen aus der ganzen Welt [18, 19, 20]. Das Resultat der Untersuchung ergab den Ursprung der Menschheit vor 100 000 Jahren. Wallace: »Es hat eine Frau gegeben, die diesen Mitochon-

---

* Mitochondrien sind ein Bestandteil der DNS, der nur von Frauen vererbt wird.

drien-DNS besaß. Wenn sie die einzige war, dann wäre das Eva«! Der in der Zeit von vor 1,6 oder 2,5 Millionen Jahre datierte *Homo erectus* hätte dann mit unserer Eva nichts zu tun. Was mich auch überrascht hätte ...

Die Molekularanthropologen gehen auf verschiedene Weise vor. Eine Forschergruppe von der Universität Berkeley, Kalifornien, die wissen wollte, aus welchem geographischen Raum der Mensch überhaupt kommt, sammelte die genetischen Daten von 147 Frauen aus Afrika, Asien, Kaukasien, Neu-Guinea und von Aborigines, Australiens Ureinwohnern. Vergleichsstudien zeigten, daß Afrikaner in den genetischen Stammbäumen am häufigsten vertreten sind. Computerhochrechnungen ergaben, daß die langsame Ausbreitung vor höchstens 180 000 Jahren mit etwa einem Kilometer pro Jahr begonnen haben muß.

Auf einem anderen Weg stießen die Genetiker J. S. Jones und S. Rouhani vom University College, London, und ein Team unter Jim S. Wainscoat von der Universität Oxford in fruchtbares Neuland vor. Sie untersuchten die geographische Verteilung des Beta-Globins* von acht Bevölkerungsgruppen. Die Forscher kamen zur Überzeugung, daß es einst irgendwo im Raume Afrika eine »Gründerpopulation« gegeben, die – zurückgerechnet – aus höchstens sechs Menschen bestanden hat. »Wenn dies tatsächlich der Fall ist« – so Jones und Rouhani –, »war die Menschheit während einer entscheidenden Phase der Evolution eine vom Aussterben bedrohte Art« [21, 22].

Die Resultate sind alarmierend. Läßt sich die »Gründerpopulation« auf höchstens drei Paare oder sogar auf eine einzige Frau eingrenzen, dann beweisen die Millionen Jahre alten Knochen und Skelette nur, daß alle uns im absurden Theater präsentierten Knochen und Skelette *nicht* zu unseren direkten Vorfahren gehörten, sondern Relikte unserer *indirekten* darstellen; sie können begreiflicherweise auch nicht von der »Gründerpopulation« hinterlassen worden

---

* Bestimmter Anteil des Hämoglobins, des roten Blutfarbstoffs.

sein, weil diese erst vor 180 000 oder 100 000 Jahren auftauchte.

Genetiker mehrerer Universitäten arbeiten seit einigen Jahren an einem internationalen Gemeinschaftsprojekt; sie wollen eine Genkartei erstellen, von der sich vollständige Erbinformationen ablesen lassen. Diese Informationen sind in den Genen verankert, sie werden auf die Nachkommen übertragen. Gene sind Abschnitte der DNS-Doppelhelix; sie ist einem spiralartig gedrehten Reißverschluß vergleichbar, dessen Greifer aus Nucleinsäureketten* bestehen. Der DNS-Strang liegt im Kern jeder Zelle. Zöge man den DNS-Strang aus nur einer menschlichen Zelle wie einen Faden auseinander, wäre er fast zwei Meter lang. Ein Zwei-Meter-Faden soll in einer winzigen, nur unter dem Mikroskop erkennbaren Zelle Platz haben? Und der menschliche Körper trägt Abermilliarden solcher Zellen ...

Der Faden besteht aus Molekülketten, und das sind aneinanderklebende Atome. Machen wir ihn uns vorstellbar, indem wir für die Zelle einen Pingpongball annehmen; in diesen Ball stopfen wir einen in sich verdrehten, verknäuelten Faden von 20 Kilometern Länge. Zieht man vier Spritzen auf mit den Farben rot-grün-gelb-blau und gibt mit spitzer Nadel eine minimale Menge Farbflüssigkeit in den Ball, dann nimmt der Faden diese Farbtöne auf. Wir öffnen den Ball und hängen den Faden an einer 20 Kilometer langen Wäscheleine auf: Er hat nun Abschnitte mit den injizierten Farben.

In diesem Modell wäre die DNS der Faden, die Gene würden die Farben in sehr unterschiedlichen Längen markieren. Jeder Farbabschnitt steht für eine bestimmte Eigenschaft – eine Kombination rot-blau-gelb etwa für den Haarwuchs, rot-gelb-blau für das Wachsen der Fingernägel, gelb-grün-blau für braune Augen. Und so weiter. Sobald ermittelt

---

* Nucleinsäuren: Sammelbezeichnung für Desoxyribonucleinsäure = DNS, Ribonucleinsäure = RNS.

ist, welche Farbe für was zuständig ist, ist der genetische Code entschlüsselt. In der Fachterminologie heißen die Farben ›Nucleotidsequenzen‹, es sind quasi die Buchstaben des genetischen Codes.

Im Computer des Europäischen Molekularbiologischen Laboratoriums in Heidelberg sind schon über vier Millionen der bislang entschlüsselten Nucleotidsequenzen gespeichert. Das hört sich enorm an, aber es ist noch keine sehr große Zahl, wenn man weiß, daß es drei Milliarden ›Buchstaben‹ für menschliches Erbgut gibt und etwa 50 000 Gene in jeder Zelle. Weil die Dechiffrierung mühsam und langwierig ist, schlossen sich Universitäten und genetische Institute zusammen, so daß jedes Labor nur einen Bruchteil des DNS-Strangs zu bearbeiten hat. Die Genkartei wächst täglich. Schnelle Computer rechnen Kombinationen durch. Resultate werden ausgetauscht. Am kalifornischen ›Caltech‹, Pasadena, einer amerikanischen Elitehochschule, wurde eine computergesteuerte Gen-Sequenz-Maschine, der ›Gen-Alyzer‹, erfunden; dieser Apparat untersucht die Nucleotidsequenzen auf neue ›Farbkompositionen‹ (im Sinne unseres Modells) hin, vergleicht sie mit bereits vorhandenen Sequenzen, scheidet aus, rechnet hoch. Der Gen-Alyzer ist kein Unikat mehr, er wird in Serie hergestellt und vermarktet.

Während noch vor 20 Jahren das Projekt einer kompletten Genkartei von Wissenschaftlern für absurd gehalten wurde, erwarten Experten wie der Nobelpreisträger James Watson (Doppelhelix) die Realisierbarkeit in den nächsten zehn Jahren. Spätestens dann wird der Gen-Alyzer die Kartei derart bestückt, gesiebt und geordnet haben, daß exakt feststellbar sein wird, daß und wann in der menschlichen Entwicklungsgeschichte ein plötzliches, künstliches Ereignis etwas Entscheidendes verändert hat. Die Genkartei wird ein offenes Geschichtsbuch sein. Und darin wird auch ablesbar sein, daß in der Menschheitsentwicklung eine Manipulation am genetischen Code stattgefunden hat. Man wird mir – spätestens dann – keine Relikte der Technik von

Außerirdischen mehr abverlangen, um meine Theorie damit zu belegen.

»Verstehen kann man das Leben nur rückwärts. Leben muß man es aber vorwärts«, sagte Sören Kierkegaard (1813-1855).

Der genetische Code und die Schöpfung

Was wird der genetische Code eines Tages bewirken, wenn er komplett entschlüsselt ist? Um es salopp zu sagen: Wir werden mit ihm ›Götter‹ spielen können wie einst die Außerirdischen mit Adam und Eva.

Begeben wir uns noch einmal an die gedachte Wäscheleine, an der der 20 Kilometer lange Faden hängt. Nehmen wir an, daß bei Kilometer 10,5 die Farbkomination für braunes, bei 8,1 für rotes Haar steht. Es wird ein Mensch mit rotem Haar gewünscht. Ein ganz einfach zu erfüllender Wunsch: Die Farbkombination bei 10,5 km wird aus dem Faden geschnitten und durch die Kombination bei 8,1 km ersetzt. Der Faden wird verknotet und wieder in den Pingpongball gestopft.

Im Sinne dieses versimplifizierten Vorgangs gehen auch die Genetiker vor, nur ist ihre Arbeit viel, viel komplizierter und aufwendiger. Sie behandeln den DNS-Strang unterm Elektronenmikroskop mit Bakterien und speziellen Viren. Mit einer Art ›biochemischer Schere‹ (den sogenannten Restriktionsenzymen) wird der DNS-Strang an markierten Stellen aufgebrochen, die Bruchstelle verändert (mutiert), indem eine andere DNS-Sequenz eingeschleust wird. Nach dieser genetischen Manipulation vermehrt sich die Zelle wie vorher, nur liefert das veränderte Gen nunmehr den gewünschten Effekt: rote Haare.

Im großen Forschungszentren gibt es bereits Genkarten, die Erbkrankheiten aufzeigen. Ein Team vom Massachusetts General Hospital, Boston, USA, unter Leitung des Molekulargenetikers James Gusella lokalisierte ein Gen auf Chromosom Nr. 4, das für die Huntingtonsche Chorea*, eine Nervenkrankheit, zuständig ist [23]. Wissenschaftspublikationen berichten längst ganz selbstverständlich über Gendiagnostik: Es diagnostiziert nicht mehr der vertraute Hausarzt, das tun die Genetiker. Sie ›lesen‹ aus dem Fruchtwasser einer Schwangeren ab, ob das Embryo mit einer Erbkrankheit behaftet ist; wenn dem so ist, können sie Monate vor der Geburt den genetischen Schaden beheben. Genetiker werden – wenn man sie läßt – eines nicht fernen Tages Mensch und Tier nach Maß ›konstruieren‹ … wie es vor Jahrtausenden die Außerirdischen an unseren primitiven, hominiden Vorfahren getan haben.

Für viele ist der ›gläserne Mensch‹ der Genkartei ein Alptraum. Sie kriegen Orwellsche Visionen vom gemachten und verwalteten Menschen. Sie fürchten, der Mensch begänne Gott zu spielen, sehen in Zukunft Armeen von Männern mit programmierten Eigenschaften, ahnen eine Arena mit Sportlern, deren Muskulatur auf bestimmte Sportarten eingestellt wird, wittern eine Sorte Mensch mit Augen, die noch im Infrabereich sehen können. Frankenstein steigt aus der Retorte, der Tiermensch mit dem Geruchsinn des Hundes, dem Gehör der Katzen, den Krallen des Tigers. Droht der Mensch mit Schuppenpanzer, dem das Feuer nichts anhaben kann, einer mit Adlerflügeln, der über dem Feindgebiet späht, der Mensch mit Pferdeleib, ein Zentaur? Mit Phantasie landen wir im mythologischen Gruselkabinett des Pegasus, der mehrköpfigen Schlange, des fliegenden Löwen (wie er in allen vorderasiatischen Museen auf Reliefs zu sehen ist), des Minotaurus, des Skorpion- und Fischmenschen?

Als Grenzgänger zwischen Vergangenheit und Zukunft erstaunt es mich immer wieder, wie vieles von dem, was als Phantom der Zukunft gewittert wird, es schon gegeben hat!

---

* Benannt nach dem amerikanischen Nervenarzt George Huntington: Veitstanz.

Weshalb werden alte Bücher gerade jetzt, an der Schwelle zur Gentechnologie, nicht zur Kenntnis genommen? Da ist zu lesen, daß noch in historischer Zeit Zwitterwesen in Horden, Stämmen, sogar in Großformationen gelebt haben sollen. Dort erfährt man von ›Tempeltieren‹, die als Lieblinge der Bevölkerung gehätschelt wurden. Sumerische Großkönige machten – vielleicht zur puren Belustigung – Jagd auf Menschentiere. Herodot sprach in seinen ›Ägyptischen Geschichten‹ von eigenartigen schwarzen Tauben, die ›Menschentierweibchen‹ gewesen seien und von Menschen im Mündungsgebiet des persischen Araxes, die sich »mit Fischen gesellt« haben und Fischmenschen mit Schuppenhaut gewesen seien. Platon hielt in seinem ›Gastmahl‹ fest:

»Ursprünglich gab es neben dem männlichen und dem weiblichen Geschlecht noch ein drittes. Dieser Mensch hatte vier Hände und vier Füße ... Groß war die Stärke dieser Menschen, ihr Sinn war verwegen, sie planten, den Himmel zu stürmen und sich an den Göttern zu vergreifen.«

Tacitus (Annalen XV, 37) schilderte allabendliche Orgien im Hause des Tigellinus, bei denen »unter Mitwirkung von Menschentieren gebuhlt« wurde. Auf den Reliefs des Schwarzen Obelisken Salmanassars II. – im Britischen Museum, London – sind unschwer tiermenschliche Wesen zu erkennen. Im Louvre, Paris, im Türkischen Museum, Ankara, im Museum von Bagdad und andernorts sah ich Skulpturen von tiermenschlichen Kreuzungen. Auf assyrischen Kunstwerken sind Darstellungen von Halbmenschen keine Seltenheit. Die Begleittexte sprechen dann von ›gefangenen Menschentieren‹, die – von Kriegern gefesselt und abgeführt – vom Lande Musri als Tribute an den Großkönig geliefert wurden.

Werden die Mythen nun von der Realität eingeholt? Wiederholt sich die Menschheitsgeschichte? Wer Augen hat zu sehen, findet in allen anthropologischen und kunsthistorischen Museen der Welt Tier-Mensch-Bastarde in Steinskulpturen. Die dazugehörenden Täfelchen sind kurios beschriftet. Unter einem löwenähnlichen Tier mit menschlichem Körper liest man: ›Mythologische Figur‹. Unter einem menschlichen Körper mit Adlerkopf und Flügeln steht: ›Fliegender Genius‹. Die Götter sagten dem Propheten Hesekiel: »Ihr Menschen habt Augen, um zu sehen, und seht doch nicht.« Der Prophet behielt bis heute recht. Theoretisch könnte die künftige Genetik diese Zwitterwesen rekonstruieren, auferstehen lassen.

Andeutungsweise zeichnen sich längst die Möglichkeiten der Genchirurgie ab. Amerikanische wie deutsche Genetiker setzten in die Keimzelle einer Maus das Wachstumsgen einer Ratte ein. Resultat: die Riesenmaus. Professor Horst Kräusslich, Lehrstuhl für Tierzucht an der Ludwig Maximilian-Universität, München, »konstruierte« ein neues Schwein: Durch die Einpflanzung fremder Gene soll die Zukunftssau schwerer, aber fettarmer werden und Widerstandskräfte gegen schwein-spezifische Infektionskrankheiten mobilisieren [24]. Das neue Rennpferd, der neue Stier werden in ihren Anlagen nicht mehr durch Kreuzungen verbessert, sie werden genetisch gezüchtet. Gleiches gilt für Nutzpflanzen. Da gibt es bereits die Kreation ›Tomoffel‹ frisch auf den Tisch, eine Zellkreuzung von Tomate und Kartoffel.

Genetikern der University of California, San Diego, gelang eine erleuchtende Zucht: Leuchtende Tabakpflanzenblätter und leuchtende Karotten! Wenn man weiß, wie es gemacht wird, ist es ganz einfach: Leuchtkäfer strahlen kaltes Licht ab, das durch Oxydation des in ihren Organen gespeicherten Luciferins und des Enzyms Luciferase entsteht. Für dieses Enzym ist ein bestimmtes Gen ›verantwortlich‹: Es wurde isoliert, zuerst Bakterien, später Tabakpflanzen und Karotten eingebaut: »Der Erfolg der Gen-Übertragung ließ sich auf einfache Weise überprüfen. Die Pflanzen begannen nämlich nach der Zugabe von Luciferin und dem Energieträger ATP (Adenosin-Triphosphat) zu leuchten. Bei der Tabakpflanze akkumulierte sich das Enzym vorwiegend in den Wurzeln und Stengeln, doch auch die Blattrippen leuchteten deutlich« [25]. Die Frage ist erlaubt, wozu das nützlich sein soll. Reine Spielerei aus Freude am Entdecken? Nein. Ein leuchtendes Gen kann künftig als ›Markierer‹ eingesetzt werden, um andere in die DNS eingeschleuste Gene kenntlich zu machen. Der ›Markierer‹ meldet durch Bioleuchtkraft seine Position: Hier bin ich!

Genetiker sind dabei, die Natur zum Nutzen des Menschen zu überlisten. Erythropoietin ist ein von den Nieren in ganz geringen Mengen produziertes Hormon. Dieses Hormon regt die Stammzellen im Rückenmark an, rote Blutkörperchen zu produzieren. Reicht es nicht aus, kommt es bei Nierenerkrankungen oft zu einer gefährlichen Verminderung der roten Blutkörperchen (Anämie). Die Rettung brachten die Genetiker vom Northwest Kidney-Center, Seattle, USA. Ihnen gelang es, das lebenswichtige Hormon auf gentechnischem Weg herzustellen. Das im Labor hergestellte Hormon übt seine Funktion genauso aus wie das ›natürliche‹ [26].

Im Sommer 1986 hat das FDA, die als besonders streng geltende amerikanische Nahrungs- und Arzneimittelbehörde, erstmals einen Impfstoff zugelassen, der auf gentechnischem Weg hergestellt wird. Dieser Impfstoff verhindert die Infektion mit dem ungemein bösartigen Hepatitis-B-Virus, der zu Leberzirrhose und Krebs führt.

Es vergeht kaum eine Woche, in der man nicht Warnungen vor der Gentechnologie hört, sieht oder liest. Gesetze sind in Diskussion, die den Wissenschaftlern die Manipulation an menschlichen Genen verbieten sollen. Das Gengespenst geht um. Es gibt zwei Fronten: Die eine fürchtet sich davor wie vor dem Klabautermann oder der Kernenergie – die andere möchte die Forschung unbeschränkt bei der Arbeit wissen. Tatsächlich ist das Problem dem der Kernenergie vergleichbar: Kernenergie kann zur friedlichen Nutzung, aber auch zur Herstellung der Wasserstoffbombe eingesetzt werden. Beschließt *ein* Land, alle Kernreaktoren abzuschalten, hat es doch die Kernreaktoren anderer Länder nicht unter Kontrolle. Gentechnologie läßt sich zum Guten wie zum Bösen einsetzen. Wird hier, in einem Land, die Genforschung verboten, hindern die Gesetze anderer Länder die Genetiker nicht, ihre Arbeit in einem anderen Land fortzusetzen. Die Genetiker westlicher Staaten – von den anderen weiß man's nicht! – scheinen sich eine freiwillige Beschränkung aufzuerlegen. Sie wollen gentechnologisch nichts tun, was den ›Personalcharakter des Menschen‹ verändert.

Eine schöne, eine edle, eine richtige Absicht, aber wie soll international kontrolliert werden, daß sich *alle* an dieses Postulat halten? Gentechnik strahlt nicht, und sie braucht weder unter- noch überirdische Explosionen. Kein Meßgerät der Welt zeigt an, in welchem Labor mit Genen experimentiert wird. Dann: Genforschung, Gentechnik betreiben nicht nur staatlich kontrollierte und finanzierte Hochschulen, es gibt viele private Labors und apparativ bestens ausgerüstete Forschungsstätten der Pharmagroßkonzerne. So wird vermutlich – leider! – auch auf dem Sektor der Genforschung am Ende die alte Militär-Technologen-Weisheit stehen: »Wenn *wir* es nicht machen, machen es die andern vor uns, und das wäre sogar noch schlimmer« [27].

Der 8. Tag der Schöpfung

Angefangen hat das Ganze vor elf Jahren, genau: Am 30. August 1976. An diesem Tag gelang es dem Nobelpreisträger für Medizin, dem indischen Professor Har Gobind Khorana vom Massachusetts Institute of Technology in Cambridge, USA, ein Gen künstlich herzustellen. Seitdem haben Genetiker begonnen, nicht nur natürliche Nucleotidsequenzen in der DNS auszutauschen, sondern sogar Nucleotidsequenzen und komplizierte Proteine (Eiweißstoffe) sozusagen auf dem Reißbrett zu entwerfen und zusammenzubauen. Die Fachsprache benennt diese Zweige der synthetischen Biologie ungetarnt Proteindesign oder Protein-Engineering.

Im Februar 1987 meldete »Bild der Wissenschaft« [28], daß es Professor Bernd Gutte von der Universität Zürich gelang, »aufgrund von Modellvorstellungen ein 24 Aminosäuren langes Protein« zu synthetisieren. Dieses Kunstprotein soll die schädlichen Nebenwirkungen des Insektizids DDT vermindern. Die Stafette ging weiter. Professor Ernst-Ludwig Winnacker und sein Mitarbeiter Ronald Merz von der Universität München ›übersetzten‹ die Aminosäuren-Sequenz dieses neuen synthetischen Proteins und konstruierten ein künstliches Gen, schleusten es in das Erbgut von E-coli-Bakterien ein und bewiesen damit, »daß diese genetisch veränderten Bakterien das künstliche Protein herstellen«. »Bild der Wissenschaft« setzte über diese Forschungsergebnisse die Headline: »Der 8. Tag der Schöpfung.«

Hinter diesen sachlichen, für den Laien vielleicht sogar ein bißchen langweiligen Entwicklungsberichten verbirgt sich Dynamit. Gene sind keine x-beliebigen Klumpen von Molekülen, Gene sind Träger der Erbinformationen. Auch wenn der Weg bis dahin noch Jahrzehnte dauern mag, irgendwann werden Erbanlagen aller Lebensformen gezielt neu entworfen, neu gestaltet werden können. Irgendwann wird aus einem Labor eine eigenartige Stimme tönen. Man hat einen Hund zum Sprechen gebracht.

Am Institut für Genetik der Universität Bielefeld arbeiten Molekularbiologen an einem Projekt, das sich wie ein Märchen anhört. Nicht nur der Bauer, jedermann weiß, daß die Äcker mit Stickstoff gedüngt werden. Weltweit liegt der Jahresverbrauch an Stickstoffdünger bei 80 000 000 Tonnen! Erst unter einer Temperatur von 500 Grad Celsius und einem Druck von 200 Atmosphären läßt sich aus dem Stickstoff der Luft und dem Wasserstoff Ammoniak* gewinnen. Im Erdreich gibt es Bakterien, die Stickstoffdünger auf natürliche Weise produzieren, »aber ihre Leistung ist zu gering oder am falschen Ort verfügbar, um allein mit ihnen

---

* Ammoniak ist das Basismaterial für Stickstoffdünger.

unsere Nahrungspflanzen ausreichend mit Stickstoff zu versorgen« [29].

Die Genetiker sagten sich: Was Bakterien im kleinen können, müßten doch Pflanzen – Lebensformen wie die Bakterien – im großen fertigbringen. Ziel war es, Nutzpflanzen wachsen zu lassen, die ihren nötigen Stickstoffdünger selbst produzieren. Der Genetiker Professor Alfred Pühler beschreibt es so: »Als Effekt müßten dann diese genmanipulierten Pflanzen in der Lage sein, Luftstickstoff in Ammoniak zu verwandeln – Weizenpflanzen würden beispielsweise ihren eigenen Mineraldünger produzieren.«

Es wurde bald ein Enzym ausgemacht, das das Kunststück fertigbrachte, aus einem N_2-Molekül zwei Ammoniak-Moleküle (NH_3) entstehen zu lassen. Fortan ging es darum, die Erbinformation dieses Enzyms zu dechiffrieren. Schließlich stand fest: Die gesuchte Erbinformation besteht aus einer ganzen »Genbatterie« (Pühler), die sich aus 14 Einzelgenen zusammensetzt.

Britische Genetiker von der Universität Sussex schafften es, diese Genbatterie auf Darmbakterien in der Gattung E-coli zu übertragen. (Das Kunststück wurde später in Bielefeld mit gentechnologischen Methoden wiederholt.) Nun verfügte man über Darmbakterien, die etwas taten, wozu die Natur sie nicht ausersehen hatte: Sie wandelten Luftstickstoff in Nitrat um. Der nächste Schritt mußte sein, die Erbinformation auf Nutzpflanzen zu übertragen. Diese letzte Teilstrecke zum »Weizen, der sich selbst düngt«, ist bisher noch nicht gelungen. Professor Pühler meint in »Bild der Wissenschaft«, dieser Weizen wäre »noch eine ferne Fiktion!« Vorsicht im Abschätzen der Zeiträume für eine Entdeckung zeichnet die Forscher aus, doch Sternstunden einer plötzlichen ›Eingebung‹ lassen sie – wie die Erfahrung lehrt – oftmals kürzer geraten als angenommen wurde.

Es geht also um den übernächsten Schritt, von dem zu sprechen ist – um das vervielfältigte Säugetier. Man möchte *die gleiche* genetische Botschaft auf ein neues Lebewesen übertragen, also *keine* Veränderung des genetischen Codes

225

vornehmen. Das Verfahren wird *klonen** genannt. Es geht um »das Herstellen von genetisch identischen Kopien« [30] durch Transplantationen des Zellkerns. An Fröschen, Mäusen, Lämmern und Rindern wurde das Verfahren schon erprobt. Irgendwann wird sich die Versuchsreihe zwangsläufig des menschlichen Erbguts annehmen. Der amerikanische Wissenschaftsjournalist David M. Rorvik behauptete schon 1978 in seinem Buch ›Nach seinem Ebenbild‹ [31], ein alternder Millionär habe von sich Eizellen deponieren lassen, damit dermaleinst im Klonverfahren Duplikate seiner selbst erhalten blieben. Derart wird der alte Herr unsterblich werden.

Warum nur wünscht der Mensch, unvollkommen, wie er ist, sich Kopien seiner selbst? Es gibt einsehbare Gründe. Vielleicht wünscht sich ein kinderloses Ehepaar einen Sohn, der wie Papa aussieht, vielleicht wünscht sich der Überlebende eines Unfalls einen in jeder Weise genauen ›Ersatz‹ des Getöteten, vielleicht wären identische Ableger großer Geister der Menschheit, von Nobelpreisträgern etwa, nützlich. Vielleicht.

Im Gespräch mit Genetikern stößt man heute auf schroffe, ja, entsetzte Ablehnung der Möglichkeit des Klonens von Menschen; es gäbe keine Technik dafür und außerdem ließen Ethik und Moral es nicht zu. Wenn der erste Mensch aus dem Klonverfahren herumläuft – kerngesund, immun gegen Krebs und Aids, hochintelligent, von gutem Aussehen – werden Ethik und Moral sich vermutlich wandeln, und die Genetiker werden den Wünschen nach Duplikaten kaum noch widerstehen können. Das Epigramm, das wir in der Schule lernten, bleibt gültig. *Tempora mutantur, nos et mutantur in illis.* Die Zeiten ändern sich, und wir uns in ihnen.

---

* Klon (grch. Zweig). Gesamtheit aller Einzelwesen, die sich ungeschlechtlich aus einem Individuum vermehrt haben: sie sind erbgleich.

226

Raum unserer Freiheit

Vor zwölf Jahren prophezeite Nobelpreisträger Manfred Eigen [32]: »Es wird möglich sein, *jedes* Lebewesen aus seinem natürlichen Erbmaterial ›künstlich‹, das bedeutet, auf einem andern als dem natürlichen Wege, zu reproduzieren.«

Der gläserne Mensch wird schneller Wirklichkeit werden als vorsichtige Wissenschaftler annehmen. Ende Februar 1987 berichtete das Wissenschaftsmagazin NATURE (Vol. 325), daß japanische Genetiker einen ›Super-Sequenzer‹ entwickelt haben, der *täglich* eine Million ›Buchstaben‹ der DNS entziffern kann. Acht solche Apparate könnten es in anderthalb Jahren schaffen, die gesamte Erbinformation des Menschen zu analysieren. Die Gesamtkosten dieses Projekts werden auf eine Milliarde Mark veranschlagt – keine so umwerfende Summe, wenn man etwa an die Investitionen für die Raumfahrt denkt.

Die Entwicklung schlägt Kapriolen und beweist, daß die Praxis schneller sein kann als die kühnste Spekulation. Im April 1987 gab das amerikanische Patentamt (US Patent and Trademark Office) bekannt, daß es künftig auch »vielzelligen, lebenden Organismen« Patentschutz gewähren werde, sofern sie auf einem Programm aufgebaut seien, das in der Natur nicht vorkäme. Es wurde eine Entwicklung legalisiert, die längst Praxis wurde: Bis März 1987 waren in den USA schon über 200 genetisch veränderte Mikroben, die beispielsweise ausgelaufenes Rohöl neutralisieren oder Insulin produzieren, zum Patent angemeldet. Im April 1987 wurden 15 Patentanträge für Tiere gestellt, die es in der Natur nicht gibt. So gelang, beispielsweise, Wissenschaftlern der Universität Kalifornien eine Mischung aus Schaf und Ziege – die Schiege – auf biotechnischem Weg; diese Neuzüchtung aus dem Labor erfreut sich des Vorderteils eines Schafes und des Hinterteils einer Ziege. Entsetzte Kritiker wurden mit dem Hinweis beruhigt, das Monstrum wäre

nur der Prototyp einer Serie, deren Modell die kalifornischen Tierdesigner zu verbessern versprachen.

Wer hat da noch die Stirn, zu versichern, fliegende Pferde
könne es nie, niemals gegeben haben?! Fliegende Mäuse
(Fledermäuse) und fliegende Fische gibt es seit Jahrtausenden. Ob diese Abarten Produkte einer natürlichen Evolution sind oder aus den Labors außerirdischer Besucher
stammen, wird man doch nunmehr fragen dürfen.

Mai 1987. Professor Bruno Chiarelli von der Universität
Florenz schockiert die Weltöffentlichkeit mit dem Bekennt-
nis, daß es durchaus möglich wäre, Affenmenschen zu züch-
ten. Dazu müsse man ›nur‹ das Ei eines Schimpansenweib-
chens mit dem Samen eines Menschenmannes befruchten.
Das Geständnis des Professors, man habe den Fötus aus
ethischen Gründen abgetrieben, besagt, daß der Affenmensch *in statu nascendi* gewesen ist! Professor Chiarelli
hatte Praktisches im Sinn; er meinte, der Affenmensch
könne doch für schwere, langweilige Arbeiten eingesetzt
werden, von der Müllabfuhr bis zum Fließband, und außerdem stände er als lebendige Organbank zur Verfügung.

Es gilt, was ich seit 20 Jahren sage: Es gibt nichts Neues
unter dem Himmel, und die Geschichte wiederholt sich.
Hic et nunc! sagten die alten Römer: Hier und jetzt! Und
der Philosoph Karl Jaspers (1883-1969) postulierte: »Die
Zukunft ist als Raum der Möglichkeiten der Raum unserer
Freiheit.«

Unbeantwortete Frage

Wie entstand das Leben auf der Erde?

Bis zu Anfang des 19. Jahrhunderts begnügten sich die
Menschen mit Antworten aus Heiligen Büchern: Gott hat
das Leben erschaffen. Dann trat Charles Darwin (1809-
1882) mit seiner Evolutionstheorie auf den Plan, und von
Stund an war alles anders. Ab nun zeigten sich mindestens

Die Schiege ist eine genetische Verschmelzung von Schaf und Ziege, entstanden im Laboratorium

die Wissenschaftler mit dem Evolutionsmodell vorerst befriedigt: In Hunderten von Jahrmillionen spaltete sich eine Art von der anderen ab, innerhalb der Gattungen ergaben sich laufend Veränderungen – Mutationen; aus dem Urhund entwickelten sich viele Hundearten, aus dem Vormenschen verschiedene hominide Gruppen.

Darwin schien ein in sich geschlossenes und logisches Konzept vorgelegt zu haben. Doch die Frage nach dem Ursprung allen Lebens blieb unbeantwortet. Ließen sich alle Lebensformen auf *eine* Urform zurückführen, blieb offen, woher diese Urform stammte.

Natürlich aus der Zelle, sagten die Wissenschaftler, denn

die Zelle ist die kleinste Lebenform. Und woher kam die Zelle?

Mit der Beantwortung dieser Frage begann die hohe Zeit der Molekularbiologen. War nicht nur die Zelle bis zum winzigsten Molekül zu untersuchen, dessen chemische Zusammensetzung zu ermitteln, um endlich zu wissen, wie alles begonnen hat?

Die moderne Zellforschung begann, sie dauert nun schon über 70 Jahre an; sie erbrachte phänomenale Kenntnisse vom Innenleben der Zelle, doch ein Goethewort bewahrheitete sich auch hier: »Jede Lösung eines Problems ist ein neues Problem.« Die Zelle wurde in ihrer Grundsubstanz als eine Anhäufung von Chemikalien erkannt. Wie aber ordnen sich Chemikalien in der notwendigen Reihenfolge genetischer Erbsubstanz? Woher ›wissen‹ sie, welche Moleküle zusammengehören, welche nicht? Solche Fragestellungen führten zur Geburtsstunde der chemischen Evolution. Heute agieren unter dem Dach der Evolution drei Ebenen der Forschung.

– Chemische Evolution: Loslösung von chemischen Materialien aus dem Urgestein
– Selbstorganisation der Moleküle zu vermehrungsfähigen Zellen: Wie entsteht aus ›toter Chemie‹ die lebende Zelle?
– Entwicklung der individuellen Arten = Darwins Evolutionstheorie

Manfred Eigen postulierte, die Chemie wäre physikalischen Gesetzen unterworfen. Man weiß, daß die Physik in jedem Materieteilchen negative oder positive elektrische Ladungen nachgewiesen hat. Diese Gesetzmäßigkeit gilt auch für Moleküle; sie müßten sich je nach Beschaffenheit anziehen oder abstoßen. Dementsprechend liefen alle Vorgänge in Makromolekülen* nach physikalischen Gesetzen ab: Die ärgerliche Bemühung um den großen Zufall bei der Evolution könnte endlich in Pension geschickt werden. Der Ärger bei diesem Lösungsangebot war nur, daß sich lange Ketten-

---

* Sehr große Moleküle.

moleküle in einer Ursuppe nicht nur banden, sondern auch wieder auflösten wie ein Schmutzfleck in der Seifenlauge.

Zur Zellbildung sind viele Proteine nötig. Das kleinste denkbare Protein besteht aus mindestens 239 Molekülen. So ein Proteinmolekül ist ein Monstrum aus verschiedenen Aminosäuren und Enzymen, die sich alle in einer feststehenden Reihenfolge finden müssen. Die Unwahrscheinlichkeit dieses Ordnungsvorgangs hat Professor James F. Coppedge [33], ehemals Direktor des Zentrums für biologische Wahrscheinlichkeitsforschung, Northbridge, Kalifornien, mit einer Chance von $1:10^{23}$ errechnet, ein Lotto mit dieser Trefferquote – 1:10 000 000 000 000 000 000 000 0. Wer möchte da einen Einsatz wagen?

Der große Zufall stand auch noch bei der ersten Zelle Pate, denn sie soll sich ja unter den Bedingungen der Ursuppe und der Uratmosphäre gebildet haben. Die Uratmosphäre hat mit der Atmosphäre, die wir heute atmen, nichts, überhaupt nichts zu tun; sie bestand überwiegend aus Methan (etwa Grubengas) und Ammoniak. In dieser Atmosphäre wirkte Sauerstoff wie tödliches Gift für die Zelle. Wären erste Zellen in einer Methan-Ammoniak-Atmosphäre gediehen, hätte sie hinzutretender Sauerstoff sofort umgebracht. Das wird von niemandem ernsthaft bestritten. Warum wird in Lehrbüchern darauf nicht hingewiesen? Warum werden Fakten aus den chemobiologischen Experimenten verschwiegen? Warum werden mathematische Berechnungen verheimlicht?

Von unserem Ausflug in die Biologie und präbiotische Chemie blieb im Hinterkopf haften, daß eine Zelle sich nur vermehren kann, wenn sie ein fertiges, wenn auch bescheidenes DNS-Programm in sich trägt. Dieses Programm wird wie ein markierter Stafettenstab an die nächste, übernächste, überübernächste usf. Zelle weitergegeben, bis sich eine einfache Lebensform, beispielsweise eine Bakterie, bildet.

Eine Bakterie stellt aber schon eine fertige Lebensform mit einer bestimmten Funktion dar, muß also ihr genetisches Programm schon aus der DNS der ersten Zelle übernom-

231

men haben. Woher stammte in der *ersten* Bakterienzelle das Programm zum Aufbau der Gesamtbakterie? Woher bekam die DNS der ersten Zelle den ›Befehl‹ zum Aufbau einer Bakterie? Und durch welchen Hokuspokus veränderte sich eine Bakterie in eine mit vollständig anderen Funktionen? Für die Wahrscheinlichkeit, daß die einfachste Bakterie durch zufällige Veränderungen entsteht, errechnete Professor Harold Morowitz [34], Physiker an der Yale-Universität, USA, diese Chance: $1:10^{100\,000\,000\,000}$. Das sind so viele Nullen, daß sie in diesem Buch keinen Platz fänden.

Darwinismus – ein Irrtum

Professor Bruno Vollmert ist Ordinarius für Chemische Technik der makromolekularen Stoffe und Direktor des Polymer-Instituts an der Universität Karslruhe [35]. Polymerchemiker beschäftigen sich mit der Synthese von Kunststoffen, die aus großen Molekülketten bestehen. Geht es um die Entstehung von Makromolekülen wie der DNS, ist die Molekularchemie zuständig.

Über Jahrzehnte forschte Vollmert mit seinem Team in erstklassig ausgestatteten Laboratorien nach der Entstehung der DNS. Das Resultat der Forschung war niederschmetternd für alle Evolutionstheoretiker: DNS kann *nicht* von selbst entstanden sein. Vollmert sagt, ein Polymerchemiker könne sich weder einreden noch einreden lassen, in Ursuppen wären zufälligerweise Makromolekülketten von der Art der DNS entstanden; das gelte auch für das Kettenwachstum der DNS im Verlaufe der Erdgeschichte von einer Tierklasse zur nächsthöheren.

Vollmert wörtlich:

»»Darwinismus ist daher eine Weltanschauung, eine Ideologie, und nicht eine wissenschaftlich bewiesene Theorie... Ich halte daher den Darwinismus für einen verhängnisvollen Irrtum, der seinen beispiellosen Erfolg

letztlich wieder einem anthropozentrischen Wunschdenken verdankt.‹«

Selbstverständlich wurden Vollmerts Thesen in seinem
epochalen Buch ›Das Molekül und das Leben‹ widersprochen. Verfechter der Idee von der Lebensentstehung aus
toter Materie (Chemikalien) wiesen auf die Wechselwirkun-
gen der Physik und besonders auf die Jahrmillionen hin,
die chemischen Bausteinen zur Verfügung gestanden hätten,
um sich untereinander in der nötigen Weise zu finden. Daß
dazu eine ununterbrochene Sequenz von millionenfachen
Zufällen hätte mitmischen müssen, wurde geflissentlich verschwiegen. – Wissenschaft geriert sich gern als exakt und
weist Zufälle in ihren Theorien weit von sich. *Zufällig* sind
Zufälle immer genehm, wenn sie als Notnagel in die Wand
geschlagen werden müssen. Nicht alle wissenschaftlichen
Bausteine sind aus Stahlbeton.

Da die Entstehung von Leben eindeutig nicht geklärt ist,
untersuchten Professor Fred Hoyle, ehemals Direktor des
Instituts für Theoretische Astronomie in Cambridge, und
Professor Nalin Chandra Wickramasinghe, Leiter des Fach-
bereichs für angewandte Mathematik und Astronomie an
der Universität in Cardiff, Wales, die Möglichkeiten der
Lebensentstehung aus dem Fundus ihres mathematischen
Wissens. Sie fragten sich, ob Enzyme durch chemische
Evolution aus einer irdischen Ursuppe entstanden sein kön-
nen. Das Statement der beiden Gelehrten:

»Wir setzen voraus, daß die Suppe 20 biologisch wichtige
Aminosäuren in gleicher Konzentration enthält. Vorsich-
tig schätzen wir, daß zehn Stellen je Enzym für das
richtige biologische Funktionieren entscheidend sind.
Mehr als 20^{10} Versuche wären dann erforderlich, um ein
einziges funktionsfähiges Enzym hervorzubringen, und
die Wahrscheinlichkeit, N solche Enzyme durch Zufall
zu erhalten, beträgt $1:20^{10N}$. Schon bevor N die Zahl 100
erreicht, würde die Anzahl der Versuche größer werden
als die Anzahl der Atome in allen Sternen im gesamten
Weltall. So sehen wir uns zur Folgerung fast gezwun-

gen, daß das Leben eine kosmische Erscheinung sein muß.« [36, 37]

Das Leben als Folge kosmischer Erscheinungen? Wenn ja – welcher Erscheinungen? Niemand weiß es. Bis die Frage hinter allen Fragen beantwortet ist, wird der Mensch keine Ruhe finden. Wir wissen: Basis allen Lebens ist die Zelle – die Zelle besteht aus Makromolekülen – Makromolekülketten sind aneinandergereihte Atome – Atome bergen eine Vielzahl subatomarer Teilchen. Die subatomaren Teilchen sind die Welt der ständigen Bewegung und diffusen Strahlung*. Damit verlassen wir die materielle Welt, um zum Unfaßbaren zu gelangen, das die einen Gott, die anderen Geist nennen. Ständig sind wir von einer unsichtbaren, unmeßbaren Gegenwelt irisierender Strahlung umgeben. Sie ist überall gegenwärtig, durchdringt uns, es gibt sie im ganzen Universum. Ist sie es, die das Programm in den Molekularketten ordnet? Die tote Materie in lebendige Schwingung versetzt?

---

* Beispiel: Ein Elektron pulsiert 10^{23}mal in der Sekunde.

V.

UREWIGE BEGEGNUNGEN DER DRITTEN ART

MUT ZUM MÖGLICHEN

> Auch die Augen haben ihr
> täglich Brot: den Himmel
> *Ralph Waldo Emerson 1803-1882*

Ein einziger originaler Knochen unserer Stammeltern Adam und Eva müßte gefunden werden. Was nicht alles könnten Molekularanthropologen herausfinden?

»Das hängt vom Alter und Zustand des Knochens ab«, antwortete ein Genetiker von der Universität Basel auf meine Frage. »Bei einem 500 Jahre alten Knochen können wir aufgrund der Proteine feststellen, ob der Knochen einem Affen oder einem Menschen gehörte. Bei älteren Knochengeweben wird das schwieriger, denn die DNS ist nach Jahrtausenden kaum mehr intakt, die Proteine und andere Zellbestandteile sind längst dehydriert.* Trotzdem sind schon DNS-Stücke von ägyptischen Mumien, die vor 4000 Jahren eingewickelt wurden, erfolgreich kloniert worden.«

Genetiker der Universität Uppsala, Schweden, untersuchten Fragmente von 23 ägyptischen Mumien auf ihren Gehalt an DNS. Das Wissenschaftsmagazin »Nature« [1] berichtete darüber. Am Leichnam eines 2400 Jahre alten Kindes wurde man fündig: Aus dem Unterhautgewebe konnte eine DNS-Sequenz von 3400 Basenpaaren isoliert werden. Man behandelte sie mit Phenol und Äthanol und schleuste die DNS-

---

* Entzug von Wasser, Trocknung.

235

Stränge in ein bakterielles Plasmid. Mit dem Kloningverfahren erhielt man tausend Kopien der Mumien-DNS, sie wurden an verschiedene Institute zur Untersuchung weitergegeben. Die Resultate zeigten eine Anzahl von sogenannten Punktmutationen, wie sie auch beim heutigen Menschen nachweisbar sind. Hier war es der Beweis, daß sich die DNS der Mumie im Laufe der Jahrtausende nicht wesentlich verändert hat. Die Forscher der Universität Uppsala schreiben den guten Zustand des Unterhautgewebes dem Umstand zu, »daß die Mumifizierung durch Dehydratisierung der Leichname in natürlichem Natron erfolgte, einer Mischung von Natriumhydrogen und Natriumchlorid.« Dazu vermerkte die »Neue Zürcher Zeitung« [2]:

»Die erfolgreiche Klonierung von Mumien-DNS ist in mehr als einer Hinsicht von großem Interesse. Gewisse DNS-Sequenzen im menschlichen Genom* sind äußerst variabel und können zur genauen Bestimmung des Verwandtschaftsgrades und der Abstammung einer bestimmten Bevölkerung benutzt werden.«

Eben das ist es, was ich mir von einschlägiger Forschung erhoffe und erwarte. Wenn aus der DNS vor Urzeiten Verstorbener Verwandtschaftsgrad und Abstammung herausgelesen werden können, wird man irgendwann feststellen müssen, daß wir Menschen nicht nur Gene von Primaten, sondern auch von Außerirdischen in uns tragen. Prämisse für solche Analysen sind allerdings ›jung‹ gebliebene Mumien! Aber die scheint es zu geben. 1975 fanden chinesische Archäologen in Hupeh am mittleren Jangtsekiang die Mumie eines etwa fünfzigjährigen Mannes, der so gut erhalten war, als wäre er erst kürzlich gestorben. Dabei trug die äußerste Umhüllung sein Todesdatum: Der Mann starb vor 2142 Jahren! Die Haut war elastisch geblieben, alle Gelenke geschmeidig, und es fehlte kein Zahn im Gebiß. Den überraschend guten Zustand verdankte die Uraltmumie den drei

---

* Genom: Der einfache Chromosomensatz einer Zelle, der dessen Erbmasse darstellt.

ineinander verschachtelten, luftdicht abgeschlossenen Sarkophagen und der roten Flüssigkeit, in der sie schwamm. Die chinesischen Wissenschaftler konnten oder wollten bisher nichts über die chemische Zusammensetzung des mirakulösen Konservierungsmittels sagen.

Bei einer so erstklassig erhaltenen Mumie wäre es freilich möglich, große DNS-Sequenzen der Zellen aufzuschlüsseln. Ähnliche Chancen bieten sich allerdings auch bei Leichnamen, die in Eis konserviert wurden, wie etwa bei den Gletschermumien in Peru.

Versäumen wir die Chance einer gentechnischen Untersuchung der Zellen unseres Stammelternpaares?

Evas Grab liegt seit Menschengedenken am Rand der saudiarabischen Stadt Dschidda. Für Adam kennt die Überlieferung vier Begräbnisstätten. Die ›Enzyklopädie des Islam‹ [3] vermerkt, Adam wäre nach seiner Verbannung aus dem Paradies auf die Insel Sarandib, das heutige Ceylon, gelangt. (Leider ist nicht notiert, ob zu Fuß, per Schiff oder auf Engelsflügeln). Heute noch gibt es auf Ceylon einen Berg, den die Portugiesen *Pico d'Adam* tauften; im Fels dieses Berges bestaunen tagtäglich Touristen gigantische Fußabdrücke, die von Adam hinterlassen sein sollen.

Nach 200 Jahren Exil am nördlichen Indischen Ozean holte Erzengel Gabriel Adam nach Arabien und zu Eva zurück. Er wurde aktiv, errichtete im heutigen Mekka ein Heiligtum – die spätere Ka'aba; nach dem Tode seines Sohnes Seth wurde, so die islamische Enzyklopädie, Adam in der »Schatzhöhle am Fuß des Berges Abu-Quabais« [4], dem höchsten Berg in der Umgebung Mekkas, beigesetzt. Eine andere Legende meldet, daß Adams Leichnam nach der Sintflut nach Jerusalem gebracht und unter dem Kalvarienberg zum zweitenmal beigesetzt worden sei. Das arabische Götzenbuch [5] hingegen verlegt Adams Grab in eine Höhle unter dem Berg Naud in Indien.

Zu den Apokryphen des Alten Testaments gehört auch die Schrift: Das Leben Adams und Evas [6]. Die uns vorliegende Fassung stammt aus dem Jahr 730 nach Christus,

237

basiert jedoch auf Handschriften unbekannten Alters. Danach wurde Adam nach dem Tod »in den Bereich des Paradieses« gebracht, dort vom Erzengel Michael mit wohlriechendem Öl einbalsamiert und in Leintücher gewickelt. Der Herr selbst verschloß das Grab mit einem »dreieckigen Siegel«.

Wo könnte Adam gesucht werden?

– Unter dem Kalvarienberg in Jerusalem? – Kaum.

– Unter dem Berg Naud in Indien? – Der Berg ist unbekannt.

– In der Schatzhöhle des Berges Abu-Qubais? – Möglich.

– Im »Bereich des Paradieses«? – Sehr wahrscheinlich.

Widerspreche ich mir selbst? Habe ich nicht im vorhergehenden Kapitel klargemacht, daß niemand weiß, wo der Garten Eden, das Paradies, gelegen hat?

Man muß nur die detaillierten Forschungen von Professor Kamal Salibi in der saudi-arabischen Provinz Asir akzeptieren: Er lokalisierte unzählige biblische Ortsnamen und auch die Lage des Paradieses. Salibi schreibt [7]:

»Im Wadi Tabala, nicht weit von Rausan entfernt, liegt eine andere Oase, 'Adana ('dnh) genannt, die bis zum heutigen Tag den Namen des biblischen Eden ('dn) trägt. Stromabwärts, nicht weit von Rausan entfernt, liegt die Oase Gunaina (gnynh, Diminutiv von gn, hebräisch gn, ›Garten‹), sie wird von Flüssen bewässert, die aus 'Adana herausfließen. Es mag einem nicht ganz geheuer dabei sein, aber da ist er, der Garten Eden, und er heißt auch heute noch so.«

Das Grab der Riesin Eva

Wenn der Garten Eden, das Paradies, in Arabien zu suchen ist, sollte dort auch Adams Grab, mit einem »dreieckigen Siegel« gekennzeichnet, zu finden sein. Es zu recherchieren wäre ein Ziel für eine interdisziplinäre Wissenschaftlercrew!

Adam ist nicht irgendwer in der Menschheitshierarchie, er gilt als deren Stammvater. In einer kühlen Felsengruft könnte sein Leichnam die Jahrtausende überdauert haben; schließlich war mit dem Erzengel Michael eine Fachkraft ersten Ranges mit der Einbalsamierung befaßt. Kühn, wie ich bin, spekuliere ich sogar, daß Außerirdische Adam voller Absicht für die Nachwelt konservieren ließen: Sie wußten, was alles sich aus einem intakten DNS-Strang ablesen läßt.

Wenn denn der Garten Eden in Saudi-Arabien zu finden ist, würde es nicht erstaunen, auch Evas letzte Ruhestätte dort zu lokalisieren. Der französische Forschungsreisende Maurice Tamisier [8] besuchte Evas Grab im Nordosten von Dschidda schon im Jahr 1840; er beschrieb die Grabstätte als kleinen, viereckigen Bau mit einer armseligen Miniaturkuppel, einer ostwärts gerichteten Tür und mit zwei Fenstern nach Norden und Süden; die Innenräume, schrieb Tamisier, »sind bedeckt mit Legenden und Koransprüchen«, und im Untergeschoß gäbe es eine Kammer mit einem schwarzen Stein darin, der direkt über Evas Bauchnabel läge.

Der deutsche Forscher Heinrich von Maltzan [9] besuchte Dschidda nur ein Jahrzehnt später, er schildert das Grab aber etwas anders: Die Eingangstür liegt bei ihm nach Westen, und die Wände sind »nackt und kahl«; er hat vermutlich die Außenwände des Heiligtums angesprochen. Maltzan bestätigt den »etwa anderthalb Fuß hoch und einen halben Fuß breiten«, mit Gravuren verzierten Stein, der genau an der Stelle errichtet war, »unter der sich der wirkliche Nabel Evas befindet«.

In einem Punkt waren sich alle Besucher [10, 11, 12, 13] einig: Das Evagrab war die Ruhestätte einer Riesin! Die Topographie bestätigt es: Der Körper der Riesin lag in Nord-Süd-Richtung quer unter dem kleinen Kuppelbau, der Nabelstein markierte nur das Zentrum des Körpers; der Kopf wurde durch eine im Freien liegende Steinplatte angezeigt wie auch das Ende des Körpers, die Füße, mit zwei aufrecht stehenden Steinen angedeutet wurde. Brustwarzen und Scham der Urmutter waren mit besonderen Steinen gekennzeichnet. Zwischen Kopf und Füßen dehnten sich satte 130 Meter! Und die ganze Riesinnenlänge war von zwei kleinen, parallel laufenden Mauern eingefaßt.

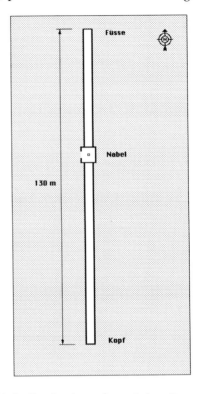

Die Riesin Eva in einer schematischen Darstellung

Schon im zehnten nachchristlichen Jahrhundert wurde das Evagrab von arabischen Historikern erwähnt; sie sagten das Wort *Jeddah* ginge auf das arabische *Jaddah* zurück und bedeute Großmutter. Dem widerspricht der exzellente Arabienkenner Eberhard Wohlfahrt [14], der *Jeddah* auf *Gidda* zurückführt. Gidda war ein kleiner Naturhafen; dort gründete 647 n. Chr. der Kalif Othman eine Siedlung, aus der das heutige Dschidda hervorging. Es wäre auch gar zu köstlich gewesen, in Erinnerung an unser aller Großmutter eine Großmutterstadt auf der Landkarte suchen zu können.

Über die Jahrhunderte wallfahrteten Mekkapilger, die in der Hafenstadt Dschidda arabisches Festland betraten, auch zum Grab Evas. Die geistlichen Berater des konservativen Königs Abdul-Aziz, der als Ibn-Saud in die Geschichte einging, empfanden die Gebete zur Urmutter Eva als heidnisch, denn schließlich gab es für sie nur Allah, der im Gebet angerufen werden durfte. Weil er »das Herz der islamischen Religion nicht durch heidnische Schatten gestört« [15] sehen wollte, befahl Abdul-Aziz anno 1928 die Zerstörung des Evagrabes. Von der beschriebenen Anlage blieben lediglich Mäuerchen übrig, die einst die Grabstätte umgaben.

Immerhin! Der fromme saudische König ließ nur die Bauwerke *über* dem Grab schleifen, was darunter liegt, blieb bis heute unangetastet. Saudi-Arabien ist heute ein modernes Industrieland. Die Saudis könnten der Menschheit einen wichtigen Dienst erweisen, wenn sie von eigenen Archäologen unter Evas Ruhestätte einen Suchgraben schlagen ließen. Die Genetiker westlicher Länder warten begierig auf ein bißchen DNS von der Urmutter. Dieses Geschenk würde die Saudis nicht ärmer, die Menschheit aber reicher machen.

Nach dem apokryphen Text ›Das Leben Adams und Evas‹ war Eva der erste Mensch, der mit eigenen Augen ein außerirdisches Zubringerschiff beobachtet hat: »Da blickte Eva gen Himmel und sah einen Lichterwagen kommen, gezogen von vier glänzenden Adlern, deren Herrlichkeit kein vom Mutterleibe Geborener auszusprechen vermochte.« Sie war sogar Augenzeuge eines singulären Schauspiels: »Und siehe, der Herr, der starke, stieg ein in den Wagen; vier Winde zogen ihn, die Cherube lenkten die Winde, und die Engel vom Himmel gingen ihnen voran . . .« [6]

Reger Verkehr am Himmel

Ufofans würden das als eine ›Begegnung der dritten Art‹ bezeichnen. Zwischen dem ersten Menschenpaar und Außerirdischen kam es tagtäglich zu Begegnungen. Adam, eben erst der Tierwelt entwachsen, hatte ein Schulungsprogramm zu absolvieren. Der Außerirdische Raziel war sein Lehrer. Den ›Sagen der Juden von der Urzeit‹ [16] ist zu entnehmen, daß während der Verweildauer im Garten Eden ein Engel herabstieg« ... und unterwies den Adam und schrieb ihm ein Buch und gab ihm seine Warnungen für jedwedes Ding. Und er zeigte ihm die Ordnungen der Planeten und führte ihn im Kreise um die Welt ...«

Fürsorglich waren die Genetiker von einem anderen Stern! Wie besorgte Eltern warnten sie ihre Kinder vor den Gefahren der Umwelt. Wie der letzte entscheidende Stein ins Mosaik paßt die Kundmachung aus den ›Sagen der Juden von der Urzeit‹ ins Bild einer modernen Interpretation der Adam-und-Eva-Legende: Sie weiß, daß Adam nicht in irgendwelchen Zickzackkurven über den Garten Eden und den Planeten geflogen wurde, nein, es ging »im Kreise um die Welt«. Wie bei heutigen Raumflügen ...

Die Außerirdischen blieben auch nach dem Tode der Stammeltern präsent: Sie kontrollierten den Fortgang ihres ›Experiment Menschheit‹. Figuren wie Henoch, Abraham oder Hesekiel, die zu verschiedenen Zeiten lebten, zeugen davon; auch außerhalb der biblischen Welt werden Begegnungen mit Außerirdischen sozusagen am Fließband durch die Menschheitsgeschichte rapportiert. Das ›Lexikon der Prä-Astronautik‹ [17] widmet historischen Ufos volle 15 Druckseiten.

Ein Fragment aus der Zeit von Pharao Thutmosis III. (1980-1436 v. Chr.) berichtet von »Feuerbällen am Himmel«. Der römische Historiker Cajus Plinius der Ältere (24-79 n. Chr.) berichtete im 2. Buch (Kosmologie) seiner ›Naturgeschichte‹ [18] über mehrere merkwürdigste Himmelsbeobachtungen – wie diese: »Ein brennender Schild fuhr, funkensprühend, bei Sonnenuntergang von Abend nach Morgen hin unter den Consuln L. Valerius und O. Marius.« Diese beiden Herren lebten um 100 v. Chr. Andere Konsuln sahen »mehrere Sonnen« und »drei Monde zugleich« am Firmament.

Als 332 v. Chr. Alexander der Große die Festung Tyrus belagerte, erschienen über dem mazedonischen Lager »fünf fliegende Schilde in Dreiecksformation« [19]. Diese Objekte kreisten langsam über Tyrus, »während Tausende von Kriegern beider Parteien sie erstaunt beobachteten«. Der Gedanke an eine Massenhypnose liegt nahe, doch es war keine, denn aus dem größten der »fliegenden Schilde« funkten plötzlich Blitze in die Wälle und Türme der Festung, die Mauern zerbröckelten, und Alexanders Soldaten erstürmten Tyrus. Nach dieser überraschenden Waffenhilfe aus dem Weltraum verschwanden die »fliegenden Schilde« mit großer Geschwindigkeit im blauen Nachmittagshimmel.

Kollektive Verdrängung

Vor geraumer Zeit sah ich den Film *The Last Countdown*. Darin ist Kirk Douglas der Kommandant des amerikanischen Flugzeugträgers »Nimitz«. Mittels einer geheimnisvollen Kraft wird der gewaltige, supermoderne Flugzeugträger mit allen Flugzeugen und samt Besatzung um 40 Jahre in die Vergangenheit zurückgeschleudert. Alle Funkgeräte stehen still. Niemand weiß, was geschehen ist. Der Kommandant läßt zwei Düsenjets starten. Die Piloten sichten zwei japanische Kampfflugzeuge aus dem Zweiten Weltkrieg. Die Begegnung ist grotesk: Zwei hochgezüchtete Jets mit Schwenkflügeln – zwei einmotorige Propellerflugzeuge mit offenem Cockpit! Verblüfft, verängstigt, erstaunt erleben die Japaner die modernen Düsenjets, die mit ihren lahmen Enten vom Baujahr 1940 Katz und Maus spielen.

243

Was der Film zeigt, ist in unserem Jahrhundert Realität: Außerirdische spielen Katz und Maus mit uns. Sporadisch tauchen sie auf, beobachten uns, demonstrieren ihre überlegene Technik in wahnwitzigen Flugmanövern, halten uns zum Narren.

Ich bin kein Ufofreak, ich habe leider noch kein Ufo gesehen, und obwohl in meinem Archiv über 1000 Ufoereignisse registriert sind, schrieb ich kein Ufobuch. Vielleicht sollte ich es tun. Was sich in den letzten Jahrzehnten bis heute ereignete, ist schon erregend.

Eigentlich möchte ich mich auch in die aufregende Diskussion nicht einmischen; ich kenne die Literatur. Was es an abstrusen Spekulationen überhaupt geben kann, liegt auf dem Tisch – von kollektiven Psychosen über Schmetterlings- und Heuschreckenschwärmen bis zu herabfallenden Raketenteilen – von hell leuchtenden Planeten und von der Sonne angestrahlten Flugzeugen. Ich kenne die technisch-wissenschaftlichen Berichte, die Ufoenzyklopädien [20, 21], all die warnenden, kritischen und alleswissenden Stimmen, die Beiträge von Soziologen und Psychologen, die viel von einer ›kollektiven Verdrängung‹ reden und damit Ereignisse ansprechen, die Menschengruppen nicht wahrhaben wollen.

Mir geht es um eine objektive Kenntnisnahme von Vorgängen, die stattfanden und stattfinden. Ich bin dagegen, mich dem evident Sichtbaren gegenüber zu verhalten wie das Affentrio: der erste hält sich die Augen, der zweite die Ohren, der dritte den Mund zu. Die Position der ›kollektiven Verdrängung‹ ändert sich, sobald man akzeptiert, daß wir nicht allein im Universum sind und daß die Erde kein in sich geschlossenes System ist. Das ist mein Standpunkt.

Als Pendler zwischen Vergangenheit und Zukunft ist mir vertraut, daß Menschen sich vor Jahrtausenden nicht anders verhalten haben, als wir es tun: Was wir nicht zur Kenntnis nehmen wollen, verdrängen wir. Kollektiv. Lassen sich harte Fakten in alle Ewigkeit verdrängen? Ich biete einige harte Nüsse zum Knabbern an:

17. November 1986. 17.10 Uhr.

Eine Boeing 747 der JAL (Japan Airlines), Frachtversion, fliegt von Nord-Nordost den Flughafen Anchorage in Alaska an. Die Geschwindigkeit beträgt 786 Stundenkilometer. Im Cockpit arbeiten Kommandant Kenji Terauchi, 47, Copilot Takanori Tamefuji und Flugingenieur Yoshio Tsukuda. Der Flug von Paris über die Polarroute war ruhig verlaufen, in einer Stunde und zwölf Minuten würde man in Anchorage landen.

Plötzlich, etwa sechs Kilometer vor dem Jumbo, taucht ein grelles Licht auf, dann ein zweites in gleicher Entfernung, doch etwa 600 Meter tief unter dem Jumbo. Im ersten Moment denkt Kapitän Terauchi an Militärflugzeuge, die gleich wieder aus seiner Flugroute verschwinden würden. Er behält seinen Kurs bei. Die eigenartigen Lichter in der Flugrichtung verschwinden abrupt, um fast gleichzeitig links neben der 747 wieder aufzutauchen.

Kapitän Terauchi meisterte während seiner 27 Jahre am Steuerknüppel schon manche knifflige Situation, doch was er eben mit seiner Besatzung erlebte, läßt ihm das Blut in den Adern gefrieren: Parallel zu seinem Kurs begleitet ihn mit gleicher Geschwindigkeit ein riesiges »walnußförmiges Objekt«, aus dem Lichter dringen. Später sagte Terauchi aus, das Objekt wäre etwa zwei- bis dreimal so groß gewesen wie sein Jumbojet, und es wäre von zwei kleineren Objekten flankiert worden.

Terauchi meldet über Funk der Bodenleitstelle den Vorgang und bittet, ein Ausweichmanöver fliegen zu dürfen. Die Erlaubnis wird erteilt. Terauchi senkt die Flughöhe um 1000 Meter. Das Objekt verschwindet für Sekunden, um gleich darauf erneut in der Flugrichtung des Jumbos aufzutauchen. Der Copilot schaltet das Wetterradar ein. Das große wie die beiden kleineren Objekte sind deutlich in einer Entfernung von 12,6 Kilometern vor dem Flugzeug zu sehen.

Ein Offizier der Bodenstation fragt erregt, was da oben denn vor sich ginge. Terauchi schildert seine Sichtung und

245

bittet erneut, Ausweichmanöver fliegen zu dürfen: Er zieht einige Kurven, aber das Objekt folgt seiner Maschine, mal rechts, mal links über oder unter ihm. Terauchi beschreibt die Flugmanöver der Objekte als »unglaublich schnell und wendig« [22]. Der Jumbo nähert sich mit einer Geschwindigkeit von 270 Kilometern von Norden her der Stadt Anchorage, deren Lichter bereits zu beobachten sind. Gegen dieses Lichtermeer beobachtet die Besatzung die Silhouette des Riesenobjekts. So plötzlich wie es auftauchte, verschwindet das Ufo [23]. Die Boeing 747 der JAL landet um 18.24 Uhr.

Erstaunlich an diesem bis ins Detail aktenkundigen Fall ist, daß das Objekt samt seinen beiden kleineren Trabanten sowohl vom flugzeugeigenen Wetterradar wie auch vom Bodenradar registriert wurde, nicht aber von den Satelliten der amerikanischen Weltraumüberwachung. Jedenfalls lassen sich diese fremden Objekte nicht als natürliche Phänomene abtun.

19. Mai 1986. 17.14 Uhr.
Auf den Radarschirmen der Luftverteidigungszentrale bei Rio de Janeiro tauchen 13 Objekte auf, die sich mit 1400 Stundenkilometern Richtung Westen bewegen. Die brasilianische Luftwaffe läßt sofort zwei Maschinen vom Typ des französischen Mirage und zwei Abfangjäger des US-Modells F-5 aufsteigen. Leutnant Kleber Caldas Marinho, 25, kann sich den Objekten bis auf 20 Kilometer nähern, muß aber über der Stadt Sao José dos Campos abdrehen, weil der Sprit zur Neige geht. Leutnant Kleber: »Es war ein pulsierendes Licht, rot und weiß, überwiegend weiß. Es handelte sich um keinen Stern, es konnte aber auch kein anderes Flugzeug sein. Das konnte nichts Irdisches sein.«

Der F-5-Pilot Hauptmann Marcio Jordao berichtete, er habe sich den Objekten bis auf 40 Kilometer Distanz genähert, habe aber seine Maschine nicht mehr beschleunigen können. Die Sicht sei hervorragend gewesen, weder Wolken noch Luftverkehr habe es gegeben.

Einer der Miragepiloten wurde mehrere Minuten lang von 13 unheimlichen Objekten eskortiert. Er berichtete: »Sieben Objekte begleiten mich auf der einen, sechs auf der anderen Seite, plötzlich zogen sie mit ungeheurer Geschwindigkeit davon.«

Der brasilianische Luftwaffenminister Brigadegeneral Otavio Moreira Lima erklärte in Rio de Janeiro auf einer Pressekonferenz, die fremden Objekte hätten die Radarsysteme über Rio und Sao Paulo »überschwemmt« und den Luftverkehr gestört, weswegen man vier Flugzeuge habe aufsteigen lassen. »Ich kann keine Erklärung für die Erscheinung anbieten, denn wir haben keine.« [24] Der Spuk dauerte fast drei Stunden.

Die brasilianische Luftwaffe setzte eine Untersuchungskommission ein, die die Piloten verhörte und die Radarschreiber auswertete. Da es keine Erklärung für das Phänomen gab, landete der Bericht in den Versenkungen des Archivs der Luftwaffe. Wieder hatten die Fremden Katz und Maus mit den Erdlingen gespielt. Konsequenzen wurden aus dem Ereignis nicht gezogen.

21. Oktober 1978. 19.06 Uhr.

Der zwanzigjährige Pilot Frederick Valentich fliegt mit einer geliehenen blauweißen Cessna 182 von Melbourne, Australien, Richtung Kings Island. Von seinem Fluglehrer und von Bekannten wird Valentich als besonnener junger Mann geschildert, der eher zu wenig als zu viel spricht. Valentich hat die Hälfte der Strecke hinter sich und nähert sich von Nord-Nordost Cape Wickham, dem nördlichsten Punkt von Kings Island. Höhe: 1400 Meter.

19.07 Uhr meldet er dem Kontrollturm in Melbourne, daß ihm ein gewaltiges Luftfahrzeug mit vier breit strahlenden Lichtern folgt. Die Angestellten der Flugüberwachung fragen ihn, ob er das Objekt identifizieren kann. Valentich: »Es ist kein Flugzeug. Es ist ...« Die Verbindung bricht ab. Die Flugüberwachung fordert den jungen Piloten mehrfach auf, zu berichten, was er sähe. Nach zwei Minuten meldet

247

sich Valentich mit bebender Stimme: »Hallo. Melbourne! Es kommt von Osten auf mich zu... Es scheint eine Art Spiel mit mir zu treiben... Die Geschwindigkeit kann ich nicht schätzen... Es fliegt vorbei... Es hat eine lange Form... Mehr als das kann ich nicht erkennen... Jetzt kommt es von rechts... Es scheint in der Luft zu stehen... Ich drehe mich, und das Ding dreht sich mit mir... Mein Motor stottert, setzt aus...«

Gleich darauf hören die Männer vom Kontrollturm in ihren Lautsprechern ein Geräusch, das sich anhört, als ob Metall auf Metall kratzt. Die Verbindung bricht ab. Am gleichen Abend starten Suchflugzeuge. Schiffe werden in das Seegebiet nördlich von Kings Island beordert. Bis heute wurde von Frederick Valentich und seiner Maschine nicht die geringste Spur gefunden. Einige Tage beschäftigte der Fall die australische und neuseeländische Presse [25, 26, 27]. Dann erlahmte das Interesse.

Konsequenzen wurden aus dem Ereignis nicht gezogen. Sie werden nie gezogen. Aber die Öffentlichkeit wird von offiziellen Stellen angelogen. Diese Behauptung kann und muß ich belegen.

Über Jahrzehnte versicherten die offiziellen Stellen der USA – Luftwaffe, Navy, Verteidigungsministerium, CIA und die supergeheime NSA *(National Security Agency)* – von Ufos sei nichts bekannt, es wären weder Daten noch Informationen gespeichert oder ausgetauscht worden. Unter Berufung auf den *Freedom of Information Act*, ein Gesetz, das die freie Information garantiert, schafften es Ufogruppen, an Akten heranzukommen, die alle bisherigen offiziellen Verlautbarungen der Lüge überführten. Amerikas größtes Boulevardblatt, der *National Enquirer*, stets auf Sensationen erpicht, veröffentlichte 1985 in *Buchform* Auszüge aus bisher geheimgehaltenen Akten. Schon 1968 hielt die NSA in einem Dokument fest: »Die Tatsache, daß Ufo-Erscheinungen über die ganze Welt und seit alter Zeit bezeugt werden, und auch durch eine respektable Anzahl von angesehenen Wissenschaftlern unserer Zeit, belegt jetzt sehr stark, daß

248

Ufos kein Schwindel sind.« [28] Allein in einer dreimonatigen Periode, so der Geheimbericht, habe die Air-Force 35 Ufosichtungen registriert, die nicht erklärt werden konnten.

»Für jedes Problem gibt es eine Lösung, die einfach, klar und falsch ist«, schrieb der amerikanische Publizist Henry Luis Mencken (1880-1956). Die Lüge ist ein falscher Beitrag zur Lösung des Problems.

Es wurden und werden Ufodaten gesammelt. Die offiziellen Stellen wissen mehr als sie eingestehen. Warum diese Geheimniskrämerei? Es wird eine Panik in der Bevölkerung befürchtet. Ich bin mir sicher: Die Regierenden unterschätzen das Volk! Es weiß, daß es mit Gefahren leben muß, aber es will die Gefahren kennen. Wir leben in der Zeit des Enthüllungsjournalismus. Geheime Gerichtsakten sind ebensowenig tabu wie die Nummern von Privatkonten. Was das Terrain der geheimgehaltenen Ufoakten betrifft, wünsche ich mir radikale Enthüllungen. Sie könnten nur von Nutzen sein, für jedermann.

Moskau. Ende Januar 1985.
Die Gewerkschaftszeitung »Trud« berichtet über einen Ufofall in der Sowjetunion. [29]

Tage zuvor befindet sich ein Passagierflugzeug vom Typ TU-134A auf dem Aeroflotflug Nr. 8352 von Tiflis über Rostow nach Tallin. Die vierköpfige Besatzung hält es zuerst für einen Spuk, als am nächtlichen Himmel über der Maschine ein großer, strahlender Stern auftaucht, von dem aus ein dünner gerader Lichtstrahl zur Erde führt, wo er sich zu einem Lichtkegel – dem zwei weitere, noch hellere folgen – entfaltet. »Trud« zufolge mutmaßten die Piloten, daß ein unbekanntes Flugobjekt in etwa 40 bis 50 Kilometern Höhe über der Erde die Lichtstrahlen ausgelöst hatte. Das Licht reflektierte so hell, daß Besatzung und Passagiere aus 10 000 Metern Flughöhe Häuser und Straßen erkennen konnten. Dann aber wurde plötzlich der Lichtstrahl auf das Flugzeug gelenkt. Die Besatzung schilderte, wie ein von farbigen Ringen umgebener Punkt sie in der Kanzel geblendet habe.

Schon aber schoß der vermeintliche ›Stern‹ blitzschnell vom Himmel nieder, kreuzte die Flugbahn der TU-134A und begleitete das Flugzeug wie eine Ehreneskorte bis nach Tallin in Estland.

Der Wissenschaftler Nikolaj Sheltuchin, Vizechef der Kommission für Anormalitäten der Naturwissenschaftlichen Gesellschaft, erklärte das Phänomen mit »globalen atmosphärischen und geophysischen Prozessen in mehreren tausend Kilometern Entfernung, deren Typ der Wissenschaft noch unbekannt sei.« Die Piloten, so Sheltuchin, »seien einer Sehtäuschung erlegen!« Sehtäuschung! Unschwer zu erkennen, daß die sowjetische Bevölkerung gleichermaßen für dumm verkauft wird wie die amerikanische.

Ufo gefilmt

Um Mitte Dezember 1978 waren in Neuseeland mehrere Ufosichtungen gemeldet worden. Nachts waren Lichter über den Himmel gehuscht. Radarstationen registrierten eigenartige Echos, die nicht von Flugzeugen stammten. Diese Nachrichten animierten den Fernsehreporter Quentin Fogarty vom Kanal ›0‹ in Melbourne, mit seinem Kamerateam ein Frachtflugzeug vom Typ Argosy zu besteigen, um aus der Nähe zu beobachten, was denn Anlaß für die sensationellen Meldungen gewesen war.

Fogarty startete in den frühen Morgenstunden des 31. Dezember 1978. Bereits kurz nach dem Abheben von der Startbahn des Flughafens Wellington bemerkten Fogarty und seine Männer wie die Piloten um das Flugzeug herum seltsame Lichter. Es war, als ob »irgendwer oder irgend etwas nur darauf wartete, gefilmt zu werden«. [30] Das Bodenradar in Wellington, das Wetterradar an Bord zeigten mehrere Objekte. Geoff Clauser, Cheflotse der Wellingtoner Kontrolle, sagte später, die Ufos wären auf den Radarschirmen in gleicher Größe wie das Flugzeug sichtbar gewesen: »Wir erhielten klare, definitive Radarechos. Zeitweise waren bis zu zehn Ufos gleichzeitig auf dem Schirm.« [31]

Fogarty, der bis zu diesem Tag nicht an Ufos ›geglaubt‹ hatte, resümierte: »Es war phantastisch. Lichter am Himmel. Ein Licht folgte uns, dann gesellte sich ein zweites etwas tiefer unten dazu. Die Stimmung im Flugzeug war wirklich angespannt. Wir schossen ein gutes Stück Film, aber das Objektiv war etwas zu dünn. Dann kam ein Ufo ganz nah rechts heran. Durch die 120-mm-Zoom-Linse sah es klein aus, untertassenähnlich, mit Lichtern unten und oben. Dann schraubte ich eine 250-mm-Linse auf die Kamera und erfaßte das strahlende Licht des Objekts. Es flog in derselben Geschwindigkeit wie wir, etwas über uns, dann rechts vorn, dann unter uns und schließlich wieder an unserer Seite. Wir stellten ungefähre Berechnungen an und meinen, das Ding müßte drei bis vier Stock hoch sein.«

Der australischen Tageszeitung »The Advertiser« sagte Fogarty am 2. Januar 1979: »Wir hatten Angst, als die Radarkontrolle von Wellington uns sagte, ein Objekt sei direkt hinter uns ... Ich dachte sogar ›das war's dann‹, denn ich dachte an Frederick Valentich.«

Ausschnitte dieses Films strahlten viele TV-Stationen in vielen Ländern aus. Der Kameramann David Crockett nannte den Streifen »das phantastischste Stück Film«, an dem er je mitgewirkt habe. »Es hat mein ganzes Leben umgekrempelt. Jetzt glaube ich wirklich, daß dort draußen etwas ist, worüber wir nichts wissen.«

Was fiel der Wissenschaft zu dem einzigartigen Filmdokument ein? Der Astronom Peter Read sagte es im ›Radio New Zealand‹: »Ich glaube nicht an Dinge wie Ufos. Das Ufo war die Venus!« O heilige Einfalt! Seit wann bewirkt die Venus Radarechos? »Gesegnet seien jene, die nichts zu sagen haben und den Mund halten!« Oscar Wilde (1856-1900).

22. Juni 1976. 21.37 Uhr.

Vor der Südostküste der Insel Fuerteventura (Kanarische Inseln) kreuzt die Korvette »Atrevida« der spanischen Marine, als sich vom Horizont her ein intensiv strahlendes Licht nähert. Die Besatzung vermutet, es wären Landescheinwerfer eines Flugzeugs, aber da verlöscht das Licht, und ein neuer Strahl fällt vom Himmel und tastet zwei Minuten lang die Küste ab. Es ist zwar kein Geräusch zu hören, aber die Besatzung meint nun, es handle sich um den starken Suchscheinwerfer eines Helikopters.

Dann geschieht das Unglaubliche: Aus dem Licht entsteht ein großer Lichterkranz, der sich in eine obere und untere ›Linse‹ teilt. Die obere Hälfte steigt unablässig höher hinauf, bis sie den Blicken der Seeleute entschwindet, die untere beleuchtet indessen die Küste und das Meer.

Den Fall könnte man unter dem Sammelbegriff ›Lichter vom Himmel‹ ablegen, wenn da nicht zur gleichen Zeit der Arzt Dr. Francisco Padron Leon mit dem Taxifahrer Francisco Estevez Garcia auf der Fahrt zu einer Patientin gewesen wäre. Der Wagen kam aus einer Kurve, als plötzlich, 60 Meter vor den Männern, nur zwei Meter über dem Erdboden, eine Kugel schwebte, die wie eine durchsichtige Seifenblase aus Kristall anzusehen war. Das Taxi hielt an. Die beiden Männer erhofften sich, Zeuge eines grandiosen Naturschauspiels zu werden. Der Taxifahrer: »Ich wollte mir das doch näher anschaun, öffnete die Tür, der Doktor hält meinen Arm fest. Ich steige trotzdem aus ... bin näher gegangen, ich war etwa 25 Meter entfernt.« [32]

Dann sahen beide Männer »im Innern der Kugel eine Art von Plattform ... und zwei große Wesen«. [33] Der Arzt sagte später, er könne die Wesen in allen Einzelheiten beschreiben, weil er sie volle 20 Minuten angestarrt habe: Die Fremden in der Kugel waren zwischen 2,70 und drei Meter groß, trugen rote Overalls und eine Art von schwarzen Kapuzen; die Arme endeten »in kegelförmigen Gebilden, von denen man nicht genau wußte, ob es sich um Hände oder Handschuhe handelte«. Dr. Padron stellte fest, daß er Ähnliches nie zuvor

252

gesehen habe, und daß die beiden Fremden eine »majestätische Ausstrahlung« gehabt hätten; sie hätten sich gegenüber gestanden und anscheinend etwas an Geräten bedient. Schließlich hätten die Fremden in Richtung Taxi geschaut.

Der Taxifahrer: »Die beiden Kerle schauten mich an. Ich schaute sie an ... Ich war verstört, dann hatte ich nur noch Angst.« Der Arzt gab zu Protokoll, daß sich im Innern der gläsernen Kugel ein durchsichtiges Rohr bewegt habe, dem »etwas Bläuliches« entströmt wäre und die Kugel eingehüllt hätte. Vor den Augen der beiden Männer wurde die Kugel größer und größer, wuchs bis zur Höhe eines zwanzigstökkigen Hauses, ohne daß sich die Größe der beiden Fremden veränderte. Der Arzt und der Taxifahrer ergriffen die Flucht. Beim Zurückschauen sahen sie, wie die Kugel mit großer Geschwindigkeit in Richtung zur Nachbarinsel Teneriffa verschwand.

Über dieses Ereignis im Sommer 1976 berichteten viele europäische Zeitungen. Journalisten schwärmten aus und befragten Inselbewohner und Touristen. Viele bezeugten die Ufosichtung, und auch die ›Männer in Rot‹ wurden von Augenzeugen attestiert. Daß es sich bei der durchsichtigen Kugel um ein reales Ding gehandelt hat und nicht um ein Hologramm, eine dreidimensionale Projektion, mit der ein Scherzbold oder der Verkehrsverein die Insel ins Gespräch bringen wollte, erwies sich im Licht des nächsten Tages: Die Kugel schwebte auch über einem Zwiebelfeld, und das ganze Feld war in Spiralen eingedrückt, alle Zwiebelpflanzen waren geknickt. Spuk, Gespenster, Illusionen hinterlassen, bei Licht besehen, keine Spuren.

Wohlwollende Ufokritiker werden bei Kenntnisnahme solcher Statements sagen, Ufoerlebnisse hätte es immer schon gegeben, und fragen, weshalb es denn Außerirdische sein müßten, die da herumspukten. Das Handicap bei allen ernstzunehmenden Uforecherchen ist der Unsinn, den viele, zu viele Leute verzapfen. Aus zweiter, dritter Hand werden Beobachtungen aufgebauscht, die in der Tat als ganz natürliche Vorgänge erklärbar sind. Von Personen, die sich wich-

253

tig machen möchten, werden hanebüchene Stories verkauft. Alle solche Aufschneidereien und alle natürlich erklärbaren Phänomene abgezogen, bleibt eine beunruhigende Zahl von Ufosichtungen übrig, die nicht erklärbar und unbestritten ist. Fotos, Filme, physikalische Spuren wie Radarregistrierungen sprechen eine andere Sprache als die der Wichtigtuer. Jeder, der sich so neutral wie menschenmöglich mit dem Ufoproblem auseinandersetzt, wird bald mit widersprüchlichen Aussagen fanatischer Ufoanhänger konfrontiert, die demselben Ereignis gelten. Sind es wirklich Widersprüche?

Alles schon dagewesen

Alles schon dagewesen! pflegte Rabbi Ben Akiba in Gutzkows ›Uriel Acosta‹ (1847) bei vielen Gelegenheiten zu sagen. Mit dieser Volte begebe ich mich auf mein Terrain. Alles schon dagewesen ... läßt sich anhand alter Texte mit Aussagen über Himmelserscheinungen und Himmelswagen belegen, aber auch, daß die Beschreibungen von jeher kontrovers waren. Eva sah einen »Lichterwagen, von glänzenden Adlern gezogen«. Prophet Hesekiel beschrieb die »Herrlichkeit des Herrn« als ein Objekt mit »Rädern, Felgen, Augen und Flügeln«. Abraham wurde gleich in einem Raumschiff hoch über die Erde hinausgeführt, und Salomons komfortables Beförderungsgerät ging als »fliegender Thron« in die Annalen ein.

Geradezu turbulent und kontrovers in den Beschreibungen geht es in der indischen Sanskritliteratur mit fliegenden Barken und Schiffen zu: Sie reichen von Weltraumstädten über Satelliten bis zu »juwelenbestückten, mehrstöckigen Himmelsfahrzeugen« mit oder ohne Flügel, mit und ohne Räder, gewaltig donnernd oder leise surrend [34].

Auch den himmlischen Lehrmeistern der Antike widerfuhren unterschiedliche Beschreibungen: Mal waren es Riesen, dann Lichtgestalten, mal Wesen in Raumfahreranzügen mit Helmen, dann wieder »etwas wie ein Mensch in linnenem Gewand«, wie Hesekiel schon beobachtet hatte.

Nach diesen Kenntnissen vermögen mich widersprüchliche Aussagen über Ufos nicht zu stören, sie setzen eine jahrtausendealte Tradition fort. Damals wie heute wandten sich die Himmlischen kaum an die politisch Herrschenden, sie gingen stets die simplen Erdenbürger an. Warum?

Astronomen und Mathematiker veröffentlichten in den letzten Jahren in Fachzeitschriften und Büchern ihre Ansichten über die Möglichkeiten einer galaktischen Kolonisation [35-45]. Es wurde die Wahrscheinlichkeit für außerirdische Zivilisationen durchgerechnet, deren mögliche Ausbreitungsgeschwindigkeit kalkuliert. Die Mehrzahl dieser Wissenschaftler neigt der Meinung zu, daß es eigentlich im Universum nur so wimmeln müßte von galaktischen Zivilisationen. Wo aber sind die Außerirdischen? Weshalb haben wir keine offiziellen Kontakte mit ihnen?

Professor James W. Deardorff von der Oregon State University in Corvallis, USA, behandelte die Frage in einer fundierten Arbeit [46]. Da gibt es eine Hypothese, nach welcher die Erde wie ein zoologischer Garten betrachtet und von den Außerirdischen als Refugium behandelt wird. Voraussetzung für die Existenz dieses Zoos ist genügendes Wohlwollen der Wärter. Die Tiere leben in Frieden unter sich. Besuchern ist es verboten, Nistplätze von seltenen Vögeln oder das Terrarium exotischer Salamander zu berühren oder zu zerstören. Alle Zoobesucher haben sich an den Kodex der Nichteinmischung zu halten.

Professor Carl Sagan meint, es könnte universelle Hindernisse »gegen einen kosmischen Imperialismus« geben, und vielleicht gäbe es so etwas wie einen *Codex galactica*, nach dem unterentwickelte planetare Gesellschaften angeleitet und beschützt würden [47]. Zivilisationen mit einer langen Geschichte und Raumfahrterfahrung müßten wissen, wie sie sich gegenüber einer erst heranwachsenden Kultur zu verhalten hätten – wie Menschen, die in abgelegene Gebiete der Erde reisen und dort auf fremde Stämme treffen.

Diese Annahme wird in galaktische Dimensionen übertragen und dann gefolgert, daß jede planetare Zivilisation die Möglichkeit hätte, ab ihrer Geburt irgendwann zur raumfahrenden Familie zu stoßen ... oder sich selbst zu vernichten. In kosmischen Maßstäben findet ein Selektionsprozeß statt wie mit der Evolution auf unserer Erde: Entweder vereinigt sich eine planetare Gesellschaft und bricht zur Kolonisation in die Weiten der Galaxis auf, oder sie ruiniert sich im Streit und zerstört ihre Errungenschaften. Die planetare Gesellschaft muß selbst beweisen, daß sie aus eigener Kraft aufbrechen und friedlich mit außerirdischen Wesen verkehren kann. Deardorff: »Es gibt keinen besseren Weg, diese Unfähigkeit zu beweisen als die Selbstzerstörung.«

Professor Michael D. Papagiannis von der Universität Boston, USA, geht noch einen Schritt weiter, indem er meint, irgendwann werde jede Zivilisation gezwungen, die Grenzen ihres *materiellen* Wachstums zu erkennen und zu überwinden; dann laufe das Streben der Intelligenz auf *nichtmaterielle* Ziele hinaus. Folge dieser Prämisse wäre, daß irgendwann die Galaxis von »stabilen, ethisch hochentwikkelten und *spirituellen* Zivilisationen bevölkert« sei [48].

Die Annahmen von Deardorff und Papagiannis gehen davon aus, daß Außerirdische sich gegenüber der Menschheit wohlwollend verhalten. Das muß wohl so sein, weil Außerirdische andernfalls unsere Geschichte längst mit aggressiven Mitteln hätten verändern können.

Wir wissen nicht, wie viele galaktische Zivilisationen es gibt. Darunter können auch aggressive Arten sein – vielleicht, weil sie einen anderen Metabolismus (Stoffwechsel) haben, vielleicht, weil sie nach einem gewonnenen Planetenkrieg aggressiv blieben oder Aggressivität erwarben, nachdem sie Raumfahrt betrieben. Friedliche Zivilisationen könnten versuchen, aggressive davon abzuhalten, sich in die Entwicklung einer planetaren Gesellschaft einzumischen. Für diese Annahme gäbe es mannigfache Gründe. »Einer könnte sein«, sagt Deardorff, »daß der Homo sapiens der eigenen Lebensform ziemlich ähnlich ist.« Ein anderer wäre, daß die zu schützende planetare Gesellschaft Gene der Außerirdischen in sich trägt; vielleicht wurde auch einer galaktischen Zivilisation einst in dieser Weise geholfen, so daß sie sich zu einem ähnlichen Verhalten verpflichtet fühlt.

Professor Ronald Bracewell ist ein berühmter Radioastronom an der Stanford University, Kalifornien. Er ist der Ansicht, daß jede Regierung der Welt Radiobotschaften von Außerirdischen im Interesse der nationalen Sicherheit geheimhalten würde. Der Grund zu diesem Verhalten ist in der Hoffnung zu suchen, mit außerirdischen Informationen eigene Überlegenheit zu gewinnen – nicht nur im militärischen, sondern auch im soziologischen, technischen, ökonomischen und kulturellen Bereich. Selbst wenn außerirdische Botschaften von *privaten* Forschungsgesellschaften empfangen, entschlüsselt und verbreitet würden, könnten Regierungen das als Fehler oder Scherz abqualifizieren »und sofort eine Sicherheitsglocke über die ganze Angelegenheit stülpen« [49]. Professor Bracewell meint, die Außerirdischen müßten einer solchen Aktion zuvorkommen, indem sie ihre Botschaft über nationale Grenzen hinweg an die große Öffentlichkeit tragen.

Wie das, wenn doch eine Art von ›Embargo‹ über den irdischen Zoo verhängt wurde?

Eine plötzliche Präsenz von Außerirdischen, in dem sie sich auf einmal über großen Fußballstadien der Welt zeigen, sich unvermutet in unsere TV-Programme einschalten, wäre ein Bruch des Embargos. Wohlwollende galaktische Zivilisationen wissen zudem, daß ein plötzliches Auftauchen die Weltöffentlichkeit in einen Schock versetzen und ein Chaos auslösen würde. »Alleine die religiösen Konsequenzen dürften gewaltig sein«, [46] ganz abgesehen von den militärischen Komplikationen. Nationen würden mit Atomraketen aufeinander losgehen, weil jede glaubt, die Außerirdischen seien eine Geheimwaffe des Gegners. Das Durcheinander an den Hochschulen wäre verheerend, der kulturelle Schock würde uns lähmen.

In der Zwickmühle zwischen ›Embargo‹ und ›Wohlwollen‹, zwischen Helfen ohne zu schockieren, bleibt nur eine Lösung: Die Außerirdischen müssen ihre Botschaften in einem langen Zeitraum so dosiert unter die Menschen bringen, daß weder Regierungen noch Wissenschaftlerhochburgen repressiv zu reagieren vermögen. Einerseits soll die Botschaft der Öffentlichkeit zugänglich werden, andererseits für die Wissenschaftler »aber nicht akzeptabel oder glaubhaft erscheinen. Regierungsstellen, die von Wissenschaftlern beraten werden, würden dann keinerlei Gegenreaktionen einleiten und das Embargo bliebe intakt. Die Erkenntnis darüber, was sich in Wirklichkeit um uns herum abspielt, würde dann sehr langsam und schrittweise erfolgen – nicht schneller jedenfalls, als die Menschheit generell innerlich darauf vorbereitet wäre, die außerirdische Botschaft zu akzeptieren« [46].

Umdenkungsprozeß

Diese Denkmodelle entsprechen dem, was seit rund 70 Jahren um uns herum geschieht. Einzelpersonen werden kontaktiert, bekommen Informationen, die ihrem intellektuellen Status entsprechen. ›Man‹ weiß und *will*, daß solche Kontaktpersonen über ihre Erlebnisse in ihrem Bekanntenkreis – der auf gleichem intellektuellem Niveau steht – berichten; es wird in Kauf genommen, daß sich Schwindler und Wichtigtuer einschmuggeln und Verwirrung stiften. Tatsächlich aber findet ohne jedwedes Chaos ein geistiger Umdenkungsprozeß auf breiter Basis statt; begreiflicherweise mehren sich falsche und echte Informationen in allen Medien.

Diese neue geistige Strömung zwingt Wissenschaftler, sich über das Thema »Außerirdische« zu äußern. Völker und Politiker fordern Antworten. Der »Einsatz logischer Denkvorgänge« wird jetzt notwendig, »um zu entscheiden, ob die Botschaft essentiell wahr ist oder nicht.« [46] Der nächste Schritt wird die Kommunikation unter Wissenschaftlern zum Thema sein, der übernächste die Aufhebung der Sperre vor dem bis dato unmöglich Scheinenden. Ohne Krieg und Chaos hat sich die Gesellschaft mit der Existenz von Außerirdischen vertraut gemacht.

Wieweit der Umdenkungsprozeß bereits gediehen ist, bewies vor einigen Jahren eine Umfrage des amerikanischen Magazins »Industrial Research Development«, das nur von Wissenschaftlern und Industriellen gelesen wird. Es ging um die Frage nach der Existenz von Ufos: 27% der befragten Wissenschaftler glaubten definitiv an die Existenz von Ufos, 34% hielten sie für wahrscheinlich, 12% waren unsicher, 19% meinten, es gäbe sie wahrscheinlich nicht, nur 8% waren der Ansicht, daß es sie definitiv nicht gäbe. Der Prozentsatz von 61% pro Ufos belegt, wie aufgeschlossen die amerikanische Gesellschaft gegenüber dem Problem ist.

Wir sind darauf getrimmt, nur anzuerkennen, was meßbar oder wägbar ist. Derart verliert *ein Teil* der Wissenschaftler den Anschluß an eine virulente Entwicklung. Im Februar 1987 berichtete »Der Spiegel« [50] über eine spirituelle Verwirrung, die weite Teile der Bevölkerung von Brasiliens supermoderner Hauptstadt Brasilia ergriffen hat. »Nur in Brasilia könne man sich an einen Kneipentisch setzen und erzählen, man habe gerade außerirdische Kontakte gehabt, ohne ausgelacht zu werden«, wird ein Journalist vom »Journal do Brasil« zitiert. Bewohner von Brasilia sagen, schon die Gründung und Planung ihrer supermodernen Stadt wäre von Außerirdischen initiiert worden, der Mensch gehöre zu einer interplanetaren Zivilisation und wäre »nur Gast auf diesem Planeten!« Das Magazin kommentierte, dies wären gewiß Ideen, die unter Esoterikern auf der ganzen Welt Anhänger haben, »doch nirgends ist die offizielle Anerkennung solchen Gedankengutes so weit fortgeschritten wie ausgerechnet in Brasilia«.

13. Dezember 1973

Claude Vorilhon, Sportjournalist und Hobbyrennfahrer, fährt zum Vulkangebirge, das die Stadt Clermont-Ferrand überragt. Er parkt seinen Wagen nahe beim Krater Puy de Lassolas; er will eigentlich nur ein bißchen Luft schnappen, »der Himmel war eher grau, und es lagen Nebelschleier in den Niederungen« [51]. Plötzlich sieht Claude ein rotes Licht, das geräuschlos auf ihn zukommt; er erkennt ein Ufo von sieben Metern Durchmesser, das zwei Meter über dem Boden schwebt. Ein Fremder mit »mandelförmigen Augen und langem, dunklem Haar, mit einem grünen, einteiligen Anzug« steigt aus und nähert sich dem jungen Franzosen bis auf zehn Meter. Mit kräftiger, näselnder Stimme erklärt der Fremde dem Journalisten, er käme von einem fernen Planeten und habe eine Botschaft für ihn, er solle anderntags zur gleichen Zeit am gleichen Ort sein.

Claude und der Außerirdische trafen sich mehrmals. Der Fremde erklärte, daß seine Leute schon seit Jahrtausenden die Erde besuchten. Aus den ausführlichen Gesprächen entstanden mehrere Bücher. Claude Vorilhon gab seinen Beruf auf, nennt sich fortan ›Rael‹, gründet so etwas wie eine irdische Religion der Außerirdischen. Seine Bewegung soll inzwischen über 10 000 Anhänger haben. Kernsätze der Sekte: Es gibt keinen Gott und keine Seele, die nach dem Tod sanft dem Körper entschwebt. Der Mensch wurde vor langer Zeit wissenschaftlich im Labor erschaffen, von Wesen, die von einem anderen Planeten kamen.

Ich ahne nicht, ob Claude Vorilhon alias Rael seine Begegnungen wirklich erlebt oder ob er zu viel Däniken gelesen hat, ich weiß auch nicht, ob seine vordringliche Botschaft aufs Portemonnaie seiner Anhänger zielt. Unbestritten ist lediglich, daß Rael seit dem 13. Dezember 1973 stur und trotz aller Widrigkeiten seine Vereinigung aufbaut. Ich hätte ihn nicht zur Notiz genommen, wenn er ein Einzelfall wäre. Aber es wimmelt weltweit von Claude Vorilhons – erfolgreichen und weniger erfolgreichen. Sie operieren auf einem empfangsbereiten Boden.

18. November 1982

Andreas Schneider, ein Deutscher von 15 Jahren, lebt mit seinen Eltern außerhalb von Santa Cruz auf Teneriffa. Nachts erwacht er mit dem Drang, nach draußen zu gehen. Über ihm hängt am Himmel ein rot-blau-grün strahlendes Ufo. Der Junge verliert die Besinnung. Im Ufo kommt er wieder zu sich. Eine Crew von sehr netten Leuten führt den Knaben im Ufo herum, teilt ihm allerlei Neuigkeiten mit; sie prophezeien vorm Ende dieses Jahrhunderts eine schreckliche Naturkatastrophe, meinen aber, sie könnten den Menschen nicht helfen, »weil wir nur über sie lachen, ihre Raumschiffe sogar angreifen und darauf schießen.«

Ich habe diesen Andreas Schneider vor ein paar Jahren kennengelernt, er hat mir damals die Geschichte in jungenhafter Weise erzählt. Ein netter, sympathischer, ganz normaler Junge. Natürlich weiß ich nicht, ob Andreas ein pubertäres Traumerlebnis hatte oder ob er nur ganz einfach phantasierte ... oder ob man ihm damit Unrecht tut und das Ereignis wirklich stattfand. Ich hatte den Eindruck, daß Andreas ein außergewöhnliches Erlebnis hatte. Ob in der Realität oder nur drinnen in seinem Gehirn, ich mag mich da nicht zum Richter machen. Was aber spielte es auch für eine Rolle, wenn es – nach Professor Papagiannis – um *spirituelle* Zivilisationen geht?

Ich kenne seit vielen Jahren einen Mann, der Zeit seines Lebens Pilot einer DC-8 bei einer großen Fluggesellschaft gewesen ist; er verfügt also über ein normales, präzise funktionierendes Gehirn. Dieser Mann von nebenan empfängt plötzlich, direkt über seine intakten grauen Zellen, telepathische Botschaften von Außerirdischen. Ist der Mann verrückt geworden? Bestimmt nicht, denn er führt ein Leben wie du und ich. Verrückt! ist die Reaktion, wenn man mit solchem Unfug konfrontiert wird. Verrückt könnte man den Einzelfall nehmen, wenn es nicht Abertausende ähnlicher Kontaktfälle gäbe. 183 Ufobücher in deutscher, französischer und englischer Sprache haben sich im Laufe der Zeit in meiner Bibliothek angesammelt. Über 500 Kontaktberichte stehen darin. Hinzu kommen mehr als 1000 archivierte Ufosichtungen mit weiteren Kontakterlebnissen. Verliert der Mensch den Boden unter den Füßen? Wird er mit der oft grausigen Realität nicht fertig? Erliegt er mehr und mehr einer Massenpsychose, wie sie die Psychologen gern in der Schublade eines kollektiven Unterbewußtseins ablegen? Oder ist es der grassierende Zweifel an der letzten Instanz unseres Daseins?

Arthur Schopenhauer (1788-1860) schrieb am Rande seiner Verzweiflung: »Wenn ein Gott diese Welt gemacht hat, so möchte ich nicht der Gott sein. Ihr Jammer würde mir das Herz brechen.«

Unsere Psychologen haben Erklärungen parat. Schuld ist die Gesellschaft mit ihrer Kontaktarmut. Schuld sind die militärischen Bedrohungen. Schuld ist der Gedanke an die sterbende Umwelt usw.

Halten zu Gnaden, meine Herren! Wohin stecken wir dann das Ufoerlebnis der japanischen JAL-Besatzung über Anchorage? Wo ist der verschwundene australische Pilot Frederick Valentich mitsamt seinem Flugzeug? Was machen wir mit den gefilmten Ufos über Neuseeland, was mit den von Militärjets gejagten Ufos über Brasilien? Welche ›Lichter vom Himmel‹ drücken Zwiebelfelder spiralförmig nieder und wieso tauchen Ufos auf Radarschirmen auf?

Und weshalb war es denn vor Jahrtausenden nicht anders, als die griffigen Elendsvisionen noch nicht umgehen konnten? Sind denn die ›himmlischen Lehrmeister‹ der indianischen und altindischen Überlieferungen Produkte *unserer* Zeit? Wie ist es denn, wenn Bauernkinder von Einödshöfen – ohne Fernsehberichte mit grauenhaften Bildern der täglichen Gegenwart – zu Kontaktpersonen werden? Ich muß da einen einzigartigen Fall aufgreifen, der belegt, daß wir nicht nur von Politikern, sondern auch von Kirchenmännern für dumm verkauft werden.

Für mein Buch ›Erscheinungen‹ [52] untersuchte ich Fälle, wie sie seit Jahrtausenden von vielen Religionen registriert wurden und werden.

262

Die Visionen von Fatima

Der Fall, den ich behandeln will, ereignete sich im kleinen portugiesischen Dorf Fatima. Was war dort geschehen? Die Hirtenkinder Jacinta Martos, Francesco und Lucia Santos erlebten anno 1917 insgesamt sieben Marienerscheinungen – jedesmal an einem Dreizehnten der Monate Mai bis Oktober.

»Ich will, daß Ihr am 13. des nächsten Monats hierherkommt!« befal die Erscheinung den drei Fatimakindern. Dann erschien die Madonna pünktlich am angesagten Ort. Natürlich – welche Kinder nicht? – erzählten die drei lebhaft und begeistert von ihren Visionen. Sommer und Herbst 1917 waren sie weit über Portugal hinaus *das* Ereignis.

Anfänglich waren lediglich die drei Hirtenkinder das Kommunikationszentrum, aber das währte nur kurze Zeit. Am 13. eines jeden Monats trafen dann endlose Karawanen von Pilgern in Fatima ein. Zuverlässigen Berichten zufolge sollen am 13. Oktober 1917 etwa 70 000 bis 80 000 Menschen am Erscheinungsort auf ein Wunder gewartet haben. Es sollte sich lohnen. Es erwartete sie eine Schau, von der nicht nur die Kinder beeindruckt wurden. Es regnete in Strömen, eine miserable Voraussetzung für eine Marienerscheinung, doch auch Teil eines enormen Schauspiels: Plötzlich rissen die Wolken auf, ein Stück blauen Himmels wurde frei, strahlend schien die Sonne, aber sie blendete nicht. Das ›Sonnenwunder von Fatima‹ nahm seinen Anfang, und alles, was ich berichte, steht in den Akten des großen Tages.

Die Sonne fing zu zittern und zu schwanken an, führte abrupte Bewegungen nach links und nach rechts aus, fing schließlich an, sich mit ungeheurer Geschwindigkeit wie ein Feuerrad um sich selbst zu drehen. Grüne, rote, blaue und violette Farbkaskaden schossen aus dem Gestirn und tauchten die Landschaft in ein unwirkliches, ja, so heißt es, in ein unirdisches Licht. Zehntausende sahen es, und Augenzeugen behaupteten, die Sonne habe einige Minuten stillgestanden, als hätte sie den Menschen eine Ruhepause gönnen wollen. Gleich danach hätten die phantastischen Bewegungen wieder eingesetzt, auch das Riesenfeuerwerk aus gleißendem Licht hätte wieder begonnen. Das Spektakel wäre, bekundeten Beobachter, mit Worten nicht zu beschreiben gewesen. Nach neuerlichem Stopp begann der Sonnentanz ein drittes Mal in gleicher Herrlichkeit. Insgesamt dauerte das Sonnenwunder zwölf Minuten. Es wurde in einem Umkreis von 40 Kilometern beobachtet.

Die Kinder empfingen bei jeder Erscheinung Botschaften, die Lucia, die älteste der drei Kinder – geboren am 22. März 1907 – aufs Papier kritzelte. Alle Erscheinungen kündigten sich mit ›Blitzen‹ an, deren elektrische Entladungen mit Geräuschen von Rauschen und Knistern verbunden waren. Lucia sagte damals aus, daß sie, immer wenn eine Erscheinung sich entfernte, einen Laut vernommen habe, als ob in der Ferne »eine Feuerwerksrakete platzte«.

Während der fünften Erscheinung für die Fatima-Kinder vom 13. September 1917 bemerkten einige Tausend Pilger und Neugierige deutlich eine Lichtkugel, die langsam und majestätisch himmelwärts entschwebte. Lucia schrieb auf, die Muttergotteserscheinung habe sich stets langsam im »Wiederschein eines Lichtes« genähert, und die Kinder hätten die Madonna immer erst dann gesehen, wenn der Lichtpunkt über der Steineiche stillgestanden habe. Als Lucia im Verhör gefragt wurde, warum sie während der Erscheinungen häufig den Blick gesenkt habe, statt die Heilige Jungfrau unverwandt anzusehen, antwortete sie: »Weil sie mich manchmal blendete« [53].

Ich riskierte schon in »Erscheinungen« die Vermutung, das Spektakel in Fatima wäre eine Demonstration von Außerirdischen gewesen und schrieb: »Man muß sich von dem unsinnigen Gedanken freimachen, Erscheinungen wären ein religiöses Privileg.« Damals ist mir eine entscheidende Überlegung entgangen, die inzwischen der Diplomgeologe Johannes Fiebag in seinem Buch »Die geheime Botschaft von Fatima« konsequent zu Ende gedacht hat [54].

264

Die Empfänger der Botschaft von Fatima: Jacinta Martos – Francesco und Lucia Santos. AD 1917

Die Kinder Jacinta Martos und Francesco Santos starben bald nach den Erscheinungen. Das Mädchen Lucia Santos ging in ein Kloster; sie hatte die empfangenen Botschaften schriftlich niedergelegt und dem zuständigen Bischof übergeben. Die dritte Botschaft – so Lucia – sollte vom Heiligen Vater erst im Jahr 1960 veröffentlicht werden. Tatsächlich wurde seinerzeit dieses »dritte Geheimnis von Fatima« versiegelt Papst Pius XII. übergeben, der das Schriftstück verschlossen ans Heilige Offizium weiterleitete, »weil die Heilige Jungfrau es so will« (Lucia).

1959, ein Jahr vor dem Datum, zu dem der versiegelte Brief geöffnet werden sollte, zitierte die Zeitschrift »Bote von Fatima« Lucia: »... Ich kann nicht auf weitere Einzelheiten eingehen, da es noch Geheimnis ist ... das nur dem Heiligen Vater und dem Bischof von Fatima bekanntgegeben werden darf, und beide wollen es nicht kennenlernen, um nicht davon beeinflußt zu werden ... Die Botschaft soll ein Geheimnis bleiben bis zum Jahre 1960 ...«

1960 war Johannes XXIII. Herr der römischen Kurie. Lucias Brief wurde hinter verschlossenen Türen des päpstlichen Büros geöffnet. Übersetzer war Monsignore Paul José Tavares. Als die Würdenträger die päpstlichen Räume verließen, hätten ihre Gesichter »tief erschrocken ausgesehen, wie jemand, der gerade ein Gespenst gesehen hat.« Erschüttert sagte Johannes XXIII.: »Wir können das Geheimnis nicht preisgeben. Es würde eine Panik auslösen.«

Klar, daß seitdem Gerüchte kursieren. Es wird gemunkelt, das dritte Geheimnis von Fatima würde eine schreckliche Naturkatastrophe, vielleicht sogar einen dritten Weltkrieg ankündigen. Die Kirche trat solchen Gerüchten entgegen. Kardinal Ottaviani, Mitwisser der Botschaft von Fatima, erklärte auf einer Pressekonferenz: »Ich kann nur feststellen, daß alles, was über das Geheimnis von Fatima zirkulierte, jeder Grundlage entbehrt ...« Am 30. September 1984 veröffentlichte die katholische Wochenzeitschrift »Bildpost« ein Interview mit dem Diözesanbischof von Leiria, Alberto Cosme do Amaral. Darin sagte er: »Das dritte Geheimnis von Fatima hat nichts mit Atombomben und Sprengköpfen, nichts mit Pershing und SS-20-Raketen, nichts mit der Vernichtung der Welt zu tun. Der Inhalt betrifft vielmehr unseren Glauben.« [54] Der Kardinal fügte noch hinzu, es gebe für die Kirche »schwerwiegende Gründe«, von einer Veröffentlichung des dritten Geheimnisses von Fatima abzusehen.

Für die römisch-katholische Kirche ist Maria die ›Mutter

Gottes‹; das ist ein Dogma, verkündet aus dem Unfehlbar-
keitsanspruch des Papstes *ex cathedra* (verkündet vom päpstlichen Thron). Es ist deshalb eine *contradictio in re*, ein
Widerspruch in der Sache, wenn der Befehl der Gottesmutter, das dritte Geheimnis von Fatima solle im Jahr 1960 der
Menschheit mitgeteilt werden, durch den Vatikan zurückge-
halten wird. Papst Johannes Paul II. hat im Frühjahr 1987
anläßlich der kirchlichen Feiern zum Marianischen Jahr
1987/88 und zum baldigen 2000jährigen Jubiläum der Geburt Christi die zentrale Bedeutung der Mutter Jesu neuer-
lich betont. Jesus ist Gott, die Dreifaltigkeit von Vater, Sohn
und Heiligem Geist. Dieser Gott ist zeitlos, er kennt Vergangenheit, Gegenwart und Zukunft. Die Gottesmutter befahl,
das dritte Geheimnis von Fatima A. D. 1960 zu veröffentli-
chen, doch der Adressat der Botschaft weigert sich, den
Befehl zu vollstrecken. Hätte der allwissende Gott dieses
Verhalten nicht erahnen müssen?

Aus »schwerwiegenden Gründen« (Bischof do Amaral)
verweigerte der Vatikan die Veröffentlichung, weil sie »eine
Panik auslösen« (Papst Johannes XXIII.) würde. Es ist
verwegen, wenn ich hierher schreibe, was m. E. in der dritten
Botschaft von Fatima stehen könnte:

*»Im Namen des Geistes, der alles durchdringt, grüßen wir
Euch, Bewohner des Planeten Erde! Ihr habt die Schwelle
zu Technologien erreicht, die große Veränderungen herauf-
beschwören. Unruhe wird die Menschen erfassen, Spannungen und Kriege werden das Einvernehmen der Völker stören.
Was immer Ihr unternehmt, tut es in Achtung und Respekt
vor den Mitmenschen, tut es in Bescheidenheit und Ehrfurcht vor dem zeitlosen Geist des Universums. Bekämpft
Haß und Zwietracht, vermeidet Kriege. Krieg ist der große
Vernichter, und Eure Welt ist in der Vergangenheit schon oft
durch Kriege zerstört worden. Erkennt, daß Ihr nicht allein
im Universum lebt. Viele Lebensformen gehören zur großen
Familie der Galaxien. Bereitet die Menschen darauf vor,
anderen Lebensformen aus dem All zu begegnen. Als Beweis
für die Wahrheit dieser Botschaft zeigen wir Euch am Firma-*

ment ein mächtiges Schauspiel. Ihr werdet daran erkennen, daß unsere Macht nicht von dieser Erde ist.«

Solange die Kirche die dritte Botschaft von Fatima nicht preisgibt, das, was die kleine Lucia mit dem Datum der Bekanntgabe – 1960 – notierte, solange kann ich behaupten, daß der Inhalt – dem Sinne nach – meinem Entwurf entspricht. Es wäre in der Tat eine Botschaft, die schockiert, eine, die die Kirche kaum verkraften könnte, weil sie unter den Gläubigen eine Panik bewirken würde. Denn die Veröffentlichung würde, wenn sie denn einen ähnlichen Inhalt hat, beweisen, daß in Fatima nicht die Gottesmutter erschienen ist.

Papst Johannes XXIII., in dessen Amtszeit die Untersagung der dritten Fatima-Botschaft fiel, wandte sich 1963 mit der Enzyklika *Pacem in terris* (Zur Bewahrung des Friedens) an die Gläubigen. Johannes Paul II. bereist wie kein Nachfolger auf dem Stuhl Petri die Welt. Im Sommer 1986 lud er – einzigartig in der Geschichte der römischen Kirche – die Oberhäupter anderer Religionsgemeinschaften zu Gebet und Gedankenaustausch in die Kirche des heiligen Franziskus in Assisi ein. Ob der Papst den Dalai Lama, den Erzbischof von Canterbury und all die anderen Kirchenfürsten über die Zukunft der Welt und das, was auf uns zukommt, aus seinem Wissen um die dritte Botschaft von Fatima informiert hat?

»Es gibt im Menschenleben Augenblicke, wo er dem Weltgeist näher ist als sonst und eine Frage frei hat an das Schicksal.« Friedrich von Schiller (1759-1805)

LITERATURVERZEICHNIS

I. Kapitel

[1] Phillips, Wendell: Kataba und Saba, Berlin/Frankfurt 1955

[2] von Kremer, Alfred: Über die südarabische Sage, Leipzig 1866

[3] Brunner, Ulrich: Die Erforschung der antiken Oase von Marib mit Hilfe geomorphologischer Untersuchungsmethoden, Inaugural-Dissertation, Band 2, Mainz 1983

[4] Nielsen, Ditlef: Die altarabische Mondreligion und die mosaische Überlieferung, Straßburg 1904

[5] Philby, Harry St. John B.: Arabian Highlands, Ithaca, New York 1952

[6] Doe, Brian: Monuments of South Arabia, Cambridge/England 1983

[7] Terra-X – Rätsel alter Weltkulturen: Hg. von Gottfried Kirchner, Frankfurt am Main 1986

[8] Hertz, Wilhelm: Gesammelte Abhandlungen, herausg. von Friedrich von der Leyen, Stuttgart/Berlin 1905

[9] Pritchard, James B.: Solomon & Sheba, London 1974

[10] Sulzbach, A.: Targum Scheni zum Buch Esther, Frankfurt am Main 1920

[11] Kebra Nagast, Die Herrlichkeit der Könige; Abhandlungen der Philosophisch-Philologischen Klasse der Königlich Bayerischen Akademie der Wissenschaften, herausg. von Carl Bezold, 23. Band, 1. Abteilung, München 1905

[12] von Wissmann, Hermann: Über die frühe Geschichte Arabiens und das Entstehen des Sabäerreiches, Die Geschichte von Saba' I, Sammlung Eduard Glaser XIII, Wien 1975

[13] Forrer, Ludwig: Südarabien nach Al-Hamdani's »Beschreibung der arabischen Halbinsel«, Deutsche Morgenländische Gesellschaft XXVII, 3, Leipzig 1942

[14] Niebuhr, Carsten: Entdeckungen im Orient – Reisen nach Arabien und anderen Ländern 1761-1767, Stuttgart 1983

[15] Mandel, Gabriel: Das Reich der Königin von Saba, Bern/München 1976

[16] Philby, Harry St. John B.: The Queen of Sheba, London 1981

[17] Nicholson, Reynold A.: A literary History of the Arabs, Cambridge/England 1930

[18] van Dyck, Edward A.: History of the Arabs and their Literature before and after the Rise of Islam, Laibach 1894

[19] Wüstenfeld, Heinrich Ferdinand: Genealogische Tabellen der Arabischen Stämme und Familien, Göttingen 1852-1853

[20] Bergmann, J.: Die Legenden der Juden, Berlin 1919

[21] Klinke-Rosenberger, Rosa: Das Götzenbuch Kitâb Al-Asnâm des Ibn al-Kalbî, Dissertation, Winterthur 1942

[22] Daum, Werner: Ursemitische Religion, Stuttgart 1985

[23] *Die Welt* Nr. 276 vom 27. 11. 1982, Hamburg: Flußläufe unter dem Sand der Sahara-Radaraufnahmen von »Columbia« bestätigen alte Sagen

[24] von Wrede, Adolph: Reise in Hadhramaut, Braunschweig 1873

[25] Forrer, Ludwig: Südarabien nach Al-Hamdani's »Beschreibung der arabischen Halbinsel«, Deutsche Morgenländische Gesellschaft XXVII, 3, Leipzig 1942

[26] Wald, Peter: Der Jemen, DuMont Kunst-Reiseführer, Köln 1986

[27] Helfritz, Hans: Entdeckungsreisen in Süd-Arabien, Köln 1977

[28] Rudolf von Rohr, Heinz: Yemen – Land am ›Tor der Tränen‹, Kreuzlingen 1979

[29] Müller, David Heinrich: Die Burgen und Schlösser Südarabiens nach dem Iklîl des Hamdani, Zweites Heft, Wien 1881

[30] Müller, David Heinrich: Die Burgen und Schlösser Südarabiens nach dem Iklîl des Hamdani, Erstes Heft, Wien 1879

[31] Schmidt, Jürgen (Hrsg.): Archäologische Berichte aus dem Yemen, Band I, Mainz 1982

[32] von Däniken, Erich: Reise nach Kiribati, Düsseldorf 1981

[33] Persönliche Korrespondenz von Prof. Dr. F. M. Hassnain, Srinagar/Kaschmir (Indien) mit EvD

[34] Meissner, Hans-Otto: Abenteuer Persien, München 1975

[35] Enzyklopädie des Islam, Band IV, Leipzig 1934

[36] Gabriel, Alfons: Religionsgeographie von Persien, Wien 1971

[37] von der Osten, Hans Henning & Naumann, Rudolf (Hrsg.): Takht-i-Suleiman, Vorläufiger Bericht über die Ausgrabungen 1959, Band I, Berlin 1961

[38] Schmidt, Erich: Flights over ancient cities of Iran, Chicago 1940

[39] Carra de Vaux: L'Abrégé des Merveilles, Paris 1898

[40] Al-Mas'ûdi: Bis zu den Grenzen der Erde, Tübingen/Basel 1978

[41] Christensen, Arthur: L'Iran sous les Sassanides, Kopenhagen 1944

[42] von Däniken, Erich: Habe ich mich geirrt?, München 1985

[43] Tripp, Edward: Reclams Lexikon der antiken Mythologie, Stuttgart 1974

[44] Wunderlich, Hans-Georg: Wohin der Stier Europa trug, Reinbek bei Hamburg 1972

[45] Sonnenberg, Ralf: Das Rätsel der Magazine, in: *Ancient Skies* Nr. II/1987, CH-4532 Feldbrunnen

[46] Plinius, Cajus Secundus: Die Naturgeschichte des C. P. S., hrsg. von G. C. Wittstein, Erster Band, Leipzig 1881

[47] Plinius, Cajus Secundus: Die Naturgeschichte des C. P. S., hrsg. von G. C. Wittstein, Dritter Band, Leipzig 1881

[48] Stiegner, Roswitha Germana: Die Königin von Saba' in ihren Namen, Dissertation, Graz 1979

Die Bibelzitate wurden aus: Die Heilige Schrift des Alten und Neuen Testaments, Württembergische Bibelanstalt Stuttgart 1972, entnommen.

Die Koranzitate stammen aus: Der Koran – Das heilige Buch des Islam, München 1959.

II. Kapitel

[1] Salibi, Kamal: Die Bibel kam aus dem Lande Asir, Reinbek bei Hamburg 1985

[2] Salibi, Kamal: The West Arabian Topography of Genesis 14

[3] Salibi, Kamal: The Geography of David's Census

[4] *Der Spiegel*, Nr. 39/1985, Hamburg: Hat die Bibel doch nicht recht?

[5] *Neue Zürcher Zeitung*, Nr. 212 vom 12.9.1984: Biblische Geschichten in Südarabien?

[6] Habshush, Hayyim: Travel in Yemen – An account of Joseph Halévy's Journey to Najran in the year 1870, Jerusalem 1941

[7] Philby, Harry St. John B.: Arabian Highlands, Ithaca, New York 1952

[8] Leszynsky, Rudolf: Die Juden in Arabien, Berlin 1910

[9] Feldmann, Jehoschuah: Die jemenitischen Juden, Köln 1912

[10] Margoliouth, D. S.: The Relations between Arabs and Israelites prior to the Rise of Islam, London 1924

[11] Scott, Hugh: In the High Yemen, London 1947

[12] Brauer, Erich: Ethnologie der jemenitischen Juden, Heidelberg 1934

[13] Riessler, Paul: Altjüdisches Schrifttum außerhalb der Bibel, Augsburg 1928

[14] Hommel, Fritz: Der Gestirndienst der alten Araber und die altisraelitische Überlieferung, München 1901

[15] Beer, B.: Leben Abraham's nach Auffassung der jüdischen Sage, Leipzig 1859

[16] Gaster, M.: The Chronicles of Jerahmeel, New York 1971

[17] Cole, Donald: Abraham: God's Man of Faith, Chicago 1977

[18] Böhl, Franz M. Th.: Das Zeitalter Abrahams, Leipzig 1930

[19] Albright, W. F.: The Names Shaddai and Abram, in: *Journal of Biblical Literature*, Vol. LIV, Philadelphia 1935

[20] Van Seters, John: Abraham in History and Tradition, New Haven und Londen 1975

[21] Kenyon, Kathleen M.: Die Bibel und das Zeugnis der Archäologie, Düsseldorf 1980

[22] Krehl, Ludolf: Über die Religion der vorislamischen Araber, Leipzig 1863

[23] von Däniken, Erich: Habe ich mich geirrt?, München 1985

[24] Bin Gorion, Micha Josef: Die Sagen der Juden von der Urzeit, Frankfurt 1919

[25] Merkel, Heinrich: Über das alttestamentliche Buch der Klagelieder, Inaugural-Dissertation, Halle a. S. 1889

[26] Beier, Hans Herbert: Kronzeuge Ezechiel, München 1985

[27] Lang, Bernhard: Ezechiel – Der Prophet und das Buch, Darmstadt 1981

III. Kapitel

[1] Janssen, Enno: Testament Abrahams, in: Unterweisung in lehrhafter Form, Jüdische Schriften aus hellenistisch-römischer Zeit, Band III, Lieferung 2, Gütersloh 1975

[2] Mader, Evaristus: Mambre, die Ergebnisse der Ausgrabungen im heiligen Bezirk Râmet El-Halîl in Südpalästina 1926-1928, Freiburg im Breisgau 1957

[3] Falk-Rønne, Arne: Auf Abrahams Spuren, Graz 1971

[4] Bin Gorion, Micha Josef: Die Sagen der Juden, Band III: Juda und Israel, Frankfurt a. M. 1927

[5] Burckhardt, Johann Ludwig: Reisen in Syrien und dem Gelobten Lande, Jena 1822

[6] Strabo: Geographika, XVI 4, 26

[7] Diodorus Siculus: Historische Bibliothek, Band XIX, Abs. 94-97

[8] Burckhardt, John Lewis: Travels in Syria and the Holy Land, London 1822

[9] von Däniken, Erich: Die Strategie der Götter, Düsseldorf 1982

[10] von Däniken, Erich: Prophet der Vergangenheit, Düsseldorf 1979

[11] The Jewish Encyclopedia: Aaron, New York/London 1906

[12] Ginzberg, Louis: The Legends of the Jews, Vol. II, Philadelphia 1969

[13] Encyclopaedia Judaica: Aaron, Jerusalem 1971

[14] Ginzberg, Louis: The Legends of the Jews, Vol. III, Philadelphia 1968

[15] Wurmbrand, Max: The Death of Aaron, Tel-Aviv 1961

[16] Enzyklopädie des Islam, Band II, Leiden/Leipzig 1927

[17] Wilken, Karl-Erich: Petra, die Königin der Karawanenstädte, Lahr-Dinglingen 1967

[18] Harding, Lankester G.: The Antiquities of Jordan, London 1959

[19] Lindner, Manfred: Petra und das Königreich der Nabatäer (3. erweiterte und verbesserte Auflage), München 1980

[20] Lindner, Manfred: Petra und das Königreich der Nabatäer, München 1970

[21] Lury, Joseph: Geschichte der Edomiter im biblischen Zeitalter, Inaugural-Dissertation der philosophischen Fakultät der Universität Bern, Berlin 1896

[22] Becker, Jürgen: Die Testamente der zwölf Patriarchen, in: Unterweisung in lehrhafter Form, Jüdische Schriften aus hellenistisch-römischer Zeit, Band III, Lieferung 1, Gütersloh 1974

[23] Hammond, Philip C.: The Nabataeans – Their History, Culture and Archaeology, in: Studies in Mediterranean Archaelogy Vol. XXXVII, Gothenburg/Sweden 1973

[24] Die Nabatäer: Ein vergessenes Volk am Toten Meer 312 v.-106 n. Chr., Ausstellungskatalog der Prähistorischen Staatssammlung im Münchner Stadtmuseum, hrsg. von Hans-Jörg Kellner, Verlag Michael Lassleben, Kallmünz-Opf. 1970

[25] Pfeiffer, Robert H.: Edomitic Wisdom, in: Zeitschrift für die Alttestamentliche Wissenschaft und die Kunde des nachbiblischen Judentums, hrsg. von Hugo Gressmann, Neue Folge dritter Band, Gießen 1926

[26] Musil, Alois: Arabia Petraea, Band II, Wien 1907

[27] von Däniken, Erich: Reise nach Kiribati, Düsseldorf 1981

[28] Wüstenfeld, Ferdinand: Geschichte der Stadt Medina, Göttingen 1860

[29] Burton, Richard F.: Personal Narrative of a Pilgrimage to El-Medinah and Meccah, Vol. II, London 1855

[30] Schwarzbaum, Haim: Jewish, Christian, Moslem and Falasha Legends of the Death of Aaron, the High Priest, in *Fabula*, 5. Band, Berlin 1962

[31] Salibi, Kamal: Die Bibel kam aus dem Lande Asir, Reinbek 1985

Alle Bibelzitate entstammen der Ausgabe: Die Heilige Schrift des Alten und des Neuen Testaments, Verlag der Zürcher Bibel, Zürich 1942; Auslieferung durch die Württembergische Bibelanstalt Stuttgart

IV. Kapitel

[1] Delitzsch, Friedrich: Wo lag das Paradies? Eine biblisch-assyriologische Studie, Leipzig 1881

[2] Duncan, Joseph E.: Milton's Earthly Paradise, University of Minnesota Press, Minneapolis 1972

[3] Langdon, Stephen: Sumerian Epic of Paradise, The Flood and the Fall of Man, University of Pennsylvania, Publications of the Babylonian Section, Vol. X, No. 1, Philadelphia 1915

[4] Gressmann, Hugo: Mythische Reste in der Paradieserzählung, in: Sonderabdruck aus Archiv für Religionswissenschaft Band X, Drittes und viertes Heft, hrsg. von Albrecht Dieterich, Leipzig 1907

[5] Wahrmund, Adolf: Diodor's von Sicilien Geschichts-Bibliothek, 1. Buch, Stuttgart 1866

[6] Schott, Albert: Das Gilgamesch-Epos, Stuttgart 1977

[7] von Däniken, Erich: Beweise, Düsseldorf 1977

[8] Farkas, Viktor & Krassa, Peter: Lasset uns Menschen machen, München 1985

[9] Granger, Michel & Carles, Jacques: Halbgötter und Übermenschen, München 1981

[10] Goodman, Jeffrey: The Genesis Mystery, New York 1983

[11] Marriott, Alice & Rachlin, Carol K.: Plains Indian Mythology, New York 1975

[12] Morriseau, Norval: Legends of my People – The great Ojibway, New York/London 1965

[13] Coffer, William E. (Koi Hosh): Spirits of the sacred mountains – Creation stories of the American Indian, New York 1978

[14] Teit, James A.; Gould, Marian K.; Farrand, Livingston; Spinden, Herbert J.: Folk-Tales of Salishan and Sahaptin Tribes, published by the American Folk-Lore Society, New York 1917

[15] Brinton, Daniel G.: American Hero-Myths – A Study in the native religions of the Western Continent, Philadelphia 1882

[16] Webber, William L.: The thunderbird »Tootoosh« legends: Folktales of the Indian tribes of the Pacific Northwest Coast Indians, Seattle 1936

[17] 1,6 Millionen Jahre altes Skelett von Homo erectus, in: *Naturwissenschaftliche Rundschau*, 39. Jahrg., Heft 4/1986, Stuttgart

[18] Suche nach Eva, in: *Solothurner Zeitung* vom 18. Juli 1986, Solothurn/Schweiz

[19] Wainscoat, Jim: Out of the garden of Eden, in: *Nature*, Vol. 325, 1 January 1987, London

[20] Cann, Rebecca L.; Stoneking, Mark & Wilson, Allan C.: Mitochondrial DNA and human evolution, in: *Nature*, Vol. 325, 1. January 1987, London

[21] Glaubrecht, Matthias: Warum Adam aus Afrika kam, in: *Die Welt*, Nr. 124, 31. Mai 1986, Hamburg

[22] Jones, J. S. & Rouhani, S.: How small was the bottleneck? In: *Nature*, Vol. 319, 6 February 1986, London

[23] Karcher, Helmut L.: Gen-Diagnose – Auf der Suche nach den ererbten Fehlern, in: *Bild der Wissenschaft*, 23. Jahrg., Heft 3, März 1986, Stuttgart

[24] Basteln am Schwein, in: *Der Spiegel*, Nr. 22/1986, Hamburg

[25] Leuchtende Karotten, in: *Neue Zürcher Zeitung*, Nr. 299 vom 24. Dezember 1986, Zürich

[26] Eschbach, Joseph W.; Egrie, Joan C.; Downing, Michael R. et al.: Correction of the Anemia of end-stage renal disease with recombinant human Erythropoietin, in: *New England Journal of Medicine*, Vol. 316, Nr. 2, 8 January 1987, Boston/USA

[27] Zimmerli, Walther: Alte Ethik und Neue Technologie – Der Fall »Gentechnologie«, in: *Neue Zürcher Zeitung*, Nr. 141 vom 21./22. Juni 1986, Zürich

[28] Winnacker, Ernst-Ludwig: Biologen als Designer: Der 8. Tag der Schöpfung, in: *Bild der Wissenschaft*, 24. Jahrg., Heft 2, Februar 1987, Stuttgart

[29] Pühler, Alfred: Gentechnik für die Landwirtschaft – Pflanzen, die sich selber düngen, in: *Bild der Wissenschaft*, 23. Jahrg. Heft 11, November 1986, Stuttgart

[30] Petzoldt, Ulrich: Klonen von Säugetieren, Möglichkeit oder Utopie? In: *Biologie in unserer Zeit*, 16. Jahrg., Nr, 5, Oktober 1986, D-6940 Weinheim

[31] Rorvik, David M.: Nach seinem Ebenbild, Frankfurt am Main 1978

[32] Eigen, Manfred: Das Spiel – Naturgesetze steuern den Zufall, München 1975

[33] Coppedge, James F.: Evolution: Possible or Impossible, Grand Rapids, USA, 1973

[34] Shapiro, Robert: Schöpfung und Zufall, München 1987

[35] Vollmert, Bruno: Das Molekül und das Leben, Reinbek bei Hamburg 1985

[36] Fiebag, Johannes und Peter (Hrsg.): Aus den Tiefen des Alls, Tübingen 1985

[37] Hoyle, Fred & Wickramasinghe, Chandra N.: Evolution aus dem All, Berlin/Frankfurt/M. 1983

V. Kapitel

[1] Pääbo, Svante: Molecular cloning of Ancient Egyptian mummy DNA, in: *Nature*, London, Vol. 314, 18. April 1985

[2] Klonieren von Mumien-DNS, in: *Neue Zürcher Zeitung*, Nr. 116, 22. Mai 1985

[3] Enzyklopädie des Islam, Band I, Leipzig 1913

[4] Kriss, Rudolf & Kriss-Heinrich, Hubert: Volksglaube im Bereich des Islam, Band I, Wallfahrtswesen und Heiligenverehrung, Wiesbaden 1960

[5] Klinke-Rosenberger, Rosa: Das Götzenbuch Kitâb Al-Asnâm des Ibn al-Kalbî, Dissertation, Winterthur 1942

[6] Fuchs, C.: Das Leben Adams und Evas, in: Die Apokryphen und Pseudepigraphen des Alten Testaments, Band II, hrsg. von Emil Kautzsch, Hildesheim 1962

[7] Salibi, Kamal: Die Bibel kam aus dem Lande Asir, Reinbek bei Hamburg 1985

[8] Tamisier, Maurice: Voyage en Arabie, Band I, Paris 1840

[9] Maltzan, Heinrich von: Meine Wallfahrt nach Mekka, hrsg. von Gernot Giertz, Tübingen 1982

[10] Burton, Richard F.: Personal Narrative of a Pilgrimage to El-Medinah and Meccah, Vol. III, London 1856

[11] Rihani, Ameen: Around the Coasts of Arabia, London 1930

[12] Philby, Harry St. John: Das geheimnisvolle Arabien, Band I, Leipzig 1925

[13] Pesce, Angelo: Jiddah, Portrait of an Arabian City, Cambridge/England 1977

[14] Wohlfahrt, Eberhard: Die Arabische Halbinsel, Berlin/Frankfurt 1980

[15] Mandel, Gabriel: Das Reich der Königin von Saba, Bern/München 1976

[16] Bin Gorion, Micha Josef: Die Sagen der Juden von der Urzeit, Band I, Frankfurt am Main 1913

[17] Dopatka, Ulrich: Lexikon der Prä-Astronautik, Düsseldorf 1979

277

[18] Plinius, Cajus Secundus: Die Naturgeschichte des C.P.S.; hrsg. von G. C. Wittstein, Erster Band, Leipzig 1881

[19] Fiebag, Peter: Von »fliegenden Drachen« und »feurigen Scheiben« – UFO-Sichtungen aus Antike und Mittelalter, in: *Solar System*, 3. Quartal 1975, Bad Friedrichshall

[20] Story, Ronald D.: The Encyclopedia of UFOs, Garden City 1980

[21] Hynek, Allen J.: The UFO-Experience, Chicago 1972

[22] Telex sda/dpa vom 31. Dezember 1986, Anchorage: Flugkapitän sichtete riesiges UFO

[23] JAL Captain reports UFO Sighting over Alaska, in: *Ufo Contactee*, No. 3, Jan. 1987, Tokyo/Japan

[24] Telex AP vom 24. Mai 1986, Brasilia: Brasilianische Militärpiloten berichten über Jagd auf UFOs

[25] Meldung dpa vom 23. Oktober 1978, Melbourne: Unheimliche Begegnung, Pilot sah UFO – und verschwand

[26] The Advertiser, Melbourne, vom 24. Oktober 1978: Reports of lights in sky at island

[27] Buttlar, Johannes von: Sie kommen von fremden Sternen, München 1986

[28] National Enquirer: *UFO Report,* New York 1985

[29] Telex von Elfie Siegl, Moskau, vom 30. Januar 1985: Sowjetische Piloten entdeckten UFO

[30] The Advertiser, Melbourne, vom 2. Januar 1979: Air Force wait on UFOs – There must be something up there – air controller

[31] ECRA, Wellington/New Zealand, Special Supplement: Documentary Proof of UFOs! – Australian film crew takes spectacular colour pictures of UFO in New Zealand

[32] Die UFO-Männer waren über drei Meter groß, in: *Bild am Sonntag,* Hamburg, 4. Juli 1976

[33] Hesemann, Michael: Als ein UFO auf Gran Canaria landete, in: *Magazin* 2000, Luxembourg, Nr. 9-10, September/Oktober 1983

[34] von Däniken, Erich: Habe ich mich geirrt?, München 1985

[35] Zuckerman, Benjamin: Stellar Evolution: Motivation for Mass Interstellar Migrations, in: *Quarterly Journal of the Royal Astronomical Society,* London, Vol 26, 1985

[36] Papagiannis, Michael D.: Natural Selection of Stellar Civilizations by the Limits of Growth, in: *Quarterly Journal of the Royal Astronomical Society,* London, Vol 25, S. 309-318, 1984

[37] Papagiannis, Michael D.: The Importance of exploring the Asteroid Belt, in: *Acta Astronautica*, New York, Vol. 10, No. 10, S. 709-712, 1983

[38] Freitas, Robert A.: Observable Characteristics of Extraterrestrial Technological Civilizations, in: *Journal of the British Interplanetary Society*, London, Vol 38, No. 3, March 1985

[39] Freitas, Robert A. & Valdes, Francisco: The Search for Extraterrestrial Artifacts (SETA), Vortrag Nr. IAA-84-243 gehalten am 35. Kongreß der *International Astronautical Federation* vom 7.-13. Oktober 1984 in Lausanne, Schweiz

[40] Freitas, Robert A.: Extraterrestrial Intelligence in the Solar System: Resolving the Fermi Paradox, in: *Journal of the British Interplanetary Society*, London, Vol. 36, 1983

[41] Freitas, Robert A.: The Search for Extraterrestrial Artifacts (SETA), in: *Journal of the British Interplanetary Society*, London, Vol. 36, 1983

[42] Tarter, Jill C.: Using the Very Large Array (VLA) and other Radio Telescopes to perform a parasitic Search for Extraterrestrial Intelligence (SETI), Vortrag Nr. IAA-84-245 gehalten am 35. Kongreß der *International Astronautical Federation* vom 7.-13. Oktober 1984 in Lausanne, Schweiz.

[43] Finney, Ben R.: SETI and Interstellar Migration, Vortrag Nr. IAA-84-241 gehalten am 35. Kongreß der *International Astronautical Federation* vom 7.-13. Oktober 1984 in Lausanne, Schweiz

[44] Vogt, Nikolaus: Gibt es außerirdische Intelligenz? In: *Naturwissenschaftliche Rundschau*, Stuttgart, 36. Jahrg., Heft 5, Mai 1983

[45] Matloff, Gregory L.: On the Potential Performance of Non-Nuclear Interstellar Arks, in: *Journal of the British Interplanetary Society*, London, Vol. 38, No. 3, March 1985

[46] Deardorff, James W.: Die mögliche Strategie außerirdischer Intelligenzen für die Erde, aus: *Quarterly Journal of the Royal Astronomical Society*, London, Vol. 27, S. 94-101, 1986 übersetzt von Johannes Fiebag, D-8708 Gerbrunn

[47] Newman, William I. & Sagan, Carl: Galactic civilizations: population dynamics and interstellar diffusion, in: *Icarus* 46, New York, S. 293-327, 1981

[48] Papagiannis, Michael D.: Natural Selection of Stellar Civilizations by the Limits of Growth, in: *Quarterly Journal of the Royal Astronomical Society*, London, Vol. 25, S. 309-318, 1984

[49] Bracewell, Ronald N.: The Galactic Club: Intelligent Life in Outer Space, San Francisco 1975
[50] Gelobtes Land, in: *Der Spiegel*, Hamburg, Nr. 6/1987
[51] Vorilhon, Claude: Die Botschaft der Außerirdischen, Wien 1985
[52] von Däniken, Erich: Erscheinungen, Düsseldorf 1974
[53] Laurentin, René: Les Apparitions de Lourdes, Récit authentique..., Paris 1966
[54] Fiebag, Johannes: Die geheime Botschaft von Fatima, Tübingen 1986

REGISTER

Aaron 24 f., 101, 113, 141, 146 ff., 184 ff.
Aarongrab 141 ff., 184 ff.
AAS (Ancient Astronaut Society) 86
Abd-Shams 48
Abdul-Aziz 241
Abha 101
Abraham 48, 52, 101, 105 ff., 125, 128 ff., 138, 140, 182, 195 f., 204, 242, 252
Abû 'l-Husain al-Mubârak b. 'Abd al-Gabhar b. Ahmad as-Sairafi 51
Abu-Quabais 237 f.
Achor 183
Adad 204
Adam 52, 127, 200 ff., 218, 235, 237 ff.
Adana 238
Aden, Golf von 25
Adhirata 49
Ägypten 81, 92, 112, 117, 148, 152 f., 203
Akaba 40, 144, 146
Akki 50
Albright, William Frank 8, 30, 34
Alexander der Große, König von Mazedonien 42, 54, 203, 243
Al-Hamdani 46 f., 55 f.
Al Hudaydan 63 f.

Al-Fardah-Paß 12
Al-Ibrahimi-Moschee 131
Alkamaion 178
Al-Kisa'i 40
Alkmene 203
Allat 162, 179
Al-Mas'udi 82
Alqama 70
Al-Sarim 98, 113, 119, 125
Al Sulaiman 101
Altes Testament 14, 26, 34 f., 38, 40 48, 54, 88, 92 f., 99, 103 f., 117, 138, 162, 179, 182, 195, 237
Amalek 151
Amaral, Alberto Cosme do 266 f.
Amenophis III. 109
Aminosäuren 231, 233
Amman 143 f., 157 ff.
Ammoniak 224 f., 231
Amram 152
Amr bin Luhajj 113
Amtelai 106
Anatolien 199
Anchorage/Alaska 245, 262
Antinogos 178
Araxes 220
Aretas 168
'Arim 14
Arke 182
Arnaud, Thomas Joseph 27
Aserbaidschan 80

Asir 30, 92 f., 98, 100 f., 113, 119
195
Assisi, Franz von 268
Athen 7
Ath-Tha'lab 40
ATP 221
Atramiter 87
Auschamen 109
Außerirdische 88, 107, 115, 125,
242, 252 ff., 264

Baal 24
Baalbek 46
Babel 47, 107, 117
Babylon 24
Babylonische Gefangenschaft 95,
113
Bahr-Bela-Ma 53
Baibar 139
Bainun 55 ff., 70 ff.
Balduin I., König von Flandern
161
Balha 52
Beethoven, Ludwig van 211
Beier, Hans Herbert 119, 122 ff.
Bergmann, Dr. J. 50
Bethlehem 24, 106, 136
Bezold, Carl 43
Bibel 45, 48 ff., 99, 104, 108, 112 f.,
131, 149, 182, 195, 199
Bilkis s. Saba, Königin von
Bilokation 77
Bin-Ghaylan-Paß 12
Biruni 46
Blumrich, Josef 122 ff.
Bnei Na'im 136
Böhl, Prof. Franz M. 108
Bolivien 58
Boswellia carterii (Weihrauchbaum)
25, 87 f.
Bracewell Prof. Ronald 257
Brauer, Erich 104
Brecht, Bertolt 87
Bretagne 81
Brunner, Ulrich 20, 22
Buch Esther 38, 41, 50
Bundeslade 44, 116, 150, 153
Burckhardt, Johann Ludwig
141 ff., 155 f., 159, 162, 187

Canterbury, Erzbischof von 268
Ceylon 237

Chaldäa 106
Cherokee-Indianer 211
Chiarelli, Bruno 228
China 63
Cicero 68
Clauser, Geoff 250
Code, genetischer 218 ff.
Columbia, Raumfähre 53 f.
Crockett, David 251

Dädalus 84 f.
Dalai Lama 268
Damaskus 142
Däniken, Elisabeth von 157,
159 ff., 186 ff.
Darwin, Charles 206, 228 ff.
Darwinismus 228 ff.
Daum, Werner 53
David, König 105, 109, 113, 131,
136, 140
DDT 224
Deardorff, Prof. James W. 255 f.
Dera Ismail Khan 78
Dhamar 64, 66 f.
Dhofar 25
Dhulkarnain 54 f.
Diodor 202 f.
Diodorus Siculus 144, 178
DNS 206, 212, 216 ff., 222 ff., 227,
231 f., 235 ff.
Doppelhelix 216 f.
Douglas, Kirk 243
Dschabal Balaq al Qibli 17
Dschambia 9 f.
Dschebel Dhu Rakam 67
Dschebel Hadid 101
Dschebel Harun 101, 186, 193
Dschebel Hesha 101
Dschebel Ibrahim 101
Dschebel Isbil 67
Dschebel Shada 101
Dschidda 237 ff.
Dschinnen 14 ff.
Dushara 162, 178 ff.

Ebla 109
E-Coli 224 f.
Ed-Deir 173 ff.
Edom 154, 182
Edomiter 162, 180 ff.
Eigen, Manfred 227, 230
Eldjn 147

Eleasar   154 f.
Elektrowatt   20
Elias   127
Elohim   88
El Sik   162 f., 167, 184
Emerson, Ralph Waldo   235
Enhidu   204
Enos   127
Enzyme   225, 231, 233
Erbinformationen   224 f., 227
Erdöl   12, 24 f.
Esau   130 f., 136, 182 ff.
Euphrat   197, 199
Evans, Arthur   85
Eva   200 ff., 218, 235, 237 ff.
Evolution, chemische   230, 233
Ezechiel   124

Farkas, Viktor   205
Fatima   263 ff.
Feisal I., König von Irak   159
Feldmann, Jehoschuah   103
Fiebag, Johannes   264
Flavius Josephus   180
Fogarty, Quentin   250 f.
Fuertaventura   252

Gad   136
Garcia, Francisco-Estevez   252 f.
Garten Eden   197 ff., 238 ff.
Gen-Alyzer   217
Genbatterie   225
Genkartei   216 ff.
Genom   236
Gidda   52
Gilgamesch   204
Gilgamesch-Epos   49, 204
Glaser, Eduard   27
Gletschermumien   237
Goethe, Johann Wolfgang von   197
Goldene Vlies   85
Goliath   105
Gomorrha   92
Gressmann, Hugo   202
Guaina   238
Gundan   46 f.
Gusella, James   219
Gutte, Bernd   224
Gutzkow   254

Hadhad   14, 16 f., 77
Hadramaut   25 ff., 55, 101

Hadrian, röm. Kaiser   193 f.
Halévy, Joseph   27, 101
Halhul   136
Hammond, Philip C.   183
Harding, Lankester G.   162
Harura   17
Haynes, Vance   54
Hebron   128 ff., 195
Hedschas   93
Helfritz, Hans   58
Henoch   88, 115, 127 f., 242
Hepatitis-B-Virus   222
Herakles   203
Herodot   24, 26, 220
Hesekiel   119 ff., 221, 242, 254 f.
Hieronymus von Bethlehem   182
Himja   52
Hiob   101, 103
Hippokrates   24
Hirban   195
Hiskia   94 f.
Homer   85
Hommel, Prof. Fritz   106
Homo erectus   213, 215
Homo sapiens   213, 256
Hopi-Indianer   211
Hor   154 f.
Hoyle, Prof. Fred   233
Huetat-Beduinen   160
Humboldt, Alexander von   27
Huntington, Dr. George   219
Hupeh   236
Hur   150 f.
Husein ibn Muhammed ibn al
   Hasan   39

Ibn al-Kalbi   51
Ibn-Saud   241
Ibn Wadih al-Ya'qubi   48
Ibrahim Abdullah s. Burckhardt,
   Johann Ludwig
Ica   65
Ieleb I. Sa'b   14, 16
Ikarus   84
Ilias   85
Imam Achmed, König von Jemen
   8
Imam Yahyah   35
Inka   211
Iran   78 ff., 158
Irokesen   211
Isaak   112, 129, 131 f., 138, 182

Isaak, Äthiopier 43
Isfaryin 82
Isis 168, 203 f.
Islam 103, 142
Ismael 48, 52, 129
Israel, Königreich 49, 92, 98, 151
Israel, Staat 128, 134 ff., 141, 195

Jahred 127
Jakob 112, 131, 134, 138, 182 ff.
Jaspers, Karl 228
Ja'ut 52
Jemen 7, 22, 26 ff., 40, 46 f., 53,
  55 ff., 82, 87, 101, 179
Jemharana-Ab 43
Jeremia 117 f.
Jericho 7, 92, 113, 138 f.
Jerobeam I. 48
Jerusalem 35, 39, 44, 78, 82, 93, 95,
  98 ff., 108 f., 113, 116 ff., 125, 136,
  138 ff., 157, 193 f., 237 f.
Jesus 24, 137, 180, 193 f., 267
Jib/Gibeon 133, 136
Johannes XXIII., Papst 266, 268
Johannes Paul II., Papst 267 f.
Jona 136 ff.
Jones, J. S. 215
Jordan (Fluß) 92
Jordan (Gebirge) 92
Jordanien 141, 157
Jordao, Marcio 246
Josef 112, 134, 136
Josua 92, 104, 150
Juda 48, 94, 119, 183

Kaaba 189, 191
Kachinas 212
Kairo 142, 144, 149
Kanjilal, Dr. Dileep Kumar 83
Kaut, Immanuel 127
Kara Su 199
Kaschmir 78, 82
Kästner, Erich 196
Kat 56 ff., 65, 73 f.
Kebra Negest 43 ff.
Kedor-Laomer 109
Kenan 127
Kenyon, Kathleen M. 112
Kerak 159
Khazne Fara'un 168
Khorana, Prof. Har Gobind 223
Kierkegard, Sören 218

Kings Island 247
Kirchner, Dr. Gottfried 34
Kitab Al-Asnam 51
Klonen 226, 235 f.
Knossos 85 f.
Konfuzius 51
Konstantin, Kaiser 194
Kopernikus, Nikolaus 210
Koran 22, 26, 40, 45, 54, 58, 116,
  158
Krassa, Peter 205
Kräusslich, Prof. Horst 221
Kreta 84 ff.
Kubus 170 f.
Kunti 49 f.

Lamech 127
Lange, Ralf 9, 13, 61
Lawrence, Thomas Edward 159
Lea 131, 183
Leakey, Richard 213
Leszynsky, Rudolf 103
Levi 152
Libanon 46
Libyen 158
Lima 65
Lima, Otavio Moreira 247
Lot 128, 136, 140
Luciferin 221

Mabar 65
Machmud 162 ff.
Machpelahöhle 131 ff., 195
Madaba 158 f.
Madain Salih 180
Mahabharata 49, 89
Mahalaleeh 127
Mahram Bilqis 30 ff.
Makeda s. Saba, Königin von
Makromoleküle 234
Malta 81
Maltzan, Heinrich von 239
Mambre 128 ff., 138, 195
Mamelucken 139
Mandel, Gabriel 47
Mansur 39
Maragheh 80
Margoliouth, Prof. D. S. 103
Maria, Mutter Jesu 263 ff.
Marib 8 ff., 20 ff., 47, 62, 77 f., 84,
  87, 89, 100 f.
–, Staudamm von 17 ff., 87

284

Marinho, Kleber Caldas 246
Marius, O. 243
Martos, Jacinta 263, 265
Maya 26, 83, 211
Medea 85
Medina 142, 194 f.
Mekka 40, 52, 92, 142, 184, 191, 237
Melbourne 247
Melchisedek 109, 114 ff., 125, 140
Mencken, Henry Luis 249
Merkel, Heinrich 118
Merumat 106
Merz, Ronald 224
Mesed 138
Micha 106
Methusalem 127
Midrasch 35 f.
Minoer 86 ff.
Minos, König von Kreta 84 f.,
    87 ff., 115
Minotaurus 84, 88, 219
Miriam 152
Mitochondrien 214
Moab 138
Mohammed 39, 51, 147, 158, 189,
    194 f.
Molekularanthropologie 214 f.
Molekularchemie 232
Mondreligion, altarabische 27 f.
Morgenstern, Christian 42
Morowitz, Harold 232
Moseroth 195
Moses 24 f., 49 f., 92, 104, 106, 109,
    113, 115, 138 f., 141, 149 ff., 177,
    180, 204
Müller, David Heinrich 70
Mumifizierung 24, 236
Murad Su 199
Musalla Ibrahim 101
Musil, Alois 186, 192

Nabatäer 144 f., 149, 170, 178 ff.
Nabi Musa 138, 141
Nablus 134, 136
Nachon 106
Namira 195 f.
Naschwan Ibn Sa'id 17
Nasr 52 f.
Nathan 136
Naturreligionen 111
Naud/Indien 237 f.
Neandertaler 213

Nebukadnezar II. 38, 42, 98, 117
Nero 24, 194
Niebuhr, Carsten 26
Nimas 98, 100, 113, 119
Nimrod 106
Noah 46 ff., 52, 127 f.
Nord-Jemen 7, 92, 100
NSA 248
Nucleinsäuren 216

Oannes 137
Obne 55
Obodat III. 175
Ohod 195
Ojibway-Indianer 211
Oman 25
Ortega y Gasset 26
Osiris 203
Othman, Kalif 194, 240
Ottaviani, Kardinal 266

Padron Leon, Dr. Francisco 252 f.
Pais, Pero 26
Pakistan 78
Paläontologie 213 f.
Palästina 92 ff., 98 f., 104 f., 113,
    116, 142, 159
Panzer, Volker 34
Papagiannis, Prof. Michael D. 256,
    261
Pasiphae 84
Pawnee-Indianer 210
Pegasus 219
Peru 19, 58, 65, 81, 237
Petersdom 194
Petra 141 ff., 149, 156 ff., 178 ff.,
    193
Petrus, Apostel 194 f.
Philby, Harry St. John B. 30, 101
Phillips, Wendell 8 f., 30, 34
Pithoi 86
Pius XII., Papst 265
Platon 220
Plinius d. Ältere 26, 87 f., 242
Poppäa Sabina 24
Poseidon 84
Prophetenberichte 111
Proteindesign 223
Proteine 231, 235
Ptolemäus von Alexandrien 210
Pühler, Alfred 225
Puy de Lassolas 260

Qahtan 48
Qumran 138
Qunfudha 195 f.

Raabe, Wilhelm 210
Rahel 136
Ramadan 157 f.
Rathjens, Carl 8, 30
Rausan 238
Ravenna 194
Raziel 242
Read, Peter 251
Rebekka 131 f., 182
Rehabeam 48 f.
Reich, Sabäisches 7, 26, 53
Restriktionsenzyme 218
Riesen 88
Rio de Janeiro 246
Rohr, Dr. Heinz Rudolf von 63 f.
Rønne, Arne Falk 135
Rorvik, David M. 226
Rotes Meer 40, 63
Rouhani, S. 215
Ruschalimum s. Jerusalem
Russell, Bertrand 110

Saba, Königin von 8, 14 ff., 26 ff.,
 55, 70, 77 ff., 84, 87, 89, 104 f., 116
Sabäer 48, 87, 100
Sagan, Prof. Carl 255
Sahara 53 f.
Saladin 138
Salem 109, 114, 116, 118, 125
Salibi, Prof. Kamal 92 ff., 98 ff.,
 104, 119, 179, 195, 238
Salin 46
Salishan-Indianer 211
Salmanassar II. 220
Salomon, König 14, 34 ff., 55, 70,
 77 ff., 84, 89, 98, 100 f., 104 f., 109,
 113, 116, 118, 125, 140, 254
Salomons Königsthron 41 ff., 78 ff.
Salomons Luftfahrzeug 43 ff.,
 78 f., 100, 116
Samuel 113, 133
Sanaa 7 ff., 26 ff., 46 f., 55 ff.
Santos, Francesco 263, 265
Santos, Lucia 263 ff.
Sara 129, 131
Sargon 50
Saudi-Arabien 61, 98, 100, 158,
 179 f., 182

Saul 113
Sawe 109
Schabal Bal aq Awsat 17
Schamasch 204
Schiller, Friedrich von 268
Schliemann, Heinrich 53
Schneider, Andreas 261
Schopenhauer, Arthur 262
Scott, Hugh 103
Sela 182
Sem 46 ff.
Semeidá Ibn Allaf 14, 17
Seneca 126
Seth 52, 127, 237
Sheltuchin, Nikolaj 250
Shera 162
Shobak 161
Si'ir/Zior 136
Siloam 94
Simson 113
Sinai 113, 142, 177
Sisak, König von Ägypten 42
Sizilien 84
Sodom 92, 109
Sonnenberg, Ralf 86
Sonnentanz 264
Sopranima 114
Sowa 52
Srinagar 78
Sternenkult 48, 110, 113, 115
Stonehenge 30
Strabon 26, 144, 149
Syrien 138, 141 f., 149

Tacitus 220
Taif 101
Taiz 64
Takht-i-Bilqis 82
Takht-i-Suleiman 78 ff.
Tallin 249 f.
Talos 85, 87
Tamefuji, Takanori 245
Tamisier, Maurice 239
Tarim 101
Targum, zweites chaldäisches 38,
 40
Taurus 199
Tavares, Paul José 266
Terauchi, Kenji 245 f.
Theoderich I., 194
Therach 105 f., 115
Thora 104, 138, 195
Thummin 150 f., 193

Thutmosis III. 242
Tigris 197, 199
Tikal 7
Tootoosh-Indianer 211
Totes Meer 92
Trajan, röm. Kaiser 178
Tsukuda, Yoshio 245
Tyrus 243

Ufos 242, 244 ff.
Ur 106
Uratmosphäre 231
Urim 150 f., 193
Ursuppe 231 ff.
Uruk 204
Urusalim s. Jerusalem
Utnapischtim 49

Valentich, Frederick 247 f., 251, 262
Valerius, L. 243
Varnhagen von Ense, Rahel 83
Vollmert, Bruno 232 f.
Vorilhon, Claude 260

Wadd 52
Wadi Adana 17

Wadi al-Galahim 74
Wadi Araba 175
Wadi Hadschar 55
Wadi Mousa 139, 142, 145 ff.
Wadi Mujib 159
Wadi Tabala 238
Wainscoat, Jim S. 215
Wallace, Douglas C. 214
Watson, James 217
Weihrauch 7, 24 ff., 87 ff.
Wellington 250 f.
Wickramasinghe, Prof. Nalin Chandra 233
Wilde, Oscar 251
Wilken, Karl-Erich 160, 168
Winnacker, Ernst-Ludwig 224
Wissmann, Hermann von 8, 30
Wohlfahrt, Eberhard 240
Wrede, Adolph von 27, 55
Wular-See 78
Wunderlich, Prof. Hans Georg 86

Zentauren 88, 219
Zeus 84, 88, 115, 203
Zindan-i-Suleiman 82
Zionsberg 136
Ziusudra 49

Bildquellennachweis

Die Vorlagen für die Abbildungen stellten freundlicherweise zur Verfügung:

Hans Herbert Beier: Seite 120/1, 122
Rico Carisch (Ringier Dokumentationszentrum, Zürich):
Seite 229
Willi Dünnenberger: Seite 129, 130, 133, 139
Rolf Lange: Seite 18, 36/7, 59, 66, 76 rechts oben
Georg Müller: Seite 134, 137
Alle anderen Bilder sind dem Archiv des Autors entnommen.

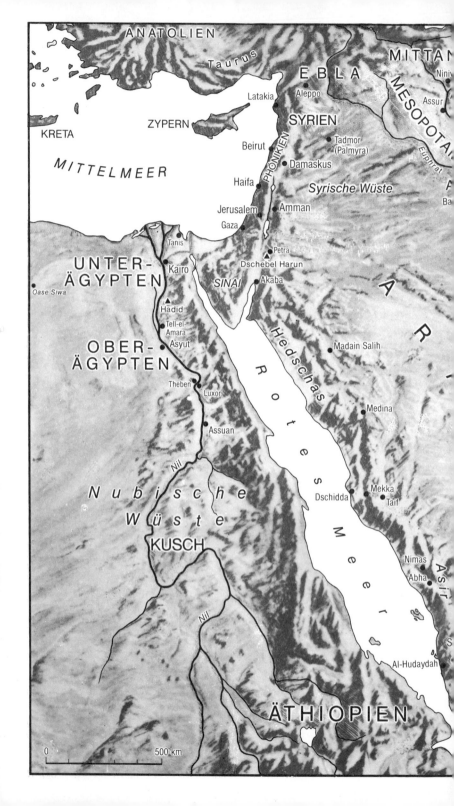